ジョナサン・Iの作品

（本文「色盲の画家」、37ページ以下）

事故の少し前のI氏の作品2点。

右）事故から4週間後にI氏が描いた花の絵。下絵のアウトラインがはっきり見えるが、色彩でカモフラージュされている。
下）I氏は、陥った「鉛色の」世界を説明するために、果物を灰色に塗ってみせた。

メアリ・コリンズが作成した色盲検査用の絵（左）と赤緑色盲者（中央）およびＩ氏の模写（右）。

Ｉ氏には何も見分けられなかった日没の光景。下は、彼の目にどう映ったかを、モノクロのコピーで擬似的に再現したもの。

事故から２カ月後のＩ氏の白と黒の絵。下はさらに２年後の絵。この頃には、自分には見えないが一色だけを加える試みをしている。

フランコ・マニャーニの作品

（本文「夢の風景」、207ページ以下）

一九六五年、病後まもなくフランコが最初に描いたポンティト。左の絵は彼の生家。

現実の写真

フランコの絵

ポンティにたくさんある急な階段のひとつ。フランコの絵は非常に正確だが、視界が現実よりも広い場合や、現実にはないものが付け加えられていることがある。

現実の写真

フランコの絵

フランコの部屋の窓からの眺め。絵のほうの構図は合成されている。

黙示録的、あるいは「ＳＦ的」な絵２枚。「無限の空間で永遠に残る」ポンティト。上はなつかしい寝室の窓からの眺め。下は、惑星の下に浮かぶ緑色と金色の教会の庭。

スティーヴン・ウィルトシャーの作品

（本文「神童たち」、251ページ以下）

「アルバート・ホールのA」

スティーヴンが10歳のときの作品、『ロンドン・アルファベット』の一部。

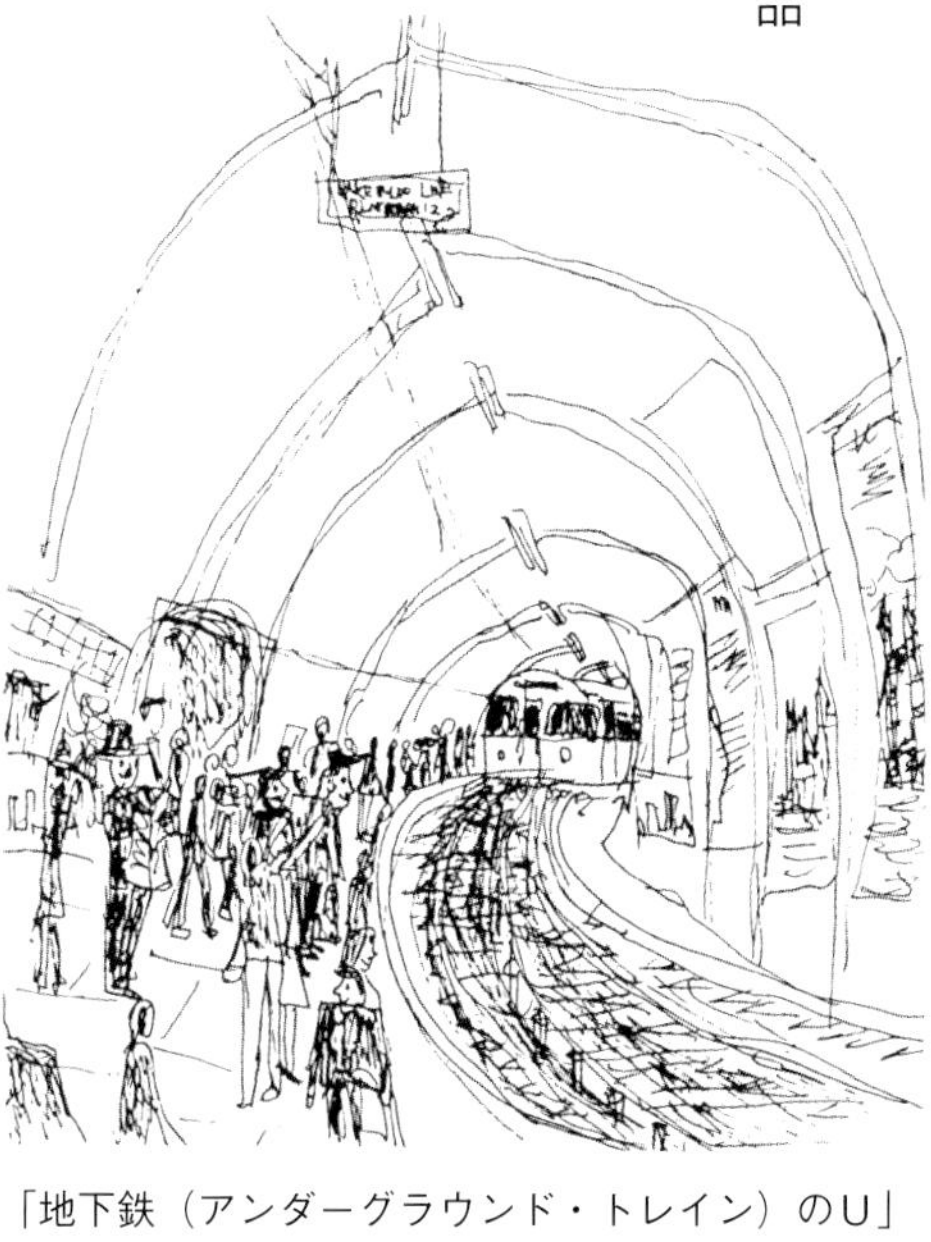

「地下鉄（アンダーグラウンド・トレイン）のU」

ノートルダム寺院。スティーヴンが14歳のときの作品。

スティーヴンが描いたマティスの「ダンス」の模写。エルミタージュ美術館の作品にニューヨーク近代美術館の作品の色がつけてある。

スティーヴンが直接に見て描いたマティスの顔の絵（上段左）と、その後、時間をおいて描いた絵。

スティーヴンが泊まったホテルから見たアムステルダムの古い建物。

ヴェネチアのドゥカーレ宮殿。

赤の広場でスティーヴンが描いた聖ワシーリー寺院の絵の１枚。

パンナム・ビルの上から見たニューヨークのクライスラー・ビル。

シカゴ劇場の豪華な内部。

手早く描かれたスケッチ３枚。アリゾナの風景、ロンドン動物園の象、聖ワシーリー寺院。

ハヤカワ文庫 NF
〈NF251〉

火星の人類学者

脳神経科医と7人の奇妙な患者

オリヴァー・サックス
吉田利子訳

HAYAKAWA NONFICTION

早川書房

4748

AN ANTHROPOLOGIST ON MARS
by
Oliver Sacks

Translated by
Toshiko Yoshida
Published 2023 in Japan by
HAYAKAWA PUBLISHING, INC.
This book is published in Japan by
direct arrangement with
THE WYLIE AGENCY (UK) LTD.

この七つの物語の主人公たちに

宇宙は、われわれが想像するよりも奇妙などころか、想像も及ばないほど奇妙である。

J・B・S・ホールデン

その人物がどんな病気であるかと問うのではなく、その病気にはどんな人たちがかかっているかを問うがよい。

（伝）ウィリアム・オスラー

謝　辞

第一に、本書の主人公である「ジョナサン・I」「グレッグ・F」「カール・ベネット」「ヴァージル」、フランコ・マニャーニ、スティーヴン・ウィルトシャー、それにテンプル・グランディンに深く感謝する。それからその家族、友人たち、セラピストにも言葉につくせないほどお世話になった。

また、教えられ、助けられ、刺激的な議論を交わした（数えきれないほど！）おおぜいの友人や同僚に感謝する。ジェリー・ブルーナーやジェラルド・エーデルマンなどのように、長年にわたって親しく話しあってきた人たちもいれば、たまに会ったり、文通したりするだけの人たちもいる。だが、どの人もみなわたしを触発し、インスピレーションを与えてくれた。たとえば、ウルスラ・ベルージ、ピーター・ブルック、ジェローム・ブルーナー、エリザベス・チェイス、パトリシア・チャーチランドとポール・チャーチランド夫妻、ジョーン・コーエン、ピエトロ・コルシ、フランシス・クリック、アントニオ・ダマシオとハンナ・ダマシオ夫妻、マーリン・ドナルド、フリーマン・ダイソン、ジェラルド・エーデルマン、キャロル・フェルドマン、シェーン・フィッテル、アレン・ファーベック、フランシス・フッターマン、エルクホノン・ゴールドバーグ、スティーヴン・ジェイ・グールド、リチャード・グレゴリー、ケヴィン・ハリガン、ロウエル・ハンドラー、ミッキー・ハート、ジェイ・イツコヴィッツ、ヘレン・ジョーンズ、エリック・コーン、デボラ・ライ、スキップ・レーンとドリス・レーン夫妻、スー・レヴィ＝パール、ジョン・マックグレゴール、ジョン・マーシャル、ホアン・マルティネス、ジョナサン・ミラーとレイチェル・ミラー夫妻、アーノルド・モデル、ジョナサン・ミューラー、ジョック・ミュレイ、クヌート・ノルドビー、マイケル・パース、V・S・ラマチャンドラン、イザベル・ラピン、クリス・ロウレンス、ボブ・ロドマン、イスラエル・ローゼンフェルド、カーメル・ロス、ヨランダ・ルエダ、デヴィッド・サックス、マーカス・サックス、マイケル・サックス、スーザン・シュワルツェンバーグ、ロバート・スコット、リチャード・ショー、レナード・シェンゴールド、ラリー・スクワイア、ジョン・スティール、リチャード・スターン、デボラ・タネン、エステル・セレン、コニー・トマイノ、ラッセル・ウォレン、エド・ワインバーガー、レン・ウェシュラーとジョシュア・ウェシュラー、アンドリュー・ウィルクス、ハーヴェイ・ウォリンスキー、ジェリー・ヤング、セミール・ゼキの方々である。

自閉症について、まず良き友であり同僚であるイザベル・ラピンやドリス・アレン、ハワード・ブルーム、マーリン・ブライテンバック、ジンジャー・クラークソン、ウタ・フリス、ドニーズ・フルクター、ピート・ハームリン、パトリシア・クランツ、リン・マクラナハン、クララ・パークとデヴィッド・パーク夫妻、ジェシー・パーク、サリー・ラムゼイ、バーナード・リムランド、エド・リトヴォ、ミラ・ローテンバーグ、ロザリー・ウィナードの方々が、知識と専門能力を分かち与えてくれた。スティーヴン・ウィルトシャーについては、ロレーン・コール、クリス・マリス、それに誰よりもマーガレット・ヒューソン、アンドリュー・ヒューソン夫妻にお礼を申しあげなければならない。

さらに、（一八六二年のファイエットヴィルの『オブザーバー』を送ってくれた匿名の方を含め）本書に引用させてもらった手紙やその他の手紙をくださった多くの方々にも感謝する。じつのところ、多くの研究は、一九八六年三月のI氏の書簡のように、思いがけない手紙や電話がきっかけで始まった。

本書の完成にあたっては、こうした人々ばかりでなく、避難所や静養場所、刺激を与えてくれた場所にも感謝しなければならない。なかでも散歩と思索にもってこいだったニューヨーク植物園（とくにいまではなくなってしまったツタ園）、レイク・ジェファーソン・ホテルと湖、ブルー・マウンテン・センター（とハリエット・バーロウ）、I氏の検査のいくつかを実施してくれたニューヨーク人文科学研究所、資料を調べさせてもらったアルバート・アインシュタイン医科大学図書館、それに水のなかで考えることが多いわたしとしては、いたるところの湖や川、プールに礼を言いたい。

「トゥレット症候群の外科医」については、グッゲンハイム財団が一九八六年にトゥレット症候群の神経人類学研究に助成金を出してくれたので大変に助かった。

「色盲の画家」と「最後のヒッピー」は、最初『ニューヨーク・レヴュー・オヴ・ブックス』に、その他の症例は『ニューヨーカー』に掲載されたものを書き直した。『ニューヨーク・レヴュー・オヴ・ブックス』のロバート・シルヴァースと、『ニューヨーカー』のジョン・ベネット、その他のスタッフにも大変、世話になった。その他、本書の編集、出版には、クノップフ社のダン・フランク、クローディン・オハーン、ピカドール社のジャッキ・グラハム、ジム・シルバーマン、ヘザー・シュローダー、スーザン・ジェンセン、スザンヌ・グルックらの人々にもご尽力いただいた。最後に、本書の登場人物の全員を知って、執筆の意欲とはずみを与えてくれたアシスタントであり編集者、協力者、友人のケイト・エドガーに感謝する。

だが、ここでやはり出発点に戻らなければならない。症例研究というものはすべて、どれほど広く冒険をしても、深く研究を掘り下げても、結局は具体的な対象、つまり研究の鍵となった患者さんに戻るべきものだからである。そこで、わたしを信頼し、人生を分かち与え、体験をこれほど真摯に語ってくれた人々、そして長年の間に友人となった七人の人々に本書を捧げる。

目次

火星の人類学者

脳神経科医と7人の奇妙な患者

はじめに

わたしはもともと右利きなのだが、いまは左手で書いている。一ヵ月前に右肩を手術したので、右手を使うことを禁じられ、使いたくても使えない。不器用にのろのろとしか書けないが、それでも一日ごとになれて楽になる。適応し、学習しているというわけだ。ただ書くだけでなく、ほかにもいろいろと左手を使えるようになった。それに、吊《つ》っている片腕のかわりに足の指でものをつかむのにもなれた。腕が使えなくなって最初の数日はしじゅうバランスを崩していたが、いまでは前とちがった歩き方を覚え、新しい平衡感覚を習得した。異なる行動様式、異なる習慣が生まれたのだ……この特定の領域では、異なるアイデンティティを獲得したといってもいい。同時に脳の内部でもプログラムや回路に変化が起こっているにちがいない。シナプスのウェイトや接続、信号が変化しているはずだ（現代の脳科学ではそこまではつきとめられないが）。

こうした適応の一部は考えたり、計画したりして得たものだし、試行錯誤で学びとった部分もあるが（最初の週には左手の指はどれも傷だらけになった）、大半は自分にもわからないプログラムの組み直しや適応によっていつのまにか達成されたものである（ふつうに歩くというのがどういうことか意識もせず、また考えてもわかりようがないのと同じように）。順調にいけば、来月には自分の身体イメージに右腕をもう一度組みこみ、再適応させ、また充分かつ「自然に」使えるようになり、器用な右利きの人間として復帰できるだろう。

だが、傷口が癒《い》えるのとはちがって、こんな場合には単純に自動的に回復するというわけにはいかない。筋肉と姿勢との関連を覚えなおし、順序（とその全体を統合する方法）を発見して学ぶという、まったく新しい治癒《ちゆ》の道をたどるはずだ。担当医師は自分でも同じ手術を受けたことがある賢明な人物だが、こう言った。「一般的な指針とか制約、助言というものはあります。でも、具体的なことは自分で見つけなければならないんですよ」理学療法士のジェイも同じようなことを言った。「適応の仕方はひとによってちがうんです。神経系が自然に道を見出すのでしょう。あなたは神経科医だからとうにご存じでしょうが」

フリーマン・ダイソンは、自然はわたしたちよりずっと想像力が豊かだと言い、物理と生物の世界の豊饒《ほうじょう》さ、物理的なかたちと生命のかたちの限りない多様性の驚異について語っている。わたしは医者だから、健康と病気という現象に、つまり、さまざまな困難や身体的変化に直面した人間という有機体がその状況に適応し、自らを再構成していくかたちの多様性に、自然の豊饒さを見てとる。

そうした意味で、欠陥や障害、疾病は、潜在的な力を引きだして発展、進化させ、それがなければ見られなかった、それどころか想像もできなかった新たな生命のかたちを生みだすという逆説的な役割を果たすことができるのである。この疾病のパラドックス、言ってみれば「創造的な」力が本書の主なテーマである。

発達障害や疾病の破壊力はたしかに恐ろしいが、同時にそこに創造性が見られる場合もある。ある道が閉ざされ、ある行動様式が不可能になったとき、神経系はべつの道、べつの様式を見出し、思いもよらなかった発達、進化を遂げるかもしれない。わたしの見るところ、この可能性はどの患者にもある。発達障害や疾病が秘めているこの可能性について本書で語りたいと思う。

A・R・ルリアほどおおぜいの脳腫瘍《しゅよう》患者、あるいは脳損傷や発作を経験した患者の予後を研究した神経学者はほかにないが、彼の関心もそこに、つまり生きるための適応の仕方にあった。ルリアはまた若いときに、師であるL・S・ヴィゴツキーとともに聴覚障害や視覚障害の子供たちを研究している。ヴィゴツキーは、こうした子供たちの欠陥よりも健全さのほうを強調した。

障害をもつ子供たちは質のちがった、独特な発達の仕方をする……健常児と同じレベルに達した視覚障害や聴覚障害の子供は、べつの方法、べつのコース、べつの手段でそこまで発達している。教育者としてとくに大切なのは、子供を導くべき独特の道筋を知ることである。この独特の道が、障害のマイナスを補償作用のプラスに変える。

こういった根元的な適応が可能であるならば、脳について新しい見方をするべきだとルリアは考えた。脳をあらかじめプログラムされた静的なものとしてではなく、ダイナミックで活動的な存在、つねに有機体のニーズに応じ、脳の機能にどのような欠陥や障害があろうと統一された自我と世界を構築しようとする欲求に適応して進化し、発展するきわめて優れた適応システムと考えるべきではないか。色の識別や動作から、個人の知的な性向まで、脳が非常に細かく分化されているのは確かだ。すべての知覚、行動に対応した重要な領域がおびただしく存在する。そのすべてがからみあい、統合されて自我を創りあげているさまは、まさに奇跡である。

脳には驚くべき可塑《かそ》性があり、神経や知覚の障害という特殊な（往々にして絶望的な）状況にあってさえも、驚異的な適応能力があることを、患者とその人生を見ていてつくづく感じる。じっさい、定義に凝り固まった「健常」を基準にせず、変化した特殊な性質や必要に応じて新しい組織や秩序をつくりだす有機体の能力という面から、「健康」や「病気」という概念をとらえるべきではないかと、よく思う。

病気というと人生が萎縮《いしゅく》してしまうと考えがちだが、必ずしもそうなるわけではない。わたしの患者のほとんどは、どんな問題を抱えていようと、積極的に生きているように思われる。それも、彼らの特殊な状況にもかかわらず、というより、特殊な状況にあればこそ、あるいはそのおかげで人生を謳歌《おうか》しようとしている。

これからお話しするのは、思いがけない躓《つまず》きを経験した生命体、そして人間の精神についての七つの物語である。本書に登場するひとたちは、トゥレット症候群、自閉症、健忘症、全色盲など、さまざまな神経学的異常の持ち主である。伝統的医学の見地では彼らは典型的な「症例」だ。しかし、同時にじつに個性的な存在でもある。ひとりひとりが独特の世界に住んで（ある意味ではそれぞれの世界を創りだして）いる。

これは変化した、それも極端に変化した状況のもとで生き延びたひとたちの物語である。彼らが生き延びられたのは、人間がもつすばらしい（だが、ときには危険な）再構築と適応の能力のおかげである。以前、わたしは神経障害のもとでの自我の「維持」について、また（もっと少数だが）自我の「喪失」について書いた。だが、維持とか喪失という言葉は単純すぎると思うようになった。そこにあるのは、脳と「現実」の極端な変化に対する自我の適応であり、さらには自我の変容なのである。

医者が病気を研究するときには、患者のアイデンティティ、すなわち病気に触発されて患者が創りだした内的な世界を考えなければならない。だが、患者にとっての現実、彼らと彼らの脳が構築した世界の全体は、外から行動を観察しているだけではつかめない。科学者、博物学者としての客観的なアプローチに加えて、主観的なアプローチが必要となる。フーコーが書いているように、「病理的な意識の内側に（飛びこみ）、その世界を患者自身の目で見よう」と試みなければならない。そうした直観あるいは共感の本質と必要性について、G・K・チェスタトンは、彼がつくりだした探偵、ブラウン神父の口を借りて、誰よりも巧みに語っている。ブラウン神父は、推理の方法を尋ねられて、つぎのように答える。

科学というものは、その本来の姿でとらえるなら、どうしてなかなかりっぱなものだ。科学という言葉、これもその本義を誤らずに使うのなら、とびきりりっぱな言葉だ。しかし、当今、科学と言えば十中八九なにを意味します。探偵法が科学だというのはどういうことです。犯罪学が科学だというのはどういうことですか。それは人間を内側からでなく外側から吟味することです、でかい昆虫か何ぞのように。そして偏見をまじえぬ冷厳なる光とかいうものに照らして研究しようというのだが、そんなものはわたしに言わせれば非人間的な死んだ光にすぎん。そういうことをいくらやっても、罪を犯す人間の正体は遠のくいっぽう、ついには先史時代の怪獣のようなものになってしまう。そしてたとえば《犯罪人型の頭蓋骨》などという研究に夢中になったりするのだが、そうした科学する犯罪学者の目から見れば、犯罪人というものは無気味な異常発育の一種で、犀《さい》の鼻の頭についている角などと何ら選ぶところがない。こうした手合いが《犯罪人のタイプ》について云々《うんぬん》するのを聞くがよい。ご当人がそのタイプにはいろうなどとは夢にも考えていない。もっぱら、隣人のことを考えている。それもたぶんはあまりお金のない隣人のことを。冷厳なる光、これはある意味では科学の正反対のものなのだが、それが時には役に立つこともありましょう。それはわたしも認めます。しかし、それにしても当今に言う科学は、知識どころか知識の抑圧です。なにしろ、わたしどもの心に近く親しい事柄を、手のとどかぬ遠方の不可思議として理解したい、というのだから。親友を赤の他人として遇しよう、というわけです。人間には鼻がある、夜になると眠い、そう言う代わりに、人間は一対の目の中間に吻状突起《ふんじょうとっき》を有するものなりとか、二十四時間に一度発作的に無感覚状態に陥るものなりとかいうのが、当節の科学だ。ところで、あなたがたの言う《ブラウン神父の秘密》というのは、まさにこの反対のものなのです。わたしは人間を外側から見ようとはしません。わたしは内側を見ようとする……いや、いや、それ以上だ。なぜって、このわたしは人間の内部にいるのですからな。

『ブラウン神父の秘密』G・K・チェスタトン著
中村保男訳（東京創元社）より

診療室やオフィスにいては、大きく変容を遂げた自我や世界の探索は充分にできない。フランスの神経学者フランソワ・レルミットはこのことをよく心得ていて、診療所で患者を観察するかわりに家を訪ね、レストランや劇場に患者を連れていき、一緒にドライブして、できるだけ経験をともにするようにしていた（一般開業医もそうだ、というか、以前はそうだった。わたしの父が九十歳になっても引退をしぶっていたとき、まわりは「せめて、往診はやめたら」と言った。すると父は、「いや、ほかのことはやめて、往診だけは続けるよ」と答えたものである)。

そこでわたしも白衣を脱ぎ、これまで二十五年を過ごした病院から離れて、研究対象であるひとたちの実生活をじかに探求することにした。ある意味では珍しい生物の生態を観察する博物学者、ある意味ではフィールドワークをする人類学者、それも神経人類学者のようなものだが、なによりもあちこちを往診して歩く医者、それも人間経験のはるかな極限の地まで往診する医者に近いと言っていいだろう。

これからお話しするのは神経学的な偶然によって引き起こされたひとびとの変容の物語であるが、変容後の異なる存在、異なるかたちの人生がどんなに通常とちがっていようとも、人間的だという点では少しも変わらない。

一九九四年六月、ニューヨークにて

オリヴァー・W・サックス

色盲の画家

一九八六年三月はじめ、つぎのような手紙が舞いこんだ。

わたしはまあ成功してきた画家で、六十五歳になります。今年一月二日、車を運転していて、助手席側に小型トラックをぶつけられるという事故にあいました。地元病院の救急治療室の診断では、脳震盪《しんとう》を起こしているということでした。目の検査を受けたところ、文字も色も識別できなくなっていました。文字はまるでギリシャ文字のようですし、世の中のすべてが白黒のテレビのようにしか見えないのです。数日すると文字はわかるようになり、視力はワシなみになりました。一ブロック先を這《は》っている毛虫が見えるのですから、信じられないほどの視力です。**ところが——色については、完全な色盲になってしまったのです**。眼科にも行きましたが、色盲のことはさっぱりわからないということでした。神経科医にも診《み》てもらいましたが、役に立ちませんでした。催眠状態でも、色を識別することはできませんでした。考え得るかぎりのあらゆるテストを受けました。でも、無駄でした。茶色の飼い犬はダークグレイにしか見えないのです。トマトジュースは真っ黒です。カラーテレビは、白黒のまだらもようにしか見えません……

こんな症例を見たことがあるだろうか、と手紙は続いた。いったいなにが起こったのか教えてもらえるだろうか、なにか助力してもらえるだろうか、と。

じつに驚くべき手紙だった。色盲とは、色に反応する錐体《すいたい》という網膜の視細胞の異常により、赤と緑、あるいはほかの色を区別できないか、ごくまれには、どの色もまったくわからないというもので、ふつうは先天性異常である。だが、手紙の主のジョナサン・Iの場合、そうでないのは明らかだった。完璧な錐体をもって生まれ、これまでずっと正常にものを見てきた。六十五年間、正常な色覚をもっていたのに、とつぜん全色盲になって、なにもかもが「白黒のテレビのように」しか見えなくなったという。この急激な変化からみて、網膜の錐体に起こりうる緩慢な障害が原因とは考えられないから、もっと高度なレベル、つまり色を認識する脳の部分に異常が起こったにちがいない。

脳の損傷に起因する全色盲、つまり大脳性色盲は、三世紀以上も前に記録があるものの、現在でもめったに見られない興味深い症状である。このような症例に神経学者が関心をもつのは、すべての神経的機能の損傷と同じく、神経構造のメカニズムを解明する端緒となるためである。この場合なら、脳がどのように色を「見る」のか（あるいは作りあげるのか）を解明する参考になる。しかも、患者は芸術家だという。画家にとって色はなにより大切だし、言葉だけでなく色で説明できるから、自分の陥った状況がどれほど奇妙で苦しいかを伝えることができるにちがいない。

色の問題は、何百年も前から偉大な芸術家、哲学者、自然科学者が好奇心を燃やしてきた重要なものである。若きスピノザの処女作は虹に関する論文だったし、若きニュートンは白色光の構成を発見して小躍りした。ゲーテの色に関する偉大な研究もニュートンと同じく、プリズムから始まった。前世紀のショーペンハウエル、ヤング、ヘルムホルツ、マックスウェル、みんな色の問題に興味をもった。ウィトゲンシュタイン最後の仕事は、『色について』だった。だが、ほとんどの場合、ひとはこの大きな謎を見過ごしている。I氏のような症例を通じて、色覚に関する脳のメカニズムや生理学ばかりでなく、色の現象学や個人にとっての意味の深さまで探ることができるかもしれない。

I氏の手紙を受けとったわたしは、同僚の眼科医ロバート・ワッサーマンに連絡を取った。この複雑な症例には、ふたりであたる必要があるだろうし、できればI氏のために何らかの力になりたいと考えたのである。わたしたちが初めてI氏に会ったのは一九八六年四月だった。彼はやせて背が高く、鋭い知的な容貌をしていた。全色盲になってすっかり落ちこんでいるようだったが、じきにうちとけ、生き生きとユーモアを交えて話をしてくれた。ひっきりなしにタバコをふかす彼のせわしい指には、ニコチンのしみがあった。彼は芸術家として活動的で実り多かったこれまでの人生を語った。青年時代はニューメキシコでジョージア・オキーフと過ごし、一九四〇年代はハリウッドで背景幕を描き、一九五〇年代にはニューヨークで抽象表現主義の画家として仕事をし、その後はアート・ディレクター、商業デザイナーとして暮らしてきたという。

聞いてみると、彼は事故後、一過性の健忘症になっていた。事故当日の一月二日夕方には、警察で自分の身元も事故の状況もはっきりと話せたが、その後頭痛が激しくなってきたので帰宅した。夫人には頭が痛い、混乱しているとこぼしたが、事故には一言も触れなかった。それから、まるで昏睡状態のように長時間眠りつづけた。翌朝、車がつぶれているのに気づいた夫人がびっくりして、なにがあったのかと聞いた。だが、わからないな、誰かがバックしてぶつけたのかな、などと言うばかりで明確な返事が得られなかったので、容易ならぬ事態だと気づいた。

車でアトリエに行ったI氏は、デスクに警察の事故報告書の写しが載っているのを見つけた。事故にあったのはたしからしいが、不思議なことに記憶がなかった。事故報告書を読めば記憶がよみがえるかもしれない。ところが手にとっても、何のことかまったくわからなかった。さまざまな大きさの記号が印刷されているのははっきりと見えるが、まるで「ギリシャ語」か「ヘブライ語」のようだった。拡大鏡で見ても同じで、「ギリシャ語」や「ヘブライ語」が大きくなるだけだった(この失読症は五日後に消えた)。

事故が原因で何らかの発作を起こしたか、脳が傷ついたのだと思ったI氏はかかりつけの医師に電話し、医師は地元の病院で検査を受ける手配をしてくれた。手紙にあったように、このとき失読症に加えて色覚異常があることがわかったものの、I氏自身は翌日になるまで異常を感じなかった。

その日、彼は仕事を再開しようと考えた。晴れて明るい朝であることはわかっていたが、まるで霧のなかを運転しているようだったという。なにもかもが色褪《あ》せた灰色にかすんで見にくかった。アトリエの近くまできたとき、警官に止められた。二度、赤信号を無視したのですよ。気づかなかったのですか？　ノー、と彼は答えた。赤信号なのに走り抜けたとは気づかなかった。降車を命じた警官は、彼が素面《しらふ》ではあるが具合が悪そうで気持ちも混乱しているようすなので、交通違反切符を渡してから、医者に診てもらったほうがいいと勧めた。

アトリエに着いたI氏はほっとした。これで恐ろしい霧が晴れて、すべてがもとどおりに明瞭になると思ったのだ。だが入ってみると、色鮮やかな絵がかかっているアトリエはどこも灰色で、まったく色がなかった。よく知っている色彩豊かな抽象画のカンバスは灰色か黒と白でしかなかった。かつては豊かな連想と感情と意味をたたえていた自分の絵が、見たこともない支離滅裂なものに変わっていた。このとき、自分の損失の大きさを知って、彼はうちのめされた。一生を画家として過ごしてきたのに、自分の芸術が意味をなさなくなった。これからどうすればいいのか、想像もつかなかった。

それからの何週間かは、たまらなく苦しかった。「色がわからなくてもたいしたことはないだろう、そう言った友人もいました」とI氏は言った。「妻もときにはそう思ったらしい。

でも、少なくともわたしにとっては、身の毛もよだつ恐ろしいことだった」彼はすべてのものの色を、驚くべき正確さで知っていた。何色かというだけでなく、それが長年使ってきたパントン社の色相表では何番かまで覚えていた。ヴァン・ゴッホの絵のビリヤード台の緑はどれか、すぐに答えることができた。好きな絵の色はすべて知っているのに、現実に絵を前にしても、頭のなかですら、その色を見ることができなかった。いまとなっては、色は言葉による記憶でしかなかった。

色が失われただけではない。現在見えるものは、ぞっとするほど「汚らしく」、白はてかてかとまぶしいものと褪せたオフホワイト、黒は洞窟のようだった。すべてがあり得べからざる不自然さで、汚れて不純に見えた。

「灰色の彫像が動きだしたような」人間の変わりようも、また鏡に映る自分の姿も堪えがたかった。彼は人づきあいを避け、セックスもできなくなった。ひとびとの肉体は、妻の肉体も彼自身の肉体も忌まわしい灰色で、「肌色」が「ネズミ色」にしか見えなかった。目を閉じても、造形的イメージは鮮やかなままで、ただ色彩がまったくなかった。

なにもかもが「異様」だというのは、吐き気をもよおすほど不安だった。しかも、日常のすべてがそうなのだ。死んだような灰色の食べ物はおぞましく、目を閉じなければ口にできなかった。だが、目をつぶってもあまり役には立たなかった。頭のなかのトマトも、やはり真っ黒だったから。さまざまな食品のイメージを頭のなかですら修正できないので、黒と白の食べ物を好むようになった。黒いオリーヴ、白い米、ブラック・コーヒーにヨーグルト。

こうした食べ物は多少はまともに見えたが、もともと色のあるほかの食べ物は、どうしようもなく異常に感じた。飼っていた茶色の犬があまりに異様に見えるので、ダルメシアンを飼おうかと真剣に考えたほどだった。

交通信号の赤と緑から（位置で判断するしかなかった）服を選ぶことまで、ありとあらゆる困難や苛立《いらだ》ちにぶつかった。服は夫人に選んでもらうしかなく、それが彼にはたまらなかった。のちには、引き出しと戸棚の身の回り品をすべて分類してもらった。グレイの靴下はここ、黄色はあそこというぐあいで、ネクタイにはラベルをつけ、ジャケットやスーツも区分けして、とんでもない不調和や混乱を避けた。食卓では、儀式のように手順や場所を決めておく必要があった。そうでないと、マスタードとマヨネーズを、黒っぽいものならケチャップとジャムをまちがえてしまう。

日がたつにつれ、とくに恋しく思われたのは春の輝かしい色彩だった。昔から花が好きだったのに、いまでは形やにおいで見分けるしかなかった。アオカケスももう鮮やかなブルーではなくて、奇妙な色褪せたグレイだった。空に浮かぶ雲も見えなかった。白というよりオフホワイトの雲は、色褪せた薄いグレイに見える空とほとんど区別がつかなかった。赤いピーマンと緑のピーマンも同じように黒く見えた。黄色やブルーは白っぽかった。

またコントラストも異常に強くなり、とくに直射日光や強い人工的な光のもとでは、微妙な陰影がなくなった。彼はそれを、色も陰影も消えてしまうナトリウムランプや、特殊な――「トライXフィルムを使ってシャッタースピードをあげたような」――コントラストの強い白黒フィルムにたとえた。コントラストが強いと、ものの輪郭が真っ黒なシルエットのように浮かびあがって見えるが、コントラストがふつうだったり弱かったりすると、背景にとけこんでまるっきり見分けられないのだった。

ペットの茶色の犬は、陽の当たる道路のうえでは明瞭なシルエットになるが、薄暗い草のなかに入ると紛れて見えなくなった。ひとの輪郭は八百メートルも先から見えるが（手紙にあったように、またその後くりかえし語ったように、彼の視力は「ワシなみ」に鋭くなっていた）、顔は近づくまでわからないことが多かった。これは失認症というよりは、色彩と陰影がなくなったためらしい。困るのは、運転しているときに影を地割れや溝とまちがえ、ブレーキをかけるか急ハンドルを切ってしまうことだった。

カラーテレビは堪えがたかった。画面はつねに不快で、ときに理解不能だった。白黒テレビはずっとましだったので、モノクロの映像に関する知覚は比較的正常らしいと感じたが、色のついた映像を見ると奇妙な堪えがたい気分になった（のちに、カラーテレビの色を消してみればよかったのに、とわたしたちが言うと、彼は色を消したカラーテレビの映像の明度は不自然で、本物の白黒テレビよりも正常でない感じがしたと答えた）。会って話したとき、彼は、最初の手紙にはああ書いたが、自分が見ている世界は白黒のテレビや映画ともちがう、もしそうならずっと楽だっただろうと言った（テレビ画像のようにものが見えるメガネがあれば、と思ったことがあるという）。

世界がどんなふうに見えるか言葉で伝えようとしてもままならず、白黒画像のたとえもぴったりしないので苛立った彼は、何週間かのちに、とうとうアトリエになにもかも灰色の部屋、灰色の世界をこしらえた。テーブルも椅子も灰色で、そこに置いてある食事もすべてさまざまな色調の灰色に塗った。これは、わたしたちが見慣れている「白黒」のイメージともちがった不気味な世界で、白黒の写真とはまったく別だった。I氏が指摘したように、わたしたちが白黒写真や映画を見ていられるのは、それがひとつの「表現」であり、好きなときに見たり、目をそむけたりできるからだ。だが、彼にとってはそれが「現実」の世界で、一日二十四時間、周囲三百六十度、三次元のすべてが灰色だった。その世界を表現するには、完璧に灰色の部屋をつくって経験してもらうしかない。もちろん、見ている者自身も灰色に塗らなければ、その世界の一員ではなく、ただの観察者にすぎない。そのうえ、彼がしたように脳にある色の知識も失う必要がある。「鉛でつくられた」世界で暮らしているようなものだ、と彼は言った。

その後、彼は「灰色」や「鉛」という言葉でもなお、うまく言い表わせないと気づいた。彼が見ているのは「灰色」とも異なる、通常の経験、通常の言語では表現し得ない知覚の世界だった。

I氏は、美術館や画廊に行くことも、好きな絵のカラー複製を見ることもできなくなった。色が奪われただけでなく、色褪せた「不自然な」灰色の陰影に、こんなはずではないという思いがこみあげるからだった（白黒写真のほうは、それほどではなかった）。とくに、知っている画家の絵がいやだった。作品が与える異常な感覚のために画家のイメージが混乱した。

それは自分自身について感じることでもあった。

虹を見たときにも、絶望に襲われた。虹は空に浮かぶ色のない弧でしかなかった。ときどき襲われる片頭痛すら、「鈍重」に感じた。それまでは頭痛によって色とりどりの幾何学的な幻が見えたのに、そこからも色が消えた。色が見えないかと、眼球を強く圧迫してみたが、浮かぶ火花や形にもまったく色がなかった。風景や絵などの夢を見るとき、それまでは鮮やかな色がついていることが多かったが、いまの夢は洗いざらしのように色褪せているか、コントラストばかりが荒々しく強烈で、色彩も微妙な陰影もなかった。

妙な話だが、音楽を聞く喜びも損なわれた。彼の場合、音を聞くと同時に色のイメージを見る現象、つまり共感覚が強く、どの音楽も頭のなかでは多彩な色の集まりだった。ところが色覚の喪失とともに、この共感覚も消えた。「色覚器官」が故障して、音楽を聞いても視覚的連想が起こらなくなり、彼の音楽には不可欠だった色が消えた。音楽はひどく空疎になった。

それでも、デッサンは見てそれなりに楽しかった。彼は若いころは優れた素描家《そびょう》だった。もう一度、デッサンを始めることはできないか。だが、ひとからもしきりに勧められたものの、なかなかその気にはなれなかった。はじめは何とか色のある絵を描きたいと思った。たとえ見えなくても、どの色を使うべきか「知っている」と彼は言い張った。まず花を描こうと決め、パレットで「色調的に正しい」色と思われるものをつくりだした。ところが、ふつうのひとの目には、わけのわからない色の寄せ集めとしか映らなかった。画家の友人が撮った白黒のポラロイド写真を見るとはじめて、意味のある絵になった。輪郭は正確だったが、色はすべて狂っていた。友人のひとりが言った。「誰もきみの絵を買わないよ。きみみたいな色盲でないかぎりね」

「無理はよせよ」とべつの友人が言った。「もう、色は使えないんだから」I氏は不承不承《ふしょうぶしょう》、色のある絵をすべて片づけた。だが、それも一時だと彼は考えた。じきに、また色を使ってみせる。

最初の数週間は苛立ちと絶望のくりかえしだった。ある朝目が覚めてみたら奇跡的に色の世界が戻っているのではないか、そう期待しつづけた。夢でもいつもそう思っていた。だが夢のなかでですら、願いは叶わなかった。いよいよ色が見えるというところで目が覚める。現実はなにも変わらなかった。一度起こったことはまた起こるかもしれないという恐怖もあった。今度は視力を完全に失うかもしれない。自動車事故で何らかの発作を起こしたのではないか（あるいは発作が事故の原因だったのか）。いつ何時、発作が再発するかもしれないと恐ろしかった。こうした身体的な恐怖に加えて、言葉にできない当惑と不安がつきまとった。色のある絵を描こうと努力し、まだ色を「知って」いると言い張ったのは、この当惑と不安のせいだった。このころ、失われたのは色覚や色のイメージだけではないと、だんだんわかってきた。もっと深いところで、言葉にできない変化が起こっていた。彼は色について客観的にも理屈としてもすべてを知っていたのに、自分の存在の一部だったその記憶、内的な知識が失われてしまったのだ。生まれてこのかたずっと経験してきた色の世界、それが歴史的事実にすぎなくなった。もう手が届かず、感じることもできない。彼の過去、色のある過去は奪われたも同然だった。脳にある色の知識がすべて除去されてあとかたもなくなり、存在したという証拠すら残ってはいなかった。

二月はじめ、多少落ち着きを取り戻した彼は、理性だけでなく、もっと深い部分で自分が全色盲であること、回復の見込みがないことを悟りはじめた。最初の絶望が一種の決意に変わった。色のある絵が描けないなら、白と黒で描こう。白と黒の世界でできるだけ生きてみよう。ある出来事によって、この決意はいっそう強くなった。事故から五週間ほどした朝、彼は車でアトリエに向かっていた。高速道路の向こうから朝日が昇るところだった。真っ赤な朝焼けはすべて黒に変わっている。「太陽はまるで爆弾のように昇ってきました。巨大な核爆発のようでした」彼はのちにそう語った。「あんな日の出を見たひとがいるでしょうか」

この日の出に触発されて、彼は制作を再開した。「核の日の出」と題する白と黒の絵を描き、それから好きな抽象画にとりかかったが、今度は白と黒だけで描いた。視力喪失の恐怖はなおもつきまとったが、創造行為に転化され、色の実験が続いたあとの最初の「本物」の絵となって結実した。白と黒の絵なら描ける、それも優れた絵が描けると彼は気づいた。アトリエでの仕事が唯一の楽しみとなり、一日十五時間から十八時間も働いた。彼は芸術家として生き延びたのだ。「絵が描けないなら、生きていてもしかたがないと思っていました」

と彼は語った。

　二月と三月に描かれた最初のころの白黒の絵は、激しい怒りや恐怖、絶望をたたえているが、作品としては均整がとれていて、ふりまわされずにこのような激しさを表現し得る芸術的能力をうかがわせる。この二ヵ月に、それまでの彼にはなかった独特のスタイルをもつ十数枚の絵ができあがった。万華鏡をのぞくような不思議な破片が描かれた絵が多く、目をそむけたり、憂《うれ》いに沈んだり、悲しんだり、怒ったりしている顔や、切り刻まれて枠や箱に押しこまれた人体を思わせた。迷路のような複雑さや、取り憑かれたような印象は、彼のこれまでの絵にはなかったもので、ふりかかった不幸を象徴的に表現しているようだった。

　こうした作風が五月を境に変化する。それは感動的な変化だった。彼は、力強いがどちらかというと恐ろしい異様な絵ではなく、生き物をテーマに、踊り子や競走馬を描きはじめた。三十年ぶりの具象画だった。絵はあいかわらず白と黒だが、躍動感と生命に満ちており、作風の変遷《へんせん》は暮らしの変化と軌《き》を一《いつ》にしていた。不安や鬱々とした気分が少しずつ薄れた彼は引きこもるのをやめ、社交や性生活を再開し、生気を取り戻した。

　このころ、それまでは手をそめたことのなかった彫刻も始めた。彼は形や輪郭、動き、奥行きなど残されたあらゆるビジュアルな様式を、熱っぽく模索したらしい。肖像画も描きはじめたが、生身の人間を見ているのに耐えられなかったので、白黒写真をもとに知識と感性で補って描いた。アトリエにいるときだけは生きることもつらくなくなった。ここなら、確固とした力強い形式で世界を把握しなおすことができる。だがアトリエの外は異様な灰色で、死んだように虚しい世界だった。

I氏は、こうしたことをわたしとボブ・ワッサーマンに話してくれた。とうとつに色覚をすべて喪失した彼が、白と黒の世界で生きようと試みた物語である。こんな話を聞いたのも、全色盲のひとに会ったのも初めてだったわたしは、彼にどんなことが起こったのか、まして回復の見込みがあるのか、まったくわからなかった。

まず、いろいろと検査をして、彼の障害を正確につきとめなければならなかった。検査の一部は、手近なものや絵を使って行なわれた。たとえば、I氏に、デスクの横にある棚の青や赤、黒のノートについて尋ねてみた。彼はすぐに、正常な目には明るい中間的な青に見えるノートを取りあげ、「白っぽく褪せて」見えると言った。赤と黒はどちらも「真っ黒」で区別がつかなかった。

わたしたちは三十三色の糸の束を渡し、区分けしてみてくれと頼んだ。彼は色がわからないから、灰色の濃淡で分けるしかないと言って、雑多な色が交じった四つの束に手早く分け、それぞれ灰色の濃さが〇から二十五、二十五から五十、五十から七十五、七十五から百パーセントなのだと説明した（彼には、純粋な白というのはなく、真っ白な糸も少し「すすけて」いるか「汚れて」見えた）。

この分け方がどの程度まで正確なのか、わたしたちにはわからなかった。色に邪魔されて灰色の濃淡を見ることができないからである。彼が色を使って描いた花の絵が、正常な色覚をもった者には理解できなかったのと同じだ。だが、白黒写真と白黒のビデオに撮ってみると、I氏が区分けした糸の束の濃淡が、機械で読みとった明度と基本的に一致していることがわかった。彼の分け方には多少おおざっぱなところがあったが、これは彼自身もこぼしている強烈なコントラストのせいで、段階的な陰影が欠けているためらしい。黒から白までを十二段階に塗り分けた灰色の濃淡の表を見せたところ、I氏は三段階か四段階しか見分けられなかった。

古典的な石原式の色覚検査表も使った。これは、さまざまな色の点の集まりで、正常な色覚のひとにには数字が浮きあがって見えるが、色覚異常のひとにはわからない。I氏は、数字がぜんぜん読めなかった（ヒステリー性の色盲や偽装色盲を診断するため、色盲のひとだけが識別できるように工夫された数字のいくつかは読むことができた）。

ちょうど色覚検査用に作られた、日没の赤い空を背景にした突堤に釣り人のシルエットが浮かぶ絵ハガキがあった。I氏には突堤も釣り人も見分けられず、なかば沈んだ夕日が見えるだけだった。

色のついた絵はだめでも、白黒写真やコピーならI氏は正確に識別できた。形の認識には支障がないのだ。見せられたものや絵のイメージや記憶もきわめて鮮明で正確だったが、色はいつも欠けていた。検査用の色のついたボートの絵を示すと、I氏はじっと見つめたあとさっと目をそらし、白と黒で正確に再現してみせた。よく知っているものの色を尋ねたときも、色の連想や名称にはまったく問題がなかった。たとえば色名失語症の患者だと、正しい色を選ぶことはできるが、色の名前がわからず、自信なさそうにバナナは「青」と答えたりする。これに対して、色彩失認症の患者も正しい色を選べるが、青いバナナを見せられても変だと思わない。I氏はこのどちらでもなかった。また、いまのところは読むことにも困難を感じていない。このような検査や神経学上の一般検査でも、I氏の全色盲は裏付けられた。

ここで言えるのは、I氏がヒステリー性ではなく、真性の色盲だということだった。I氏の心情は複雑だったようだ。ヒステリー性ならば回復の見込みもあるとなかば期待していたのだろう。だが、ヒステリー性、つまり心理的な問題だと考えるのは、それはそれで辛く、自分の障害には「実体がない」のかと不安になった（事実、数人の医師はそうではないかとほのめかしていた）。わたしたちのテストで、ある意味では障害が認定されたわけだが、脳障害と予後に対する不安は深まった。

大脳性色盲であることはまちがいなさそうだが、彼が以前からヘビースモーカーだったことが関係しているかもしれないとわたしたちは感じた。ニコチンで視力が損なわれたり（弱視）、色盲になることもあり得る。だが、これは主に網膜への影響によるものだ。I氏の場合は、明らかに大脳に問題がある。たぶん、脳震盪を起こしたときに大脳のごく小さな部分が損なわれたのだろう。事故のあとに小さな発作を起こしたか、あるいは発作が事故の原因だったとも考えられる。

大脳と色覚の関係についての研究は、複雑に揺れ動いてきた。ニュートンは有名な一六六六年のプリズムの実験で、白色光が色のスペクトルのすべてから構成され、分光したり、再び白色光をつくったりできることを示した。もっとも屈折率の高い光は紫色に見え、もっとも低い光が赤色に見える。残りはその中間にある。ものの色は、どの光がいちばん「多く」反射して、わたしたちの目に届くかによって決まるとニュートンは考えた。一八〇二年、トーマス・ヤングは、異なる波長の光それぞれに対応する無限に多くの受容体が目にあると想定する必要はないと考え（芸術家は、非常に限られた絵の具からどんな色でもつくりだせるではないか）、三種類の受容体があれば充分だという仮説をたてた。講義の最中に無造作に語られたヤングの優れた思いつきは、それっきり忘れられて埋もれてしまい、五十年後に視覚について研究していたヘルマン・フォン・ヘルムホルツがよみがえらせて発展させたので、現在はヤング－ヘルムホルツ仮説と呼ばれている。ヤングと同じようにヘルムホルツも、色はそれぞれの受容体が受けとる光の波長によって決まり、神経系は波長を色に翻訳するのだと考えた。「赤い光は赤に反応する神経線維を強く刺激し、ほかの二色に反応する神経線維への刺激は弱いので、赤を感じる」というわけである。

一八八四年、神経科医のヘルマン・ヴィルブラントは、視覚に障害がある患者には、視野の大半が見えない者、色覚がほとんどない者、それに、形が認識できない者などがいることに気づいた。この事実から彼は、脳の第一次視覚野には、「光」と「色」と「形」を認識する異なる視覚中枢があるのだろうと推測したが、解剖《かいぼう》学的に証明することはできなかった。

四年後、スイスの眼科医ルイ・ヴェレが色盲は（半側色盲も）脳の特定部位の損傷から起こる可能性があることを最初に確認した。彼が報告したのは、発作を起こして左後頭葉に障害をきたし、視野の右半分が灰色に見えるようになった（左半分は正常だった）六十歳の女性患者の症例だった。患者の死後、機会を得て脳を調べてみたところ、視覚野のごく小さな部分（紡錘回と舌状回）に異常がみられたので、ヴェレはここに「色覚の中枢が見つかるだろう」と考えた。だが、色覚中枢が存在する、すなわち大脳皮質のどこかに色をとくに感知する部分があるという考え方にはたちまち反論が起こり、それからほぼ一世紀は反対論が強かった。この論争は、神経学の哲学そのものと同じくらいに根が深い。

十七世紀のロックは（ニュートンの物理的哲学に対立する）「感覚」哲学を主張した。わたしたちの感覚は測定道具で、外の世界を感覚として記録するのだというのである。聞くとか見るといった知覚はすべて受け身だと彼は考えた。十九世紀末の神経学者はこの哲学にとびつき、脳の解剖学的構造を理論的に研究する際にあてはめて、視覚とは「感覚データ」あるいは「印象」を網膜から脳の第一次視覚野に、一つ一つ正確に伝達することだと考えた。そこで視覚的世界のイメージが主観的に経験されるというのである。色はこのイメージと切り離せない要素だとされた。したがって、解剖学的にも色覚中枢というものの存在余地はない。それどころか、概念的にも考えられないと彼らは思っていた。したがって、一八八八年にヴェレが発表した説は、定説に真っ向からぶつかるものだったのである。彼の観察は疑問視され、検査は批判され、検証には欠陥があると言われた。だが、反論のほんとうの根拠はじつは教条的なところにあったのだ。

色覚中枢がなければ、独立した色盲もないはずだった。そこでヴェレの症例も、一八九〇年代に見られた類似の二つの症例も、神経学上の問題意識から外されてしまった。大脳性色盲はそれから七十五年、研究対象から消えてしまった。その後、初めて充分な症例研究が行なわれたのは一九七四年になってからである。

I氏は自分の脳になにが起こったのか、非常に興味をもっていた。いまは完全に明暗だけの世界に住んでいる彼だが、照明が変化するとがらりと世界が変わるのに驚いていた。たとえば赤い物体はふつうは黒く見えるが、日没の長い波長の光だと明るく見えるようになり、赤っぽいと推測できる。この現象は、蛍光灯をつけたときのように光線が突然変化した場合にとくに顕著で、部屋じゅうのものの明度が一変した。照明の波長が変化するたびにものの明暗が変化するので、視覚の変動が非常に激しく、相対的に安定して恒常的な色のある世界とはまったくちがうということだった。

もちろん、こうした事柄は古典的な色彩論、つまりニュートンが言ったような、光の波長と色の関係が一定で、波長の情報が網膜の細胞から脳の細胞へ一対一対応で伝えられ、その情報が色として受けとられるという理論では説明できない。プリズムを通した分光と集光のような現象が脳のなかで起こっているというような単純なプロセスを考えたのでは、実生活の複雑な色の概念を理解することはできない。

十八世紀末に、古典的な色彩理論と現実とのギャップに気づいたのがゲーテだった。色のついた影や残像、隣接対比したり光を当てたときの色彩の現われ方、色のついた幻などに注目した彼は、こうした事柄を基盤に据えた色彩論を打ち立てるべきだと考え、「視覚的幻は、視覚的真実である」と宣言した。ゲーテはなによりもひとが実際に色と光を見る仕組み、世界と幻を色で組み立てる方法に興味を持った。こうした事柄はニュートンの物理学ではなく、脳に関する未知の法則でなければ説明がつかないと彼は感じた。彼は「視覚的幻は脳神経学的真実である」と言ったも同然だった。

ゲーテの『色彩論』は（当人は、彼の詩的著作のすべてに匹敵すると思っていた）、同時代人には受け入れられず、偉大な詩人の気まぐれ、似非《えせ》科学とみなされて、行き場を失ったままだった。だが、科学界自身も、ゲーテが重要視した「変則性」にまったく鈍感だったわけではなく、ヘルムホルツなどはゲーテとその科学を讃える講義を何度もしている。最後の講義は一八九二年のことだった。ヘルムホルツは「色彩の恒常性」を強く意識していた。照明の波長が大きく変化しても、ものの色は同じだと感じるからこそ、ものを認識することができるし、なにを見ているのかを知ることができる。たとえば、リンゴが反射する光の波長は、照明によって大きく変化するが、いつも赤だと感じられる。したがって、単純に波長を色に置き換えているだけではないのはたしかだ。なにか「光量を調節する」方法があるはずで、「無意識の推論」あるいは「判断行為」があるのだろうとヘルムホルツは考えた（しかし彼は、そうした判断がどこで行なわれているかまでは推測しなかった）。色彩の恒常性は、わたしたちの概念が一般的に恒常性をもっていて、変化する混沌《こんとん》とした感覚から安定したそれ自身の世界をつくりあげていることの具体的な例だと彼は感じていた。感覚器官に入ってくる不安定で変化の予測がつかない情報をただ受動的に受けとっているだけでは、そうした安定した世界は成立しない。

ヘルムホルツと同時代の大科学者クラーク・マックスウェルも、学生時代から色覚の謎に関心をもっていた。彼は、色の円盤をつくって原色と混色という考え方を確立し（円盤を回すと、色が混ざりあって灰色に見える）、三つのくさび形の色紙を使った色のトライアングルで、どんな色も三原色からつくれることを示した。こうした予備段階を経て、一八六一年に、感光乳剤は黒と白だけでも、カラー写真ができることを証明するもっともめざましい実験が行なわれた。彼は色のついたリボンの写真を、赤と緑、紫のフィルターを通して三度写した。この三枚の「分色」写真（と彼は呼んだ）を撮ったあと、それぞれのフィルターを通して（赤いフィルターを通して撮った写真は赤い光で）スクリーンのうえに重ねて投影してみせた。すると正しい色のリボンが映しだされたのである。マックスウェルは、脳のなかでもこれと同じ方法で色を感じているのではないかと考えた。神経が色を分けたイメージをつくり、それから魔法のスライドでやってみせたように重ねあわせているのではないだろうか。

マックスウェル自身、この加法プロセスの難点に気づいていた。カラー写真では「光量を調節する」方法がなく、光の波長が変化すると無惨に変色してしまったのだ。

マックスウェルの有名な実験から約九十年後の一九五七年、インスタント・カメラとポラロイドの発明者であるだけでなく、天才的な実験家、理論家でもあったエドウィン・ランドが、さらに驚くべきカラー写真の実験をしてみせた。マックスウェルとはちがって、彼はスプリット－ビーム・カメラを使い、同じレンズを通して同じ視点から同時に撮影した二枚の白黒写真を使って、これをダブル－レンズのプロジェクターで映しだした。撮影に使ったのは波長の長い光を通す赤いフィルターと、波長の短い光を通す緑のフィルターの二枚である。一枚目の写真は赤いフィルターを通して映写し、二枚目はフィルターを通さずふつうの白色光で映写した。これだと全体が薄いピンク色に写ると予想するのが当然だろうが、「ありえない」ことが起こった。「金髪、薄いブルーの瞳、赤いコート、青緑の襟《えり》、そして驚くほど自然な肌色」の若い女性の写真が映しだされた、とランドはのちに書いている。いったいこの色はどこから来たのか、また、どのようにしてつくられたのだろうか。この色は写真の「なか」にも、照明光にもなさそうだった。単純で衝撃的なこの実験は、ゲーテのいう色の「幻」が脳神経学的真実であることを示したのである。色は「外界に存在する」のではなく、また古典的な理論で言われたように、波長がそのまま色に還元されるのでもなく、脳のなかで組み立てられるものだった。

こうした実験ははじめ、変則的な現象で原理の裏付けがないものとして宙ぶらりんになっていた。既存の理論では説明がつかないが、新しい理論を明らかにするところまではいかなかったのである。しかも、どんな色が見えるはずかを観察者が知っていることが影響していることも考えられた。そこでランドは、見慣れた自然物のイメージではなく、色とりどりの紙でつくった幾何学的な図形を使うことにした。これなら、どんな色が見えるか予想できない。この抽象的な図形はモンドリアンの絵に似ていたので、「モンドリアン図形」と呼ばれた。このモンドリアン図形を長い波長（赤）、中間の波長（緑）、短い波長（青）の三枚のフィルターをかけて映写することで、ランドは、ものの表面が複雑な色からできているとき、反射される光の波長と知覚される色とは単純に対応してはいないことを証明した。

また、一つの色（たとえば、最初は緑に見えた色）をまわりから切り離すと、どんな色の光線を使っても白や薄い灰色にしか見えない。緑の紙は緑という固有の色をもっているのではなく、ある意味ではモンドリアン図形の周囲との関連で緑という色を獲得していることをランドは示したのだ。

ニュートンや古典的な理論の考え方では、色は各点から反射される光の波長によって与えられる絶対的、固有のものだったが、ランドはそれが絶対的でも固有でもなく、全体の印象と、各点およびその周囲から反射される光の波長との相対的な関係で決まることを明らかにした。視野内の各点とその周辺との関係がつぎつぎに連続していって、世界の全体像ができあがる。ヘルムホルツの言う「判断行為」である。ランドはこの計算あるいは関連づけには一定の法則があると考え、条件が変わったらどんな色に見えるかを予言してみせた。彼はその法則をわかりやすく示す「カラー・キューブ」を発明した。これは異なる波長の光のもとで、脳が色とりどりの面の各点の明暗をどんなふうに比較しているかを示すモデルでもあった。マックスウェルの色彩論と色のトライアングルが色の足し算を基本としていたのに対し、ランドのモデルは比較論だった。実際には次のふたつの比較が行なわれていると彼は考えた。第一は、一定の波長の光のもとで各点から反射される光すべての比較（ランドの言葉を借りれば、その周波数での「明るさの記録」）で、第二は、三つの波長（ほぼ赤と緑と青の波長）の光のもとでの明るさの比較である。この二つめの比較によって、色が生まれる。ランド自身は、脳のどの部分でこの作業が行なわれるかを推測することはせず、網膜《レティナ》と大脳皮質《コーテックス》とが何カ所かで連携しているという意味で、自分の色彩論をレティネックス理論と呼んだ。

光線を変えたとき、さまざまな色がどう変わって見えるかをひとに尋ねることから色を解明しようとしたランドの方法は、精神物理学レベルでの研究だったが、ロンドンのセミール・ゼキは生理学レベルで、すなわち麻酔をほどこしたサルの視覚野に微小電極を差しこんで、色の刺激に対する神経の反応を測定することを試みた。一九七〇年代はじめ、ゼキは画期的な発見をした。サルの脳の両側にある有線前野（Ｖ４と呼ばれる）という小さな部分が、とくに色に反応するらしいことをつきとめたのである（ゼキは「色の信号化細胞」と呼んだ）。こうしてヴィルブラントやヴェレが脳には色を認識する特別な部分があるという仮説をたててから九十年後、ついにゼキが色覚中枢の存在を証明したのだった。

その五十年前、著名な神経科医のゴードン・ホームズは、銃弾で視覚野を破壊された視覚障害者の症例二百を調べ、色盲だけの患者はひとりもいないことを発見した。そこで彼は、単独の大脳性色盲はあり得ないという結論を出した。偉大な権威者の断固とした否定は大きな影響を与え、臨床的な関心は途絶えてしまった。しかし、ゼキの反論しようのない優れた実験は神経学界を震撼《しんかん》させ、長年消えていた関心を新たに呼び覚ました。一九七三年のゼキの研究発表に続いて、ひとの色盲の症例が明らかになりはじめ、今度はかつては考えられなかった新しい脳造影法（CAT、MRI、PET、SQUIDなど）を用いて研究が行なわれた。人が色を識別するためには脳のどの部分が必要かを初めて目で見ることができるようになった。症例の多くにはほかの障害（視野の欠落、視覚失認症、失読症など）も認められたが、決定的な障害はサルで言えばV4部分にあたる大脳内側連合野にあるらしいことがわかってきた。一九六〇年代に、サルの第一次視覚野（V1と呼ばれる部分）には、波長に反応するが色には反応しない細胞があることがつきとめられていた。一九七〇年代はじめ、ゼキは、V4に波長には反応しないが色に反応する細胞があることを発見した（このV4の細胞はV1の細胞からV2という中間構造を介して信号を受けとっている）。V4のそれぞれの細胞には視覚の多くの部分に関する情報が入ってくる。ランドの理論で想定されていた二つの段階に、解剖学、生理学の裏付けが与えられたのである。各波長の明るさはV1にある波長に反応する細胞によって検知されるが、V4にある色の記号化細胞によって比較されるか関連づけられて、はじめて色が感じられる。これがランドのいう関連づけ、あるいはヘルムホルツのいう「判断」にあたるものと思われる。

　色覚はほかの初歩的な視覚のプロセス、つまり動きや奥行き、形の認識などと同じで、前提となる知識を必要とせず、学習や経験によってではなく、神経学者のいうように「積《ボト》み上げ《ム・アップ》」プロセスによって得られるものらしい。実際に、V4を電気的に刺激する実験を行なうと、色の輪とそのまわりの暈《かさ》が「見える」。色の幻覚である。だが、実生活における色覚は経験のなかで重要な部分を占め、ものの分類や価値観とつながっており、個人的な世界を形成する要素のひとつとなっている。色を生みだす器官はV４かもしれないが、色自体は脳と心のほかのたくさんのシステムに信号を送り、変換され、同時にそちらからも信号を受けとって影響される。こうして、記憶や期待、連想、それに世界を共感できる意味のあるものとしたいという願望と色を結びつける統合がなされるのは、もっと高いレベルの働きによる。

Ｉ氏は、形や動き、奥行きといった視覚の障害に邪魔されない、比較的「純粋な」大脳性色盲であるばかりでなく、知的なうえに、デッサン力があって、自分になにが見えるかを専門家として証言することができた。最初に会ったとき、彼は光が変わるとどんなふうに物体や表面が「変容する」かを説明したが、それはいってみれば、世界を色ではなく光の波長で語っていたのだった。このかつてなかった奇妙で異常な体験を、彼はどんな比喩を使っても、どんな言葉や絵を通しても表わすことができなかった。

ゼキ教授に電話して、この異例の患者について話すと、彼はたいへん興味をもち、彼やランドが正常な視覚の持ち主や動物実験に使ったモンドリアン図形の検査に、Ｉ氏がどう反応するかを知りたがった。彼はすぐにニューヨークにやってきて、わたしや同僚の眼科医ボブ・ワッサーマン、神経生理学者ラルフ・シーゲルなどの総合的な検査チームに加わった。色盲のこうした検査は初めてだった。

わたしたちは、複雑で多彩なモンドリアン図形を使い、それぞれ白色光や長い波長の光（赤）、中間的な波長の光（緑）、短い波長の光（青）しか通さないフィルターごしに照明をあててみた。どの光も明度は同じである。

I氏には、どの形も濃淡の差のある灰色にしか見えなかったが、ほとんどの形を識別することができ、すぐにこれを四段階の灰色に分類した。ただ、ある種の色と色の境界は識別できなかった。たとえば赤と緑はどちらも白色光のもとでは黒に見えた。フィルターを無作為につぎつぎと切り替えると、四段階の灰色の濃度は劇的に変化し、それまで区別がつかなかった形がはっきり見えてきもした。どの灰色も（黒をのぞいて）照明光の波長の変化とともに、微妙に、あるいは大きく変化した（緑の部分は、中間的な波長の光のもとでは白に、白色光や長い波長の光では黒に見えた）。

I氏の回答はつねに一貫していて、ためらいがなかった。正常な視覚の者なら、たとえ最新の色彩理論に精通していて、記憶が完全であっても、これほど瞬時に「正しい」判断をすることは非常に困難か不可能だっただろう。I氏が光の波長を見分けることはできるが、それぞれの波長を色に翻訳すること、大脳で、あるいは精神的に色を構築することができないのは明らかだった。

この発見は、問題の本質をはっきりさせるばかりでなく、障害の場所をつきとめるのに役立った。I氏の第一次視覚野は基本的に問題がなく、視覚前野（とくにV4、あるいはその関連分野）が障害の原因になっていたのだ。この領域は人間でもごく小さいが、色の概念すべて、色を想像したり記憶したりする能力、色の世界の生き生きした知覚のすべてが、ここの統合力に決定的に依存している。たまたまI氏の脳のこの豆粒大の部分が破壊され、そのために彼の人生、世界のすべてが一変したのだった。

モンドリアン図形の検査結果は、障害がこの領域内にあることを示している。では脳造影法で見たら、障害部分がわかるだろうか。しかしCATでもMRIでも異常は見つからなかった。これは当時の造影法ではV4の小さな異常を検出できなかったためか、あるいは構造上の異常ではなく、代謝異常だけだったためかもしれない。あるいは、主な異常がV4自体ではなく、そこにつながる構造（V1のいわゆる「ブロッブ」あるいはV2の「線条領域」）にあったためとも考えられる。

ゼキもイギリスの生化学者フランシス・クリックも、このブロッブと線条領域という小さな部分は代謝が非常に盛んで、ごく一時的な酸素欠乏にもきわめて傷つきやすいのではないかと言う。とくにクリックは（この症例について、くわしい相談をしたのだが）、I氏が一酸化炭素中毒にかかったのではないかと考えていた。一酸化炭素中毒は血液の酸化に影響し、これを通じて色覚中枢に障害を及ぼすことが知られている。I氏は事故のために車の排気ガスが漏れて一酸化炭素中毒にかかったのかもしれないし、あるいは逆にそれが事故の原因ですらあったかもしれないとクリックは言う。

しかしこれらの推測もある意味空疎でしかなく、I氏の色盲は三ヵ月後も変わらず、またコントラストが強すぎるという異常も解消しなかった。こうした障害がいつかは改善するのかどうか、わたしたちには何とも言えなかった。後天的な色盲は時間がたつと良くなることもあるが、そうでない場合もある。I氏の脳障害の原因が一酸化炭素なのか、自動車事故のショックなのか、あるいは脳の視覚野への血流が阻害されたせいなのかもわからなかった。発作が原因であれば、再発も考えられる。予後は予測できなかったが、当面はI氏の症状は安定しているようだった。

わたしたちはひとつだけ現実的な助言をすることができた。I氏は中間的な波長の光のときモンドリアン図形をもっとも明瞭《めいりよう》に見ることができたので、ゼキ博士がこの波長の光だけを通す緑のサングラスをかけたらどうかと提案したのだ。とくべつのメガネがつくられ、I氏はとくに明るい日光のもとではこのメガネをかけるようになった。I氏は喜んだ。色覚を回復することはできなかったが、コントラストの状態がよくなり、形や輪郭が見やすくなったからだ。夫人と一緒にカラーテレビを見ることもできるようになった。ダークグリーンのサングラスをかけると、カラー画面が白黒になる。ただ、ひとりでいるときには、白黒テレビのほうを見ることが多かった。

誰でもそうだろうが、事故後の障害にI氏はうちのめされた。色覚の喪失は想像力や記憶、世界に関する知識、文化や芸術において中心的な役割を担《にな》う視覚的経験のすべてにからんでいる。どの症例でも、とくに自然界についての喪失感が強い。落馬した十九世紀のある医者の場合、花の「美は半減」した。とつぜんに色を奪われたこの医師にとって、庭の光景はショック以外のなにものでもなかった。I氏の喪失感とショックは倍にも四倍にもなった。自然界や人間世界の美、それに色とは切り離せない日常生活の数かぎりないものの美が奪われただけでなく、五十年あまりも視覚的、色彩的才能を注いできた芸術の世界まで失ったからだ。はじめのころ、彼は自殺を考えるほど落ちこんでいた。

こうした喪失感に加えて、I氏は最初、自分の視覚的世界が忌まわしい、異常なものに変わってしまったと感じた。これもまた、彼のような障害をもったほとんどのひとが感じている。落馬して脳震盪を起こした医師は、視覚的世界が「邪悪」だと感じ、ダマシオ博士の患者の一人は灰色の世界を「汚い」と言った。ひとは、大脳性色盲の患者がどうしてこうした言葉を使うのか、どうして、それほど異常だと感じるのかと首をかしげるかもしれない。I氏は錐体で、また波長を感知するV1の細胞でものを見ているが、それより高次の色をつくりだすV4の細胞が働かない。ふつうはV1がつくる像は、それ自体としては経験されず、すぐにより高次のレベルに送られてしまい、さらに処理されて色の知覚になるので、わたしたちには想像がつかない。V1の生《なま》の像は意識されないからだ。ところがI氏は、これを見ている。脳の障害のために、色をつくるべき刺激が色を構築するまえのV1の不気味な世界、言ってみればどっちつかずの奇妙な、色があるともないともいえない世界に閉じこめられてしまったのだ。

優れた視覚的、美的意識をもっていたI氏には、とりわけ堪えがたい変化だった。色、ひいては視覚が呼び起こす感情や美意識は何によって決まるのか、よくわかっていない。それに、これは個人的なセンスの問題でもある。

色の認識はI氏の視覚だけでなく、美意識やセンス、創造力にとっても不可欠であり、彼の世界に欠かせないものだった。その色が知覚だけでなく、想像や記憶からも消えてしまったのである。この意味は非常に大きかった。最初、彼は自分が失ったものをつねに意識し、怒りを感じた（「意識する」といっても、健忘症患者のようにということだが）。彼はオレンジがほんとうの色を取り戻さないかと、怒りをこめて見つめたという。また、彼にとってはダークグレイにしか見えない芝生に何時間も座って、緑色の芝生を見ようとし、想像しようとし、思い出そうとした。彼はただ色を失った貧しい世界にいるだけではなく、筋の通らない、悪夢のように異様な世界にいた。障害を負ってまもないころ、彼は言葉よりも作品でこの思いを表現している。

その後、「黙示録的」な日の出を描いたのをきっかけに、最初の転機が訪れた。彼は新しい世界を築き、自分自身のセンスとアイデンティティを新たにつくりあげようという気になった。この作業の一部は意識的、意図的なものだった。画家を志したころのように、目を（それに手を）再訓練した。だが、多くはもっと奥の、直接意識したりコントロールしたりできない神経プロセスで起こった。この意味では、彼は障害によって——生理学的、心理学的、美学的に——生まれ変わり、それとともに価値観が変化して、最初は悪夢のように恐ろしかったV1の世界の異質性、異常性に奇妙な魅力と美を感ずるようになったのである。

事故直後、それにそれから一年あまり、I氏はまだ色を「知って」いると言い張った。心の眼で見ることさえままならなくても、なにが正しい色、適当な色、美しい色なのかわかるというのだ。だが、その後はだんだん確信が薄れていった。実際の経験やイメージによって支えられないために、色を連想する方法を忘れてしまうらしかった。特定の感覚を経験することも想像することもできず、どのような方法によっても感ずることができない場合、生理学的かつ心理学的であり、戦略的であると同時に構造的でもあるこうした忘却が、程度はどうあれ、いずれは起こるはずだったにちがいない。このことは、大脳皮質の障害に限らず、ほかの障害でも同じだと思われる。障害を負ってから何カ月か、あるいは何年かのちにも、また末梢神経や網膜の損傷による視力障害の場合にも起こり得る。

失ったものへの関心はしだいに減って、最初はあれほどこだわっていた色への関心そのものも薄れていった。いまでは、彼は色と「離婚」したのだと言う。いまでもよく色について話すが、その言葉はどこかうつろで、過去の知識を頼りに話してはいても、もう理解していないように思われる。

先天性色盲の患者クヌート・ノルドビーはつぎのように書いている。

色の物理学と色の受容体のメカニズムに関する生理学について徹底的に学んだが、それでも色の真の性質を理解する助けにはならなかった。

　I氏の場合もノルドビーとまったく同じだ。彼は生まれてから六十五年は色の世界に住んでいたが、ある意味では先天性の色覚異常者に似てきたのだ。

　色を忘れて、色から離れると同時に、それまでの暮らしの色にかかわる好みや習慣、考え方からも遠ざかったI氏は、事故から二年たつと、明るい昼間ではなく薄暗い時間やたそがれにいちばんよく見えることに気づいた。光が明るすぎると、目がくらんで一時的に見えなくなるが――これも視覚システムが損なわれている印である――夜や夜の生活は肌にあった。彼の言葉を借りれば「白と黒でデザインされて」いるからだ。

　彼は「夜型人間」になり、よその都市や場所を探検するようになったが、それも夜に限られた。彼はボストンやボルティモア、あるいは小さな町や村にいきあたりばったりに車を走らせ、日暮れに着くと、深夜まで通りを歩き回って、通行人と話したり、小さなレストランに入ったりする。「夜になると、窓さえあれば、レストランのすべてが変わる。闇が忍び入ってきて、どれほど光があっても闇をおしのけることはできない。夜の場所へと変容するんです。わたしは夜が好きなんですよ」とI氏は言った。「わたしはだんだん夜型人間になりました。夜はべつの世界です。ひろびろとしている。通りやひとでさえぎられることはない……まったく新しい世界です」

　旅をしていないとき、I氏の起床時刻はどんどん早くなり、夜を楽しみ、夜に仕事をするようになった。（彼の言う）夜の世界では、彼も「正常な」ひとと平等か、もっと優れていると感じられる。「自分が異常者ではないとわかるから、心が安らぎます……とても鋭敏な夜型人間になりました。わたしの視力ときたら、すばらしいですよ——夜なら四ブロック離れていても、車のナンバープレートが読めるんです。ふつうのひとなら、一ブロック離れたら見えないでしょうがね」

失われた色覚の補償作用で、だんだん夜間視力が上がったのかもしれない。それに、いまの段階では損なわれていない動きと奥行きを感知するMシステムへの依存が強まったために、動きと奥行きについての視覚も鋭くなったのかもしれない。

なによりも興味深いことは、頭部損傷後まもない頃にはあれほど強かった深い喪失感、それに不快感や違和感が消えたというか、逆転したようにさえ思われることだ。I氏は喪失感を否定しないし、いまでも悲しんでいることは事実だが、色に煩《わずら》わされずに、純粋な形を見られるようになった自分の視覚が「高度にとぎすまされて」「恵まれた」ものだと感じるようになった。色があるためにふつうは感じとれない微妙な質感や形が、彼にははっきりとわかる。彼は、色に惑わされるふつうの者にはわからない「まったく新しい世界」を与えられたと感じている。もう、色のことを考えたり、焦《こ》がれたり、喪失を嘆いたりはしなくなった。それどころか、色盲を新しい感覚と存在の世界への扉を開いてくれた奇妙な贈り物だとすら考えるという。これは、二、三年、視力喪失に苦しみ、呪ったあと、「暗い、逆説的な贈り物」「人間の凝集された条件……人間の秩序の一つ」と考えるようになったジョン・ハルの変化によく似ている。

事故から三年ほどたったころ、イスラエル・ローゼンフィールドが、I氏は色覚を回復できるかもしれないと言った。波長を比較するメカニズムは損なわれず、V4（あるいは、それと同等の部分）だけが損傷しているのだから、少なくとも理論的には、ランドのいう関連づけを脳のほかの部分で行なえるよう「再訓練」できるはずで、そうすればいくらか色覚が回復するのではないかというのである。意外だったのはI氏の返事だった。事故の数カ月後だったら、その話を聞いて喜んだだろうし、「治療」のためなら何でもすると考えただろう、と彼は言った。だが、いまでは世界をべつの見方で見ているし、調和のとれた完全なものと感じているから、治るかもしれないと言われてもぴんとこないし、むしろ反感を覚えるという。もう、色は以前の意味や観念を失ってしまったので、色覚が回復したらどうなるのか想像もつかない。たぶん、ひどく混乱するだろうし、自分には理解できない感覚に当惑して、せっかくつくりあげた視覚的世界の秩序が乱されるだろう。しばらくは煉獄《リンボ》をさまよったあげく、ようやく彼は――神経学的にも心理学的にも――色盲の世界に落ち着いたのだ。

絵のことでいえば、一年あまりの実験と模索のすえに、I氏はそれまでの芸術家としての経歴に勝るとも劣らない力強い生産的な段階を迎えた。白と黒の絵は非常に好評で、創造的な再生を果たして驚くべき「白と黒の時代」に入ったと言われた。この新しい段階が、芸術的な展開だけではないこと、悲劇的な喪失によってもたらされたものであることを知っているひとは少ない。

I氏の脳のもっとも大きな損傷を――色覚システムの基本的な部分が破壊されていると――

―つきとめることはできても、その過程で起こったであろう「高次」の脳の機能の変化については、依然としてまったくわからない。I氏は色の識別力を失ったばかりでなく、想像することも、夢に見ることさえできなくなった。やがては、色の記憶すらなくなり、知識としても彼の心から消えてしまったらしい。

色のない世界で時を経るにしたがって、彼は色彩健忘症患者、あるいは色を一度も知らなかった者に似てきた。だが、同時に修正も行なわれた。もとの色の世界や記憶までどんどんうすれて消えていくのと平行して、まったく新しい視覚の世界、想像と感覚の世界が生まれたのである。

こうした変化を明らかにするためには、I氏のように天賦の表現力をもつ人物が必要だとしても、それが現実であることは疑う余地がない。現段階の神経科学では、そうした大脳の「高次」の変化についてはなにもわかっていない。色についての生理学的な研究は、初期の段階の色覚、V1とV4で起こるランドの関連づけのところでとどまっている。だがV4は中継点にすぎず、高次の、またさらに高次のレベルに刺激を送り、ついには記憶の貯蔵に重要な働きをする海馬《かいば》や大脳辺縁系の扁桃核へ、さらに大脳皮質のさまざまな部分へとつながっていく。たとえばV4から海馬や前頭葉前部の記憶システムへの情報の流れが途絶えたために、I氏の色「健忘」が起こったのかもしれない。色覚喪失がこの微妙な高次のレベルの神経に与える影響については、まだつきとめる術《すべ》がないが、I氏のような症例は、その研究がいかに重要かを教えている。

この十年の研究で、大脳皮質がどれほど大きな可塑性をもっているかが明らかになった。たとえば身体イメージについての脳の「マッピング」がどんなに大きく組織しなおされたり、改訂されたりするか、それも損傷や障害にともなうものばかりでなく、個々の部分の使用頻度によっても起こるかがわかってきた。例をあげるなら、点字を読むためにいつも一本の指を使っていると、その指に対応する皮質部分が肥大化することが明らかになっている。また、幼いときに聴覚障害になって、手話を使うようになると、脳のマッピングに大きな変化が起こり、聴覚野の大部分が視覚の処理に使われるようになる。同じく、I氏の場合も、一つの知覚システムが脳から除去されて、新しいシステムが生まれたのではないか。

究極的な疑問、ある刺激がなぜ赤と認識されるのかという知覚経験についての疑問の解明については、I氏の症例はまったく役に立たないかもしれない。ニュートンは「色についてのよく知られた現象」について記したあと、感覚についての考察をやめてしまい、「どんな方式、あるいはどんな動きによって、光が心に色の幻を生みだすのか」に関する仮説をたてようとはしなかった。それから三世紀、依然としてそうした仮説は出されていないし、この疑問には永遠に答えが出ないのかもしれない。

最後のヒッピー

過ぎてゆく長い、長い時……
そして、つかの間の今

ロバート・ハンター
「ボックス・オヴ・レイン」

グレッグ・Fは一九五〇年代のクイーンズで、何不自由ない家庭に育った。なかなか優れた魅力ある少年で、父のような専門職に就《つ》くか、早熟な才能を示していた音楽の道に進んで、シンガーソングライターになるのではないかと期待されていた。ところが、一九六〇年代後半に十代を迎えた少年は苛立ち、世の中に疑問をもちはじめ、両親や近所のひとたちの因襲《いんしゅう》的な暮らしや、シニカルで好戦的な政府を憎悪するようになった。反抗したい、同時に理想と針路を見つけたい、指導者を見出したいという少年の心は、ヒッピーが全国的な現象にまでなった一九六七年の「愛の夏《サマー・オヴ・ラヴ》」で一気に高まった。彼はヴィレッジに行き、徹夜でアレン・ギンズバーグの自作の詩の朗読を聞いた。ロック音楽、とりわけアシッド・ロックが好きで、なかでもグレイトフル・デッドの大ファンだった。

両親や教師たちに背きはじめた彼は、ある者には攻撃的になり、ある者には口を閉ざして語らなくなった。一九六八年、ティモシー・リアリーが「いま起こっていることに眼を開け、LSDでハイになれ、ドロップアウトせよ」とアメリカの若者をアジっているとき、グレッグは髪を長く伸ばし、優等生として過ごしてきた学校を中退した。家出した彼はヴィレッジに住みつき、そこでLSDを使い、イースト・ヴィレッジのドラッグ・カルチャーに染まった。同世代の若者たちのように、ユートピア、内なる自由、「高次の意識」を探し求めたのである。

だが、「LSDでハイに」なってもグレッグは満たされなかった。もっと体系的な思想、生き方を必要とした彼は、一九六九年当時のLSDを常用した若者の例に漏れず、二番街にあったクリシュナ教団と指導者のスワミ・バクティヴェダンタに惹かれていった。スワミの影響を受けたグレッグは、これまた大勢の若者と同じくLSDをやめ、麻薬のかわりに宗教的な恍惚感《こうこつ》にひたるようになった（「アルコール中毒の妙薬はただ一つ、宗教中毒だ」とウィリアム・ジェイムズが言ったことがある）。クリシュナ教団の哲学、仲間意識、聖歌、儀式、そして厳格なカリスマ的人物だったスワミの存在は、グレッグにとっては天啓で、彼はたちまち熱烈な信者になった。こうして彼の人生には核となり焦点となるものができた。熱烈な信者であったこの時期、グレッグはサフラン色の僧衣を着て、「ハーレ・クリシュナ」のマントラを唱えながらイースト・ヴィレッジを歩きまわり、一九七〇年代はじめにはブルックリンの中央寺院に住みこむようになった。はじめは反対していた両親も、やがてあきらめた。「あのほうがいいのだろう。結局はこうなるしかなかったのかもしれない。誰にもわかりはしないが」と父は言った。

教団寺院で過ごした最初の一年は順調だった。グレッグは教えによく従い、頭がよく、献身的で敬虔《けいけん》だった。彼は聖らかな人間だ、われらの仲間だとスワミは言った。一九七一年はじめ、信者として深く帰依《きえ》したグレッグはニューオーリンズの寺院に派遣された。ブルックリンの中央寺院にいたころでも、両親と会うことはめったになかったが、これでほとんど音《おと》沙汰《さた》がなくなった。

クリシュナ教団に入って二年目、問題がひとつ起こった。彼が視力の衰えを訴えたのだ。だが、スワミや仲間は精神的な解釈をした。「あなたは明知を得たのだ」と彼らは言った。「内なる光が強まっているからだ」と。はじめは視力の衰えに不安を感じた彼も、スワミの宗教的な説明で納得した。視力の衰えはますますひどくなったが、彼は辛いとも言わなかった。それに、このころたしかに彼はより霊的になっているように見えた。驚くほどの静謐《せいひつ》さが彼を包んでいた。以前のような苛立ちや欲望を示さなくなり、ときには不思議な(「超越的な」と形容する者もあった)微笑を浮かべて陶然《とうぜん》としていた。それが至福なのだ、とスワミは言った。彼は聖者になろうとしている、と。教団はこうした段階に達した彼を守る必要があると感じた。彼はもはや外出もしなかったし、付き添いなしではいっさい行動しなかった。外部との接触は絶つべしということだった。

本人からの音信はなかったが、教団から両親にときおり報告があった。報告といっても、「精神的に進歩」しているとか、「明知を得た」という漠然としたものが多く、それがあのグレッグのこととはとても思えなかったので、両親はかえって不安をつのらせた。一度はスワミに直接手紙で問いあわせたが、心配ないというなだめるような返事が来ただけだった。

さらに三年が過ぎ、両親はついに自分たちの目で確かめようと考えた。父親の健康状態がすぐれず、それ以上待っていたら、「失った」息子に二度と会えないのではないかという心配もあった。これを聞いた教団は、ようやく両親の訪問を許可した。一九七五年、ふたりはニューオーリンズの教団寺院で四年ぶりに息子と再会した。

息子に会ったふたりは息をのんだ。やせて毛深かった息子は太ってつるりとした肌になり、父親には「愚かしい」としか思えない笑みをつねに浮かべていた。しじゅう歌や詩のきれっぱし、それに「くだらない」言葉が口から飛びだすのだが、深みのある感情はなにもうかがえなかった(「まるで心をえぐりとられて、腑《ふ》抜けになったようだった」と父親は言った)。現在の事柄にぜんぜん関心がなく、まるっきり調子が狂っていた。しかも、完全に盲目になっていたのである。驚いたことに、教団はグレッグが立ち去るのを許可した。たぶん、教団側もさすがにグレッグの精神的進歩は行き過ぎだと感じ、不安になりはじめていたのだろう。

入院して検査を受けたグレッグは、脳神経外科に送られた。頭蓋内正中面と下垂体、それに続く視交叉と視索、左右の前頭葉に広がる巨大な腫瘍が認められたのだった。腫瘍はさらに側頭葉から間脳あるいは前脳にまで及んでいた。手術したところ良性の髄膜腫だと判明したが、小さなグレープフルーツかオレンジほどの大きさになっていた。手術で腫瘍はほぼ完全にとりのぞくことができたものの、すでに起こってしまった障害についてはなす術がなかった。

グレッグは盲目になっていたばかりでなく、脳神経にも精神にも重大な損傷を受けていた。最初に視力の衰えを訴えはじめたとき、聞く者に医学的な良識があれば、あるいはふつうの常識さえあれば、これほど重症になるのは防げたはずだった。しかし、悲しいことに回復の見込みはほとんどなかったから、グレッグはウィリアムズブリッジの療養所に移された。二十五歳の青年の精力的な人生は終わりを告げ、予後は絶望的だった。

わたしが初めてグレッグに会ったのは、一九七七年四月、彼がウィリアムズブリッジの療養所に入ってきたときだった。髭がなく、ふるまいも子供っぽいので、とても二十五歳には見えなかった。ブッダのようにどっしりとした体軀《たいく》の彼は、じっと車椅子に座って虚《うつ》ろで穏やかな表情を浮かべ、見えない目がときどきあてもなくきょときょとと動いた。自分からなにかをするとか、話しかけることはいっさいないが、話しかけられると即座にちゃんと受け答えをする。しかし、なにかのひょうしにちょっとした言葉に気を取られると、そこからどんどん連想が飛躍したり、歌詞や詩が浮かんだりするらしかった。質問のあいまに間があくと、深い沈黙が広がる。しかし沈黙が一分以上続くと、ハーレ・クリシュナを歌ったり、マントラを唱えたりした。いまでも「心からの信者」で、教団の教えや目的に傾倒していると彼は言った。

彼自身から筋の通った病歴を聞くことはできなかった。そもそも、なぜ療養所にいるのかわかっておらず、尋ねるたびにちがう返事をした。最初は「ぼくが馬鹿だから」と答えたが、そのつぎには、「昔、麻薬をやったことがあるから」と答えた。クリシュナ教団の本部にいたことは覚えていたが（「ブルックリンのヘンリー・ストリート四三九番地にある大きな赤い家」）、その後、ニューオーリンズの寺院に移ったことは覚えていなかった。また、そこで病気の最初の徴候が現われ、視力がどんどん衰えていったことも記憶していなかった。それどころか、障害があることすら気づいていないようだった。盲目で、ほとんど歩けないことも、病人であることも知らないらしかった。

彼はなにも知らず、無関心だった。落ち着いて安らかな彼には、感情らしい感情がまるでなかった。この異常な穏やかさを、クリシュナ教団の仲間たちは「至福」だと考えたのだろうし、当人もまた、この言葉を使ったことがあった。「気分はどうですか」わたしは何度もこの質問をした。あるときは、彼は「至福を感じています」と答えた。「また物質的な世界に堕落していくのが怖いんです」とも言った。療養所に入りたてのこのころ、クリシュナ教団の仲間が見舞いにきていて、サフラン色の僧衣をまとったひとたちに、よく廊下で出会った。彼らは虚ろな表情をした哀れな盲目のグレッグを取り囲んでいた。彼らにとっては、グレッグは「悟りを開いた」解脱者だったのである。

現在の出来事や人物について尋ねたわたしは、彼の見当識障害と錯乱状態の大きさに気づいた。大統領は誰かと聞くと、彼は「リンドン」と答え、それから「あの撃たれたひと」と答えた。「ジミー……」とヒントを与えると、彼は「ジミ・ヘンドリクス」と答え、吹きだしたわたしに、ホワイト・ハウスというミュージカルはどうだろう、と言った。さらにいくつか質問してみると、グレッグには一九七〇年以降の記憶はないも同然だった。とにかく時間的に順序だった、筋の通った記憶がないことはたしかだった。彼は一九六〇年代に置き去りにされている。彼の記憶、発達、精神生活はそこでストップしていた。

彼の腫瘍は徐々に大きくなり、一九七六年にようやく切除されたときは巨大なサイズになっていたが、側頭葉の記憶システムが破壊され、新しい出来事が記憶できなくなったのは、かなりあとの段階になってからだろう。しかし、当時は完全に記憶していたはずの六〇年代後半の出来事さえグレッグはよく思い出せなかった。つまり、新しい経験を記憶として蓄えることができないだけでなく、腫瘍発生以前数年にさかのぼる既存の記憶の喪失（逆向健忘）もあったらしい。ただ、ある時点でぱったりと記憶が途切れているのではなく、だんだんに記憶が薄れていくようだった。一九六六年、六七年の人物や出来事はよく覚えていて、六八年、六九年の出来事は部分的に、あるいは時々思い出し、七〇年以降のことはまったく覚えていないということらしい。

彼の即時記憶障害の重さはすぐにわかる。いくつかの言葉を聞かせても、一分後にはまったく思い出せない。なにか物語を話してから、くりかえしてくださいと言うと、だんだん「変質」したり、横道にそれて、こっけいなことやとんでもないことを言いだし、混乱がひどくなって、五分もすると最初の話とは似ても似つかぬものになってしまう。そこで、ライオンとネズミの話をすると、彼はすぐにもとの話から逸脱し、ネズミがライオンを食うと脅《おど》したと言ったりする。巨大ネズミとミニライオンの話になってしまうのだ。話が変わったようだがと聞くと、どちらもミュータントなんだ、と彼は説明した。それとも、どちらも夢のなかの生物なのかな、「もう一つの歴史」のなかのできごとで、そこではネズミがジャングルの王様なんだよ、と言った。ところが五分後には、どの物語にせよきれいに忘れてしまう。

療養所のソーシャルワーカーから聞いたところでは、彼は音楽、とくに一九六〇年代のロックンロールに情熱を燃やしていた。部屋に入ってすぐに気づくのは、山積みになったレコードと、ベッドにたてかけてあるギターだった。それで、そのことを聞いてみるとようすは一変した。現実感のなさ、無関心さはあとかたもなく消え、彼は大好きなロックバンドとその音楽、とくにグレイトフル・デッドについて生き生きと話しだしたのである。「フィルモア・イーストにも聞きに行ったし、セントラルパークでも聞いたな」彼は曲目を全部細かく覚えていて、とくに「大好き」なのは「タバコ・ロード」なんだと付け加えた。それがきっかけで曲を思い出したらしく、グレッグは情感を込めて始めから終わりまで歌ってみせた。それまで、そんな豊かな感情のかけらすらうかがえなかったのに。彼はひとが変わったようだった。歌っている彼は、欠落などない完全な人間だった。

「セントラルパークで聞いたのは、いつごろ？」とわたしは尋ねた。

「もうだいぶ前だな。一年以上たつんじゃないか」と彼は答えた。だが、グレイトフル・デッドがセントラルパークで最後に開いたコンサートは、それより八年前の一九六九年のことだった。そして、グレッグが聞きに行ったというロックの殿堂として有名なフィルモア・イーストは、一九七〇年代のはじめにはすでになかった。彼はハンター・カレッジでジミ・ヘンドリクスを聞いたことがあるし、クリームも聞いた、ベース・ギターはジャック・ブルース、リード・ギターはエリック・クラプトン、それにジンジャー・ベイカーは「すばらしいドラマー」だったと言った。それから「ジミ・ヘンドリクス、彼はどうしているかなあ。最近、あんまり聞かないな」となつかしそうだった。わたしたちはローリング・ストーンズやビートルズの話もした。「すごいグループだよ」とグレッグは言った。「だけど、ぼくにとっちゃ、なんてったってデッドが最高。ほんと、あんなグループはほかにないね。ジェリー・ガルシア、あのひとは聖者だ、導師《グル》、天才だよ。ミッキー・ハート、ビル・クルーツマンのドラム、すごいよねえ。それにボブ・ウィアーだろ、フィル・レッシュだろ。だけど、ピッグペン、ぼくは彼を愛してるんだ」

　これで、彼の健忘の範囲が狭まった。彼は一九六四年から六八年までの歌を鮮明に覚えている。一九六七年のグレイトフル・デッド結成当時のメンバー全員を、記憶している。だが、ロン・〝ピッグペン〟・マッカーナン、ジミ・ヘンドリクス、ジャニス・ジョプリンがすべて故人であることは知らない。彼の記憶は一九七〇年もしくはその前でとぎれているのだった。彼は一九六〇年代に捕らえられて、身動きがとれない。彼は化石、最後のヒッピーなのだった。

最初わたしは、失われた時間の長大さや健忘のことをグレッグに気づかせたくなかったし、意図せざるヒントさえも与えたくなかったので（彼は変則的なことや言葉の調子などにきわめて敏感だったから、すぐに気づいたにちがいない）、話題を変えて、「さて、検査をさせてもらおうかな」と言った。

彼は四肢のすべてに痙攣《けいれん》性の麻痺があり、とくに左半身、それに下肢がひどかった。ひとりでは立つこともできない。視力はまったく失われて、なにも見ることができない。だが奇妙なことに、彼は自分が盲目であることを知らないようで、わたしが見せるものを青いボールだとか、赤いペンだとか推測してみせた（実際には緑色の櫛《くし》と小型懐中時計だった）。それに「見よう」としているようすもなく、わたしのほうに視線を向けようともせず、話しているときもそっぽを向いたままのことがよくあった。視力について尋ねると、「あんまり良くない」とうなずいたが、テレビを「見る」のは楽しいとも言った。あとで観察したところ、彼がテレビを「見る」というのは、映画やショーの音を聞きながら、画面を想像する、ということだった（彼はテレビに顔を向けもしなかった）。だが、彼はそれこそが「見る」ことで、テレビを見るというとき、誰もが同じようにしているのだと思っているらしかった。視覚という概念そのものがなくなっていたのだろう。

　視覚障害に対するグレッグのこの態度、盲目であることに盲目であること、「見る」ということがどういうことなのかわかっていないらしいことに、わたしは首をひねった。単なる「障害」というのではない、もっと奇妙で複雑ななにかを意味しているのではないか、彼のなかの知識構造、意識、アイデンティティそのものに、根本的な変化が起こっているのではないかと感じたのである。

　彼の記憶について調べていたとき、すでにこのことは気づいていた。彼の意識は、過去や未来の感覚から断ち切られた「現在」というほんの一瞬に事実上、限定されているらしかった。時間的関連や継続性がまったくないことから、彼には精神生活といえるほどの精神生活はないのではないかとわたしは考えた。ひとの意識や精神生活をかたちづくる、過去と現在との絶えざる対話も、経験と意味との照合も彼にはない。彼には「この次」という概念はなく、人生の原動力である不安や期待、意図といった情熱や緊張もまったくなかった。

　わたしたちには時の経過、「この次」といった意識がつねにある。だが、この動的な感覚、ものごとが起こるという感覚がグレッグにはなかった。彼は知らず知らずのうちに、時間のない動かない世界に閉じこめられていた。わたしたちにとって、現在が意味と深みをもつのは過去があるからだし（したがって過去は、ジェラルド・エーデルマンの言葉を借りれば、「思い出された現在」になる）、未来によって可能性と緊張を与えられている。ところがグレッグにとっては、現在は単調だが、お粗末なりに完結している。この一瞬のみに生きる人生は明らかに病的なのだが、教団では「高次の」意識を達成したと思われていたのだった。

グレッグは、まだ若い彼がたぶん永久に療養所に閉じこめられたことを思えば驚くほどやすやすと、ウィリアムズブリッジに適応したようだった。運命に逆らったり、恨んだりするようすはまったくなかったし、反抗心や絶望も感じていないらしかった。おとなしく無関心なグレッグは、ウィリアムズブリッジの奥深くに唯々《いい》諾々《だくだく》と引きこもった。そのことについて聞いてみると、「だって、しかたがないさ」という返事だった。彼の言葉は、たしかにそうだ、そう考えるのが賢明だという印象を与えた。彼は非常に哲学的に見えた。だがその哲学は、脳の障害によって生じる無関心が生んだものだった。

反抗的で元気だったころの彼とそりがあわなかった両親は、足繁く通ってきては、廃人になった彼を甘やかした。両親にしてみれば、いまは療養所に行けば必ず息子がいて、にこにこと嬉しそうに迎えてくれると確信できた。彼が両親を「待って」はいないとしても、それはそれで都合がよかった。一日、あるいは数日、足が遠ざかっても息子は気づかないし、つぎに見舞いに行ったときには、快く会ってくれるからだ。

グレッグはまもなく落ち着き、ロックのレコードとギター、クリシュナ教団の数珠《じゅず》、朗読テープ、それに理学療法や作業療法、音楽グループ、演劇グループといった活動プログラムのなかで暮らしはじめた。入院後少しして、彼は若い患者たちのいる病棟に移り、開放的で明るい人柄で人気者になった。少なくとも数カ月はほかの患者やスタッフを誰も見分けられなかったが、つねに（誰彼の差別なく）全員に愛想がよかった。なかでふたり、とくに親しい友人ができた。篤《あつ》い友情というのではなかったが、全面的に受け入れあう安定した関係の友達だった。グレッグの母はこう語っている。「エディは多発性硬化症でした……ふたりとも音楽が好きで、部屋が隣りあっていたので、よく一緒にいました……ジュディは脳性麻痺で、やっぱり何時間も息子と一緒にいましたよ」エディは亡くなり、ジュディはブルックリンの病院に移っていった。それから長いあいだ、このふたりほど親しい友達はできなかった。グレッグの母親はふたりを覚えていたが、グレッグは覚えていなかった。ふたりがいなくなったあと、会いたいとか、どうしたのかとか聞いたこともなかった。ただ、以前よりは少し悲しげで、生気を失ったようだと母親は感じた。彼を刺激し、話をさせ、一緒にレコードを聞いたり、戯《ざ》れ歌をつくったり、冗談を言ったり、笑いあったりするふたりがいないためだった。ふたりはグレッグが落ちこむ「あの死んだような状態」から引きだしてくれたのだ。

患者とスタッフが何年も一緒に暮らす療養所は、村か小さな町のようなものだ。誰もが顔見知りになる。わたしはよく、いろいろな活動プログラムに参加したり、パティオに出ていくために車椅子を押してもらっているグレッグに出会ったが、彼はいつも見えない目でなにかを求めるような奇妙な表情を浮かべていた。だんだんわたしがわかってきて、少なくとも名前を覚えた彼は、出会うたびに、「やあサックス博士、元気ですか？　つぎの本はいつ出るんですか？」と言った。『レナードの朝』から次の『左足をとりもどすまで』に十一年という長い間があいたわたしとしては、この言葉を聞くたびに気をくさらせたものだ。

　というわけで、彼はよく会うひとの名前はそのうち覚えることができたし、名前に関連していくつかのことを思い出すことができた。音楽療法士のコニー・トマイノがわかるようになったのも、そんなふうにしてだった。彼女の声、足音をすぐに聞き分けるようにはなったが、どこでどんなふうにして出会ったのかは思い出せなかった。ある日、グレッグは「もうひとりのコニー」のことを話しだした。高校時代に知っていたコニーだという。このもうひとりのコニーもとても音楽の才能があったと彼は言った。「どうして、コニーって女の子はみんな音楽の才能があるんだろうな」彼は冗談めかして言った。もうひとりのコニーはいまごろ音楽グループで指揮をしているか、作曲をしているか、学校でアコーディオンを弾きながら歌っているのじゃないかという。このあたりでわたしたちは、「もうひとりのコニー」というのは、ほんとうはコニー・トマイノそのひとのことではないかと思いはじめたのだが、彼が「それに彼女はトランペットも吹くんだ」と言ったので、まちがいないということになった（コニー・トマイノはプロのトランペッターだった）。出来事をばらばらに切り離したグレッグが誤解したり、現在と結びつけられなくなったりしたとき、よくこういうことが起こった。

　コニーをふたりに分裂させて、もうひとりのコニーがいると言ったのは、当惑したときのグレッグの典型的な思考を示している。彼はひとを時間の流れのなかで記憶したり、思い出したりできないために、新たな人物を仮定しなくてはならない。何度もくりかえして聞かされれば、いくつかの事実を学習し、記憶することはできる。だが、その事実はばらばらで、全体的な脈絡を欠いている。ひと、声、場所などが徐々に「なじみに」なるが、どこで出会ったのか、どこで聞いたのか、どこで見たのかは思い出せない。グレッグもほかの健忘症患者と同じで、とくに脈絡が意味をもつ記憶（エピソード記憶）の損傷が大きい。

しかし、無傷の記憶メカニズムもあった。グレッグは学校で習った数学の公式などはよく思い出せる。たとえば、直角三角形の斜辺はあとの二辺の長さの和よりも小さいと、すぐに思い出す。いわゆる意味記憶にはほとんど問題がない。それに、ギターを弾けるだけでなく、レパートリーを増やすことも、コニーに教わった新しいテクニックや指使いを覚えることもできる。さらに、ウィリアムズブリッジに入所しているあいだに、タイプも習った。作業手順にかかわる手続記憶も損なわれていないのだ。

最後に、時間はかかっても、ある種の習慣化、慣れといったものがあるようだった。そこで、三カ月ほどたつと、彼は療養所内の位置関係を覚えて、コーヒーショップや映写室、講堂、パティオといったお気に入りの場所に行けるようになった。この種の学習はきわめて遅々としていたが、一度覚えれば忘れなかった。

グレッグの腫瘍が興味深い複雑な損傷を引き起こしたことは明らかだ。第一に、左右の側頭葉の内側部分、とくに海馬《かいば》とそこにつながる皮質、つまり新しい記憶を刻みこむのに重要な役割を果たしている部分が、圧迫されたか損なわれた。このような損傷を受けると、新しい事実や出来事に関する情報を獲得できなくなり、顕在的、意識的な記憶が停止してしまう。

グレッグは意識的には出来事や出会いや事実を思い出せないことが多かったが、それでも無意識的あるいは潜在的記憶、行動や態度によって表現される記憶のほうは残っていた。この潜在的記憶のおかげで、療養所内の地理や習慣、一部のスタッフにもゆっくりとではあるがなじんでいくことができたし、ある人物（あるいは状況）が快いものか不快なものかを判断できるようになった。

顕在的な学習には側頭葉内側の機能が必要だが、条件付けや習慣化といった潜在的学習にはもっと原始的で、分散した道筋があるらしい。顕在的学習のためには、複雑ないくつもの知覚を組み立て——大脳皮質のすべての場所の刺激を統合し——全体に統一のとれた脈絡を形成する、つまり「場面」をつくりあげる必要がある。こうして統合された場面は、一、二分しかとどまらない。これが短期記憶で、そのあと長期記憶に組み入れられて貯蔵されなければ消えてしまう。したがって、高次の記憶には、知覚または知覚的に統合されたものが短期記憶から長期記憶へ伝達されるときの何段階ものプロセスがかかわっている。側頭葉が損なわれたひとたちは、これができなくなる。グレッグの場合も、込み入った文章を聞いた瞬間には、正確に理解し、くりかえすことができるが、三分もすれば、あるいはよそに気をとられればもっと短い間に、文章も意味も、文章が存在したという記憶すらあとかたもなく消えてしまう。

カリフォルニア大学サンディエゴ校の神経心理学者ラリー・スクワイアは、短期記憶から長期記憶へという側頭葉の記憶系の解明に大きな功績があった人物だが、短期記憶のはかなさ、危うさを強調している。わたしたちは誰でも、さっきまではっきりと覚えていたイメージや考え、思いなどをふいに忘れてしまうという経験がある（「いやになるなあ、なにを言おうと思っていたのか、忘れてしまったよ」）。だが、短期記憶の危うさを余すところなく教えてくれるのは健忘症である。

短期記憶を長期記憶に刻むことができなくなったグレッグは、新しい記憶を取りこめなくなった一九六〇年代に釘付けになっていた。それでも非常に遅々として不完全ではあったが、周囲の状況をなんとか理解し、適応していくことができた。

健忘症患者のなかには、『妻を帽子とまちがえた男』のなかの「ただよう船乗り」の章で書いたコルサコフ症候群の患者ジミーのように、ほぼ間脳と側頭葉内側の記憶系だけが損傷している者もあるし、「アイデンティティの問題」で書いたトンプソン氏のように健忘症のうえに前頭葉症候群も呈《てい》している者もある。また、グレッグのように大きな腫瘍のために、大脳皮質の奥の部分から前脳あるいは間脳にまで損傷が広がっている者もある。グレッグの場合、損傷が大きいために、臨床的に見ると、症状や症候群が重なりあい、ときには矛盾しあって、非常に複雑な状況になっていた。彼の健忘症は主に側頭葉システムが損なわれたためだが、間脳と前頭葉の損傷も影響している。同じく、視覚障害や無関心さにも、前頭葉、間脳、下垂体などの部位の損傷がさまざまに影響を及ぼしている。腫瘍によってまず損なわれたのは下垂体だった。このために体重が増加し、体毛がなくなっただけでなく、攻撃性や積極性のもとになるホルモンが減少し、異常なくらいおとなしく柔和《にゅうわ》になったのだろう。間脳はとくに、睡眠や食欲、性的衝動《リビドー》といった基本的な機能をつかさどっている。グレッグの場合は、こうした働きがすべて低下していた。彼は性的な関心をもたず（あるいは示さず）、食べることを考えないらしく、食べ物が目の前に運ばれてこなければ、食欲を示さなかった。彼はただ現在に生き、周囲からの直接的な刺激にだけ反応した。刺激がなければ、一種の半醒半睡《はんせいはんすい》の状態に陥《おちい》ってしまう。

グレッグはほうっておかれれば病棟で何時間でもじっとしていた。この無気力状態を、看護婦ははじめ「考えこんでいる」と評した。教団では「瞑想している」と思われていた。わたしの感じでは、精神的な中身も感情作用もほとんどゼロという病的な精神的「空ぶかし《アイドリング》」状態のようだ。この状況は、目覚めて周囲に関心を向けている状態とはまったくちがうが、かといって睡眠でもない、表現しようのないもので、ふつうでは考えられない虚ろな感じだった。以前、脳炎後遺症の患者がこのような状態になるのを見たことがあるが、彼らの場合も間脳に大きな損傷があった。グレッグは話しかけられたり、近くで音（とくに音楽）が聞こえると、驚くほど「正気づいて」「目覚め」るのだった。

いったん「目覚め」て、大脳皮質が働きだすと、グレッグは奇妙な活気を見せた。無節操で気まぐれな、前頭葉の眼窩《がんか》皮質（眼に隣接している皮質部分）の損傷患者によく見られるので眼窩皮質症候群と呼ばれる症状である。前頭葉は脳のなかでももっとも複雑な部分で、運動や感覚の「低い」機能ではなく、すべての判断やふるまい、想像や感情を統合して、

「人格」とか「自我」と呼ばれる独自のアイデンティティをつくりあげる高度な働きをしている。脳のほかの部分が損なわれると、特定の運動や感覚、言葉、あるいは知覚や認識、記憶機能に障害が起こる。いっぽう、前頭葉の損傷の場合はこうした障害ではなく、人格にもっと微妙で深刻な障害を起こす。

一九七五年にグレッグとようやく再会した両親がいちばんショックを受けたのは、視覚障害や身体の衰弱、あるいは失見当識、記憶喪失といったことではなく、この人格の変化だった。彼は病気というだけでなく、信じられないほど変貌《へんぼう》し、父親の言葉を借りれば、にせもののよう、もしくは昔話に出てくる取り替えっ子に身体を「乗っとられた」ようだった。そこにいたのは、グレッグの声や態度、ユーモア、知性をもっていても、彼らしい「覇気」や「現実感」「深み」のない人間だったのである。この取り替えっ子は冗談好きで軽薄だったから、事態の恐るべき深刻さがよけいに浮き彫りにされた。

こうした軽薄な冗談好きは眼窩皮質症候群に特有の症状で、そのために眼窩皮質症候群には「ふざけ症」という別名がある。節度とか思慮深さ、抑制が破壊されているため、患者は周囲にも自分自身にも、文字通りすべてのもの、人間、感覚、言葉、考え、感情、ニュアンスや雰囲気に間髪をいれず軽薄な反応をする。

この症状の患者はとくに、だじゃれや語呂あわせを連発する。あるとき、グレッグの部屋にいると、べつの患者が通りかかった。「ああ、バーニーだ」とわたしがつぶやくと、グレッグは「バーニー・ザ・ハーニー（ヘルニアのバーニー）」と応じた。べつの日に訪れたときには、彼は食堂で昼食を待っていた。看護婦の「さあ、お昼ですよ」という声を聞いた彼は、即座に「さあ、さあ、お昼だ、楽しいな」と答えた。看護婦が「チキンの皮をとってあげましょうか」と言うと、「チキンの皮はきちんと食べよう」と答える。看護婦が不思議そうな顔をして、「あら、皮が欲しいの」と聞き返すと、「いや、ただ言ってみただけ」と言うのだった。彼はある意味では異常なほど繊細だが、その繊細さは受動的で、とりとめがなかった。重大なこと、ささいなこと、崇高なこと、ばかばかしいこと、全部いっしょくただった。このタイプの患者の短絡的で無思慮な（往々にしてふざけた）反応には、子供じみた気まぐれと素直さが感じられる。しかも、どこか妙に落ち着かない異常性が漂《ただよ》うのは、（たとえ非常に知的で、機知に富んでいても）ただ反応するだけの患者に、一貫性や内面性、自立性、つまり「自我」が感じられず、通り過ぎる感覚の奴隷にすぎないことがうかがえるからである。フランス人の神経学者フランソワ・レルミットは、こうした患者は「環境依存症候群」で、自分と環境との心理的距離感が欠けていると述べている。グレッグもそうだった。彼は環境を感じとるが、同時に環境にからめとられ、自分と周囲を区別できないでいるのだった。

ふつうなら、夢と覚醒《かくせい》ははっきりと分けられる。眠りに取り囲まれた夢は、外界からの知覚や行動と切り離されているがゆえに、独特の奔放《ほんぽう》な展開をする。目覚めているときの知覚は、現実によって制約されている。ところが、グレッグの場合、覚醒と眠りの境が消失しているらしく、覚醒は公然たる夢となり、夢にみられるようなとっぴょうしのなさ、連想、象《シン》徴《ボル》がはびこって、目覚めているはずの知覚を侵食する。こうした連想はときには衝撃的で超現実的になった。そこでは、想像は野放図で、とくにフロイトが夢の特徴だと指摘した置き換え、圧縮、「重複決定」といったメカニズムが働く。

こういった特徴は、グレッグからもはっきり感じられた。彼はよく半醒半睡の状態になった。そうすると思考に通常の抑制や選択がきかなくなって、自由かつ衝動的な幻想や機知が縦横に発揮されることになる。むろんこれは病理的なのだが、それだけでもない。そこには、原始的な子供っぽい遊びの要素がある。支離滅裂で、ときにはうがった言葉を連発しながら、一見悟り澄ました（ほんとうは、虚ろなだけなのだが）グレッグのようすは、無垢な智慧《ちえ》を感じさせ、病棟では聖なる愚者として、矛盾した、だが丁重《ていちょう》な特別扱いを受けていた。

神経学者としてグレッグの「症候群」や「欠陥」について説明してきたが、これでグレッグのすべてを語れるとは思えない。彼は「べつ」の人間になったとひとは感じる。前頭葉の損傷は彼のアイデンティティを奪ったが、同時に、奇妙で原始的ではあっても一種のアイデンティティ、あるいはべつの人格を与えたという感じがするのだ。

廊下にいてもひとりだとまるで生気がないが、誰かと一緒になるとがらりとひとが変わる。グレッグは「正気づき」、ひょうきんで、魅力的で、無邪気で、人好きのする人間になる。誰もが彼に好意をもつ。彼は誰に対しても明るくユーモラスで率直に答え、陰険さやためらいはまったくない。彼の応対や反応はあまりにも軽々しくて、軽薄でとりとめがなく、また一分もすれば相手を完全に忘れてしまう。いや、もっとひどいことだってある。だが理解はできる。すべては障害のせいなのだ。そこで、回復の見込みのない患者を収容している療養所、憂鬱と怒りと絶望が充満しがちな療養所では、決して落ちこまず、他人に活気づけられればつねに陽気でこのうえなく幸福そうなグレッグのような患者は救いだ。

不思議なことに、それも病気のせいなのだが、彼はある種の活力というか健康を保持していた。明るく、気が利いて、率直で、生き生きしているので、ほかの患者も、それどころか誰もが、彼といるとほっとして明るくなる。クリシュナ教団に入る前の彼が「問題児」で、苦しみ悩み、反抗的だったとしても、そうした怒りや苦悩、不安はきれいに消えたらしい。彼は安らかだった。荒れていたころのグレッグ、麻薬や宗教や腫瘍に「なだめ」られる前の彼に苦労した父親は、あるとき、「あの子はまるでロボトミーを受けたようだ」と言い、それから苦い皮肉を込めて付け加えた。「前頭葉――そんなものはないほうがいいのかもしれませんな」

人間の脳の最大の驚異は、前頭葉の発達ぶりである。ほかの霊長類では人間ほど発達していないし、霊長類以外の哺乳類となると、発達はほとんど見られない。また、人間の脳のなかで、誕生後にいちばん成長、発達する部分でもある（この発達が完成するのは、七歳ぐらいになってからだ）。だが前頭葉の機能と役割に関する研究は曲がりくねったあいまいな歴史をたどり、いまだに全容の解明にはほど遠い。こうしたむずかしさがもっとも顕著に表われたのが、有名なフィネアス・ゲイジという患者と、一八四八年から現在まで続いているこの症例をめぐる解釈の対立である。ヴァーモント州バーリントンの近くで働いていた鉄道建設労働者のゲイジは優秀な職長だったが、一八四八年九月に奇妙な事故にあった。長さ一メートル余、重さ数キロの鉄棒を使って爆薬を仕掛けていたところ、誤って爆発し、そのひょうしに鉄棒が頭に突き刺さってしまった。ところが不思議なことに、彼は卒倒したものの生命には別状がなく、一瞬気絶しただけで起きあがった。それから荷馬車を駆って町に帰り、しごく落ち着いた冷静なようすで地元の医者のところへ行くと、「先生、やっかいな怪我《けが》人だが、ちょいと腕をふるってもらいましょうか」とあいさつをしたのである。

事故後まもなく、前頭葉に膿腫ができて発熱したが、数週間でおさまり、一八四九年のはじめには「完治」したと告げられた。命をとりとめただけでも医学的には奇跡で、そのうえ前頭葉にこれほど大きな損傷を被ったのに、彼には何の変化もないように見えたので、前頭葉にはとくべつの機能がないか、無事だったほかの部分で代替できない機能はないのだろうという説が有力になった。十九世紀はじめの骨相学では、脳の表面のすべての部分に特定の知的な機能や倫理的な機能の「座」があると想定していたが、一八三〇年代から四〇年代に反論が起こり、ついには脳は肝臓のようなもので、分化していないのだとまで言われた。優れた生理学者フロウレンスは、「肝臓が胆汁を分泌するように、脳は思考を分泌している」と言った。ゲイジの行動に変化がないように見えたので、この見方が裏付けられたと思われた。

じつはこの説の影響があまりに強かったせいで、事故後の数週間にゲイジの「性格」が急変したことは見る者が見れば明らかだったのに、医者は関心をもたなかった。この患者をもっともくわしく検査していた医師のジョン・マーティン・ハーロウが一八四八年当時は無視していたか、少なくとも言及していなかった明白な症状を発表したのは、なんと二十年後だったのである（このころ、神経系には「高次」のレベルと「低次」のレベルがあり、高次のレベルが低次のレベルを抑制しているという新説に動かされたのだろう）。

（ゲイジは）癇癪《かんしゃく》もちで不遜《ふそん》で、よく汚い言葉を吐き散らし（それまでの彼には、そんなことはなかった）、仲間の言葉に耳も貸さず、助言や苦言が気に入らないと苛立ち、頑固で強情なくせに、気まぐれで、すぐに迷い、先のことをいろいろと計画するが、ほかに良さそうなことを思いつくとすぐに気が変わった。理性や表現は子供なみだが、頑健な男性の動物的欲望をもっている。事故までは、教育はなくてもバランスのとれた性格で、頭がよくて仕事ができ、計画をたてると精力的に粘り強く実行する人物だと評価されていた。この性格ががらりと変化し、あまりの変身ぶりに友人や知人は、彼は「もうゲイジではない」と言った。

前頭葉の損傷のために、一種の「脱抑制」が起こり、動物的な、あるいは小児的ななにかが解放されたのだろう。それでゲイジは瞬間的な気まぐれや衝動、直接的な周囲の状況に振り回されるようになった。それまでの彼がもっていた思慮や、過去と未来への顧慮《こりょ》、他人への思いやりや行動の結果への配慮は消えてしまったのだ。

だが、前頭葉の損傷の影響として考えられるのは、興奮や欲望の解放、脱抑制だけではない。一八七九年に、ガルストンでの講演でゲイジの症例を全世界の医学界に紹介したデヴィッド・フェリエは、一八七六年にサルの前頭葉を除去した実験で、べつの症候群を発見した。

明らかな生理学的症状は見られなかったが、サルの性格や行動にははっきりした変化が観察できた……それまでのように周囲に好奇心を燃やして、目に入るものを不思議そうにのぞきこんだりするかわりに、無気力でぼんやりし、うとうとしていて、一瞬一瞬の感情や印象にしか反応できず、あるいは無関心でいたかと思うと、落ち着かずにあてもなくうろうろ歩きまわったりする。知力が奪われたというのではないが、どう見ても注意力や知的な観察力を失っている。

一八八〇年代、前頭葉の腫瘍がさまざまな症状を引き起こすことが明らかになった。ときには無関心、遅鈍、精神活動の遅滞、ときには極端な性格の変化や自制力の喪失、またときには（ガワーズによれば）「慢性的な狂気」すら起こることがある。前頭葉腫瘍の最初の手術が行なわれたのは一八八四年で、精神病の症状だけを理由に初めて前頭葉が除去されたのは一八八八年だった。このときの理由は、精神分裂病だったと思われる患者の強迫観念や幻覚、妄想性興奮などが前頭葉の活動過剰あるいは病的活動に起因するということだった。

それから四十五年間は、こんな無謀はくりかえされなかったが、一九三〇年代にポルトガルの神経学者エガス・モニスが「前頭葉白質切截術」と名づけた手術を考案し、不安神経症や鬱病、慢性的な精神分裂病などの患者二十人に施された。一九三六年に彼の論文が発表されると、彼が主張した手術の成果に大きな関心が集まり、治療への熱い期待のかげで彼のずさんさや不注意、それにたぶん不誠実さが見過ごされた。モニスの手術に続いて（彼が名づけた）「精神外科」がブラジル、キューバ、ルーマニア、イギリス、そしてとくにイタリアなど、全世界に爆発的に広まった。だが、どこよりも影響が大きかったのは、アメリカだった。神経学者のウォルター・フリーマンは経眼窩ロボトミーと名づけた恐るべき外科手術を考えだした。その手順を彼はつぎのように説明している。

患者に衝撃を与えて意識を失わせ、「麻酔」下で眼球と瞼《まぶた》の間から眼窩上辺の奥の前頭葉部分にアイスピックを差しこみ、これを左右に動かして水平に切りこみを入れる。ふたりの患者には左右両半球、ひとりはいっぽうだけに手術を施したところ、一名の片目が黒く痣《あざ》になった以外は合併症もなかった。今後、問題が出てくるかもしれないが、一見抵抗を覚える方法ながら、非常に平易である。これらの症例については今後の経過を待たなければならないが、ロボトミー後の行動にわずかな困難があるだけで、症状は大幅に緩和している。患者は術後一時間ほどで起きあがって帰宅したほどである。

アイスピックを使って診療室で簡単に処置するというこの精神外科術は、驚きと恐怖を巻きおこして当然なのに、追随する者が続出した。一九四九年にはアメリカで一万人が手術を受け、その後の二年に患者はさらに一万人増加した。モニスは「恩人」と称えられて、一九五一年にノーベル賞を受賞した。受賞は、マクドナルド・クリッチェリーの言葉によれば「この恥ずべき物語」のクライマックスだった。

もちろん、手術で「治癒」するわけがなく、患者はただ無気力で従順になっただけで、しかももとの顕著な症状と同じくらい、あるいはそれ以上に「健康」とはほど遠い状態で、もも(もとの病気とちがって)もはや回復の可能性はなかった。ロバート・ロウエルは、ロボトミーを受けたレプケについて、「ウエスト・ストリートとレプケの思い出」という詩のなかでこう書いている。

ロボトミーのあとは、禿げた頭でうすぼんやりと
おとなしく平和なことは羊のよう
もう、我が身を振り返ることも
電気椅子を恐れて、おののくこともなく
なにもわからぬ平安のなかで
うつらうつらと過ごすのみ……

一九六六年から九〇年まで州立病院に勤めたわたしは、ロボトミーを施された哀れな患者をおおぜい見たが、レプケよりもひどくて精神的には死んだも同然の者も多かった。彼らは「治癒」したといわれたものの、じつは殺害されたのである。

一八八〇年代に単純に考えられていてモニスも同調したように、前頭葉の回路の大きな異常が精神病の原因かどうかはともかく、この部分の優れた偉大な機能には裏面があることもたしかである。人間はときには意識や倫理観、良心、それに義務や責任感の重さに耐えられず、この重圧から、正気と健全さから解放されたいと願う。前頭葉の抑制から逃げだして、感覚と衝動にまかせてはめを外したいと思う。前頭葉優勢の窮屈な文明社会にはそうした欲求があることを、いつの時代、どこの文化も気づいていた。わたしたちはみな、ときには少し前頭葉から離れて休暇を取る必要がある。だが、病気や怪我のためにその休暇から戻れなくなるのは悲劇である。フィネアス・ゲイジのように、そしてグレッグのように。

一九七九年三月、わたしは報告書にグレッグについてこう記した。「彼はゲームや歌、詩、会話などのときはまともである……こうした活動には有機的なリズムと流れ、とぎれのない存在感があり、それが彼をとらえて動かしているからである」このとき、わたしは『妻を帽子とまちがえた男』の「ただよう船乗り」の章で書いた、健忘症患者ジミーのミサでの出来事を思い出していた。ミサのあいだ、ジミーは常人と変わらなかった。意味のある活動と自分との関係、参加意識、有機的な一体感によって、健忘症によるギャップが克服されていたのだ。また、イギリスにいたときのある患者は音楽学者だったが、側頭葉脳炎のために重い健忘症にかかり、記憶が数秒間しかもたなかった。ところがむずかしい曲を記憶していたし、それどころか新しい曲を覚えて演奏することもでき、おまけにオルガンで即興《そっきょう》演奏さえした。

グレッグも同じだった。どんな新しい「事実」も覚えていられないのに、一九六〇年代の歌には抜群の記憶力を示したばかりでなく、新しい歌だけはらくに覚えた。まったくべつの種類の記憶メカニズムが働いているようだった。それに、グレッグは戯《ざ》れ歌や韻律に対する感覚も鋭かった（彼は病棟でつけっぱなしになっているラジオやテレビで聞いた語呂のいい言葉を何百となく覚えていた）。彼が入院してまもなく、わたしはつぎのような戯れ歌でテストしてみた。

ねんねんよ、おころりよ
いい子でぐっすり、ねんねしな
ねんねせぬ子は、狂犬病
銃で撃たれる、ねんねしな

グレッグはすぐに正確にくりかえしてから、笑ってわたしがつくったのかと聞き、「エドガー・アラン・ポーの詩のように不気味だ」と批評した。二分後にはきれいに忘れていたが、わたしがいくつかの韻律をヒントに与えると思い出した。そんなことを何回かくりかえしたあとには、ヒントがなくても思い出すようになり、わたしに会うたびに暗誦してみせた。

韻律や歌を覚える能力は、単なる手続記憶や言語運用能力なのだろうか。それともふつうならグレッグには欠けている深みのある感情や一般化能力をともなっているのだろうか。音楽が彼を感動させ、ふつうには感じられない深い感情や意味の世界への扉となり得ること、そんなときのグレッグが別人のようであることは疑いなかった。もう前頭葉症候群はうかがえず、音楽によって一時的に「治癒」したように見えるのだ。音楽を聞くと、いつもはゆっくりとしていて乱れている脳波までが安定して音楽と同じようなリズムをもつようになった。

簡単な情報を歌にして覚えさせるのは楽だった。そこで、毎日グレッグに月日を織りこんだ歌を覚えさせれば、彼はその部分だけを記憶して韻律なしで質問に答えることができた。だが、時間や歴史の観念がなく、ぶつぶつに切断された一瞬一瞬という煉獄《リンボ》に生きている重度の健忘症患者が、「今日は一九九五年七月九日です」と言えたとしても、何の意味があるだろう。彼らにとっては、日付はまったく無意味なのだ。だが、音楽の力を借り、当人にとって大切なことや現在の世界の出来事を織りこんだとくべつの歌を使って、もっと深みのあることを記憶させられるだろうか。グレッグに「事実」だけでなく、時間と歴史の観念、出来事と出来事の関連性を、そして（たとえ人工的であっても）思考と感情の新しい枠組みを教えることはできるのだろうか。

グレッグに学習の可能性があることがわかったこのころ、盲目の彼に点字を覚える機会を与えるべきだということになったのは、当然のなりゆきだった。ユダヤ人盲人協会の尽力で、彼は週四回の集中コースに入ることになった。だが、グレッグに点字を覚える意欲がなかったことは、意外でもなく、失望すべきことでもなかったのだろう。点字の勉強を強いられた彼は驚き、当惑して、叫んだ。「どうなってるんだ？　ぼくが盲目だと思っているのかい？どうしてこんなところで、盲人に囲まれてなきゃならないんだ？」事情を説明しようとすると、彼はじつに筋の通った返事をした。「もし盲目なら、真っ先にぼく自身が気づくはずじゃないか」協会のほうでもこんな手のかかる生徒は初めてだということで、結局勉強は立ち消えになった。点字学習の失敗で、スタッフは一種の無力感にとらわれたが、グレッグ自身もそれは同じだったようだ。どうすることもできない、とわたしたちは感じた。彼には向上の可能性はないのだ。

グレッグはそれまでにいろいろな心理テストや神経心理学的テストを受けていたが、どのテストでも記憶喪失や注意力の問題のほか、「浅薄《せんぱく》」だとか「子供っぽい」「内面性に欠ける」「多幸感」などを指摘されていた。こうした判定の理由は容易に想像がつく。グレッグは、たいていそんな状態だった。だが、この病気の奥、前頭葉の損傷や健忘症の影響を受けた浅薄なうわべの下に、もっと深みのあるグレッグがいるのだろうか。一九七九年のはじめ、彼は質問に答えて、自分が「なさけない……少なくとも肉体的な次元では」と言ったが、「でも、人生ではそれは大したことじゃない」と付け加えた。彼が薄っぺらで非現実的な幸福感にひたっているだけではなく、自分の障害を深く受けとめ、憂鬱になることさえあるのは明らかだった。あのころ、植物状態のカレン・アン・クインランのことがニュースになっていたが、彼女の名前や運命が話題になるたびに、グレッグは落ちこんで黙りこくってしまった。なぜ、その話題が気になるのか、彼は言葉では説明できなかったが、きっと自分自身の悲劇に通ずるものを感じているにちがいないと、わたしは思った。それとも、あれも相手を選ばず共感し、どんな刺激やニュースの雰囲気にもすぐに同調してしまうせいだったのか。

はじめはどちらなのかわからなかった。グレッグに深みのある感情が見出せるはずはないと決めつけていたのかもしれない。それまでの神経心理学的研究からすれば、不可能だとされていたからだ。だが、そうした研究は短期間の評価であって、長期療養所などで全世界、全生活を患者と共有している場合にのみ可能な長期的、継続的な観察に基づいたものではなかった。

グレッグの「前頭葉」的性格、彼の軽躁《けいそう》ぶりは愉快だったが、その奥には、基本的な慎み、繊細さ、優しさがあった。障害を負っていても、グレッグには個性、人格、魂があるとひとは感じた。

グレッグがウィリアムズブリッジにやってきたとき、誰もが彼の知性や朗らかさ、機知に強い印象を受け、これに応えてできるだけの治療プログラムや試みが行なわれたが、点字学習と同じく、どれも成果をあげなかった。グレッグには進歩は望めないという思いが強まり、わたしたちは多くを期待しなくなり、あまり働きかけをしなくなった。彼はほうっておかれることが多くなった。どんな活動にも参加せず、どこにも連れていってもらえず、ひっそりと無視されて、彼はぽつんとひとりでいた。

健忘症でなくても、療養所の奥に閉じこめられていれば容易に現実から遠ざかってしまう。そこでは、二十年、いや五十年も変わらぬ毎日がくりかえされる。朝起きて、洗面所に連れていかれると、あとは廊下の椅子にほうっておかれる。昼食をとり、ビンゴ・ゲームをし、夕食をとり、床に就く。娯楽室ではテレビがつけっぱなしになっている。だが、ほとんどの患者は関心をもたない。グレッグは気に入った連続ドラマや西部劇を楽しみ、コマーシャルの文句をたくさん覚えた。だが、ニュースは理解できず、退屈だった。記念すべきことも、去りゆく時の印となるできごともほとんどない、時間のない煉獄《リンボ》で、歳月は過ぎ去っていった。

十年ほどたったが、グレッグはまったく進歩を示さなかった。話題にしろ、彼自身にしろ、なにも新しいことは加わらないのだから、話すことも時代遅れのくりかえしがますます多くなった。年とともに、彼の健忘症はますます悲劇的に感じられた。健忘症そのものや神経学的症候群にはとくに変化はなかったのだが。

一九八八年、彼はそれまではなかった（手術以来、予防的に抗痙攣薬を投与されていた）痙攣発作を起こし、片足を骨折した。彼は痛みを訴えるどころか何も言わなかったので、彼の骨折は発作の翌日に立ちあがれなかったために初めて発見された。どうやら、痛みが和《やわ》らぎ、楽な姿勢になれたとたんに忘れてしまったらしい。足の骨折がわからないのは、視覚障害がわからないこと、健忘症のために能力の損失を記憶していられないのと同じだったのだろう。足が痛んだときにはなにか起こったとわかるが、痛みがおさまると、心から消え失せてしまう。ひとが視力を失った直後の数ヵ月によくあるように、彼が幻覚を見たとしたら、「見てごらん！」とか「すごい！」と言ったかもしれない。しかし視覚的な情報が欠如している場合、見るということ、あるいは見えないということ、また、視覚的世界を喪失したことさえ記憶してはいられない。彼自身、それに周囲の世界についても、グレッグには不在はわからない。わかるのは存在しているものだけなのだ。彼には喪失という概念は、自分の機能についても、ものについても、またひとについても理解できないようだった。

一九九〇年六月、毎朝、出勤前にやってきて一時間ほど話したり、冗談を言ったりしていたグレッグの父親が急死した。当時、わたしは（やはり自分の父の死のために）帰国していたので、戻って初めて不幸を知り、急いで彼のもとへ行ってみた。もちろん彼は、父親が亡くなったとき、知らせを受けていた。だが、わたしは何と言っていいか、わからなかった。この新しい事実が彼にはわかっているのだろうか。「お父さんがいなくなって、寂しいだろうね」わたしは言ってみた。

「どうして？　父は毎日来るじゃないですか。毎日会ってますよ」彼は答えた。

「いや。お父さんはもう来ない……来なくなって、だいぶたつよ。先月、亡くなられたんだ」

グレッグはぎょっとし、蒼白《そうはく》になって黙りこんだ。ショックだったらしい。とつぜんの父の訃報《ふほう》ばかりでなく、それを自分が知らなかった、あるいは覚えていなかったことで、二重のショックを受けたようだった。「五十を越えていたかなあ」と彼は言った。「いや、グレッグ。七十をだいぶ過ぎていらっしゃった」

これを聞いて、グレッグはますます蒼《あお》くなった。ひとりになりたいだろうと思ったわたしは、急いで部屋を出た。だが、数分して戻ってみると、彼はさっきのやりとりも、知らせもまったく覚えていなかった。

少なくとも、グレッグが愛情や悲しみを感じられることは明らかだった。もう、わたしはグレッグに深みのある感情があるかどうかを疑わなかった。彼は父の死にうちのめされていた。「浅薄」さなど、まったくうかがえなかった。だが、父の死を悼《いた》む能力はあったのだろうか。死を悼むには、喪失感がなければならず、グレッグにそれがあるかどうか、はっきりしなかった。お父さんが亡くなったと、くりかえし聞かせることはできる。そのたびに、彼は新たなショックを受け、底知れず落ちこむだろう。だが、数分もすれば忘れて陽気になるのだから、死を悲しみ、悼むことはできない。

それから何カ月かは、できるだけグレッグに会うよう心がけたが、父親の死については二度と触れなかった。それはわたしの任ではないと感じたからだ。そんなことは残酷なだけで、無意味だった。きっと、人生がグレッグに父の不在を教えてくれるにちがいない。

一九九〇年十一月二十六日、わたしはつぎのように記した。「グレッグが父の死を意識しているとは思えない。お父さんはと聞かれると、『パティオに行ったよ』とか『今日は来られないんだ』などと、もっともらしいことを答える。だが、あれほど楽しみにしていたのに、もう週末や感謝祭に家に帰りたがらなくなった。（意識的には）覚えてもいないし、言葉にもできないが、父親のいない家が寂しくていやなのにちがいない。明らかに彼はその感覚と悲しみとを結びつけている」

この年の末、ふつうはよく眠るグレッグが眠れなくなり、夜中に起きあがっては何時間も部屋のなかを探りまわるようになった。どうしたのかと聞かれると、「なにかなくしたんだ。なにかを探しているんだ」と言うのだが、なにをなくしたのか、なにを探しているのかは説明できなかった。自分ではなにをしているのかわからず、なにをなくしたのか顕在的な記憶はなくとも、父親を探しているのではないかと周囲は感じた。だがわたしは、彼が潜在的には、それに（概念的ではなくとも）象徴的には、父の死を知っているのではないかと思った。

父の死以来、グレッグがあまり沈んでいるので、わたしはなにか気晴らしをさせてやりたいと考えた。そこで、一九九一年八月、彼の大好きなロック・グループ、グレイトフル・デッドが数週間後にマディソン・スクウェア・ガーデンでコンサートを開くと聞いたとき、これだと思った。しかも、この夏のはじめ、上院で音楽の治療的効果について証言したときに、ドラマーのミッキー・ハートと一緒だったので、彼とは面識があった。期日が迫っていたが、ハートの力でチケットを入手することができ、車椅子でグレッグを連れていって、音響効果が最高のサウンドボードの近くに特別の席をとってもらうことになった。

時間の余裕がないなかでの手配だったし、チケットが取れなかった場合にグレッグをがっかりさせたくなかったので、彼には伝えておかなかった。療養所に迎えに行って、どこへ行くのかを聞かせると、彼はすっかり興奮した。わたしたちは急いで支度をさせ、車に乗せた。町なかに入ると開いた車の窓から、ニューヨークの騒音と匂いが漂ってきた。三十三丁目を走っているとき、ふいに熱いプレッツェルの匂いがした。グレッグは大きく息を吸いこんで笑った。「これこそ、ニューヨークの最高の匂いだなあ」

マディソン・スクウェア・ガーデンにはおびただしいひとが集まり、ほとんどが絞り染めのTシャツを着ていた。絞り染めのTシャツを見るなど、わたしにとっては二十年ぶりのことだった。一九六〇年代に逆戻りしたような、あるいは一度もそこから離れなかったような感じだった。グレッグにこの群衆を見せてやりたかった。きっと、仲間のもとに戻ったような思いになるだろうに。雰囲気に刺激されたのか、グレッグは珍しく自分から、六〇年代の思い出を話しはじめた。

そうだ、セントラルパークでビーインがあったっけ。最近はとだえているよね——たぶん、一年以上になるんじゃないか、よく覚えてないけど……コンサートや音楽、LSD、マリファナ、なんでもあった……ぼくが初めて行ったのは、フラワー・パワーの日だった……いい時期だったな……六〇年代にはいろいろなことが始まった——アシッド・ロック、ビーイン、ラヴイン、マリファナ……最近ははやらないけど……アレン・ギンズバーグ——よくヴィレッジに来てた、セントラルパークにも。彼もずいぶん見てないな。最後に見てから一年以上になる……

グレッグが現在形を、あるいは近過去形を使い、すべてを遠い過去ではなく、もちろん終わったことでもなく、「たぶん一年ぐらい」前の出来事だと（したがって、またいつでも起こりうる出来事だと）思っていることは、臨床テストの結果としてみれば病理的な時代錯誤でしかないが、マディソン・スクウェア・ガーデンの六〇年代さながらの群衆のなかにいると、自然で正常なことのように感じられた。

会場に入ると、車椅子のグレッグのためにサウンドボードのそばに特別席がしつらえてあった。グレッグは時間とともにますます興奮し、群衆の叫び声を聞いてわくわくしていた。「巨大な動物のようだね」と彼は言った。それからマリファナの甘い匂いがする空気を「なんて偉大な匂いなんだ」と深呼吸した。「世界でいちばん、愚かしくない匂いだよ」

バンドがステージにあがると、群衆は熱狂し、グレッグも興奮に恍惚となって拍手しながら、「ブラボー！　ブラボー！」と大声で叫んだ。「レッツゴー！」それから「レッツゴー、ハイポ（麻薬中毒者）」そしていっせいに「ロウ、ロウ、ロウ、ハリー・ボウ」ふいにグレッグがわたしに言った。「そら、ドラムのうしろに墓石がある。アフロヘアのジェリー・ガルシアがいるよ」その言葉があまりに確信ありげなので、わたしは思わずドラムのうしろに墓石を探した。だが、それはグレッグの作話で、いまは白髪まじりのジェリー・ガルシアの髪はまっすぐに肩まで垂れていた。

グレッグがまた叫んだ。「ピッグペン！　ほら、ピッグペンがいるだろう」

「それがね」わたしは何と言っていいかわからなくて、口ごもった。「彼はいないんだ。……もう、デッドのメンバーじゃないんだよ」

「メンバーじゃない？」グレッグは驚いた。「どうして――クビになったのかい？」

「ちがうんだよ、グレッグ。クビじゃない。死んだんだ」

「そんな、かわいそうに」衝撃を受けたグレッグは首を振った。だが、一分もすると、またわたしをつついて言った。「ピッグペンだ！　ほら、ピッグペンがいるだろう」そして、一語一語、さっきと同じやりとりがくりかえされた。

そのうち、群衆のどよめきと興奮が彼を押し流した。リズミカルな拍手、足踏み、歌声に誘われて、彼も叫びだした。「ザ・デッド！　ザ・デッド！」それからふいにリズムが変わり、一語、一語、ゆっくりと「ウィー・ウォント・ザ・デッド！」それから演奏が始まるまで、お気に入りの曲の題名を「タバコ・ロード、タバコ・ロード」とくりかえした。

演奏はまず、なつかしい歌から始まった。「アイコウ、アイコウ」グレッグは歌詞を全部覚えているらしく、夢中になって歌い、とくにアフリカ的な響きのコーラスを楽しんでいた。広いマディソン・スクウェア・ガーデンは熱狂した一万八千の聴衆でひとつになり、全員の神経系が一体となって反応していた。

コンサートの前半はグレッグもよく知っている大好きな六〇年代の曲で、彼も一緒になって歌っていた。驚くほど元気いっぱいで、楽しそうだった。休みなく拍手し、歌っているのに、いつもの疲れて弱々しげなところはまったくなかった。また、不思議なほどに集中力が持続し、すべてが方向性をもち、統一がとれているようだった。グレッグの変身ぶりを眺めていると、健忘症や前頭葉症候群はどこへいったのかと思った。このときの彼は、音楽によって力と人格的まとまりと精神を注入されたようで、正常そのものだった。

途中の休憩で引きあげようかとわたしは考えていた。なんといっても、彼は車椅子の障害者だし、ロック・コンサートはおろか、町に出るのだって二十年ぶりなのだ。だが、彼は「いや、もっといよう。最後までいようよ」と言った。言われることに素直に従っている療養所の彼には見られないはっきりした主張と意思表示が、わたしには嬉しかった。そこでとどまることにし、休憩時間に楽屋に行った。グレッグは熱いプレッツェルをごちそうしてもらい、ミッキー・ハートに会って言葉を交わした。少し前には青白く疲れたようだったが、ハートに会って興奮した彼はほほを紅潮させ、コンサートの後半が待ちきれないようすだった。

だが、後半の部分は、グレッグにはちょっと勝手がちがった。一九七〇年代なかばから後半の、スタイルにはなじみがあっても知らない曲が多かったのだ。彼はあいかわらず楽しんで拍手し、ハミングであわせたり、勝手な言葉をつけて歌ったりした。しかし、そのあとにさらに新しい、がらりと変わった曲が続いた。「ピカソ・ムーン」のような暗く深いハーモニーに、一九六〇年代には想像もできなかった電子楽器の音が響いた。グレッグは興味をもちつつも、ひどく当惑していた。「変わった曲だな。こんなの、聞いたことがないよ」音楽的な関心をかきたてられて、一心に耳を傾けてはいたが、同時に見たこともない動物や植物、新しい世界を目にするときのように、どこか怯えて不安そうだった。「新しい、実験的な曲なのかな。いままで、聞いたことがないよ。未来的な音……未来の音楽なのかもしれない」新しい曲は彼が想像しうる展開をはるかに超えていたし、彼が考えていたデッドからは想像もつかない（ある意味では似つかわしくない）曲で、彼を「しびれ」させた。彼が聞いていたるのは、たしかに「デッドの」音楽なのだが、どう考えても未来を聞かされているとしか思えなかったのだ。ベートーヴェンの後期の曲が一八〇〇年に演奏されたら、ファンはやはり驚いたにちがいない。

「すごかったね」コンサートが終わって、会場を出るとき、グレッグが言った。「今日のことは決して忘れないよ。人生で最高の日だった」できるだけコンサートの気分と思い出が持続するようにと、帰りのドライブのあいだじゅう、わたしはグレイトフル・デッドのCDをかけつづけた。一瞬でもデッドの曲が聞こえなくなったら、彼らの話をしなかったら、コンサートの記憶そのものがグレッグの頭から消えてしまいそうで怖かった。グレッグは帰る道すがら熱心に歌っていたし、療養所で別れるときも、まだ興奮にうっとりしていた。

翌朝早く行ってみると、グレッグは療養所の食堂でぽつんとひとり、壁のほうを向いていた。わたしは、グレイトフル・デッドをどう思うか、と尋ねた。「すごいグループだよ。ぼくは大好きだな。セントラルパークに聞きに行ったことがある、フィルモア・イーストにも」

「そうだってね。だけど、そのあとはどう？　マディソン・スクウェア・ガーデンに聞きに行ったばかりじゃないかい？」

「いや」と彼は答えた。「マディソン・スクウェア・ガーデンには行ったことがないよ」

トゥレット症候群の外科医

トゥレット症候群は、どの人種、文化、社会階層にも見られ、なれればひと目で見分けられる。わめいたり、身体をよじったり、顔をしかめたり、奇妙な動作をしたり、無意識のうちに口汚い言葉や冒瀆《ぼうとく》的な言葉を吐いたりという症例は、二千年も前、カッパドキアのアレタイオスの記録に登場している。しかし医学的症状として明確にされたのは一八八五年になってからだった。シャルコーの弟子で、フロイトの友人でもあった若いフランス人神経学者ジョルジュ・ジル・ドゥ・ラ・トゥレットが、歴史的な記述を参考に自分自身の患者の観察結果をまとめたのだ。彼が明らかにしたトゥレット症候群は痙攣性チック、他人の言葉や動作の無意識な模倣やくりかえし（反響言語、反響動作）、それに無意識あるいは衝動的な罵《ば》言《げん》や冒瀆的言辞（汚言）を特徴としている。患者のなかには、こうした症状に苦しみながらも、症状に不思議に無頓着だったり、無関心だったりする者もいる。また奇妙にうがった連想や現実ばなれした連想をする傾向が見られることもある。極端に衝動的だったり挑発的だったりして、しじゅう物理的、社会的境界を確認せずにはいられない者もいれば、周囲の刺激に反応しつづけ、足を突き出したり、匂いを嗅いだり、ふいにものを投げつけたりする場合もある。常同症と強迫観念が非常に強い者もある。そして、まったく同じ症状を見せる患者はふたりといない。

どんな病気も、患者の人生に二重性を生じさせる。「それ」、つまり病気そのもののニーズや欲求、制約があるからだ。トゥレット症候群の場合、「それ」は明白な強制というかたちを取る。患者は数々の明白な衝動や強迫に突き動かされる。当人の意志とかかわりなく、あるいは自分とは異なる「それ」の意志に服従させられて、あれこれをせずにはいられなくなる。自分と「それ」の意志のあいだには葛藤や妥協、あるいは融合が起こるだろう。したがって、トゥレット症候群のような衝動的行為という障害がある者にとって、「取り憑《つ》かれる」というのは単なる言葉のあやではなくなる。中世には文字どおり何ものかに「取り憑かれた」と思われたのもむりはない。トゥレット自身、憑依《ひょうい》という現象に強い興味をもち、中世のルーダンにおける悪魔憑きの流行を題材にした戯曲を書いている。

病気と自己、「それ」と「わたし」の関係は、トゥレット症候群ではとくに複雑で、まして子供時代に発症して症状とともに育ったような場合には、あらゆる面で病気と自己がからみあっている。トゥレット症候群と自己とが相互に形成しあい、補いあって、ついには長年連れ添った夫婦のように渾然一体になる。この関係は破壊的なことが多いが、建設的な現われ方をしてスピードと自発性、それに並外れた驚くべき能力を生みだすこともある。トゥレット症候群はやっかいなものだが、創造的に利用できる可能性もあるのだ。

　トゥレット症候群は、臨床的に明らかにされてからも長いあいだ、器質的障害ではなく「道徳的な」病だと思われてきた。原因は意志の面でのゆがみや弱さにあり、意志を鍛えて矯正すべきだという扱いをされてきたのである。一九二〇年代から六〇年代までは心理的な病気だということで、精神分析や心理療法の対象となったが、結局はこれもあまり効果がなかった。一九六〇年代はじめに、ハロペリドールの投与で症状が劇的に軽くなることが明らかになり、風向きがとつぜん変化して、トゥレット症候群は脳内の神経伝達物質であるドーパミンのアンバランスによる化学的な障害だということになった。だが、どの見方も一面的で単純化の傾向があり、トゥレット症候群の複雑さを充分に把握しているとはいえない。生物学的見方も心理学的見方も、また道徳的・社会的視点もそれだけでは不充分である。この三つの見方を統合するだけでなく、もっと内面的、実存的に、自我への影響という面から見なければならない。ここでもまた、内側からの物語と外から見た物語が融合されなければならないのだ。

　チックや強迫的な衝動があり、奇妙なふざけた動作をせずにはいられないとなると、道を閉ざされてしまう職業がたくさんありそうに思うが、必ずしもそうではない。トゥレット症候群は千人に一人といわれ、ごく日常的にトゥレット症候群、それも重度の患者と出会うことがある。トゥレットの作家、数学者、音楽家、役者、ディスクジョッキー、建設労働者、ソーシャルワーカー、機械工、運動選手など。だが、はじめから問題外の職業もあり、たとえば安定した細かい正確な作業が必要とされる外科医などはその一つではないかと思いがちだ。わたしもしばらく前まではそう感じていた。ところが、いまのわたしはトゥレット症候群の外科医をなんと五人も知っている。

　カール・ベネット博士と初めて会ったのは、ボストンで開かれたトゥレット症候群に関する科学会議の席だった。五十がらみで、中肉中背、茶色っぽい顎鬚《あごひげ》と口髭に白いものが混じり、きまじめなダークスーツを着た、ごくありふれた人物に見えた。だが、それも彼が急に足を突き出したり、地面に手をついたり、飛びあがったり、身体をひねったりするまでのことだった。わたしは彼の奇妙なチックと重々しく穏やかな物腰の両方に、同じくらいびっくりした。彼の選んだ職業に驚きをもらすと、彼は自分の暮らしや仕事ぶりを見にカナダのブリティッシュ・コロンビア州のブランフォードという町へ来てみないかと誘ってくれた。病院での診療や手術につきあい、実際に仕事をしているところを見るといいというのだ。それから四カ月後の十月はじめ、小型機でブランフォードに近づいていきながら、わたしはあふれるほどの好奇心と複雑な期待を抱いていた。ベネット博士は空港まで出迎えてくれた。博士の歓迎ぶりは奇妙だった。飛んだり跳ねたりのチックと、あいさつの身振りが混じりあうトゥレット症候群特有の動作である。彼はわたしの荷物をつかむと、スキップするような妙な足取りで、五歩ごとになにか拾いでもするように地面に手をつきながら、車に向かった。

　ブランフォードはロッキー山脈の麓《ふもと》、ブリティッシュ・コロンビアの南東部に位置し、北にはバンフ国立公園の山々、南にはモンタナ州とアイダホ州があるという牧歌的な町だった。穏やかで肥沃《ひよく》な地域にありながら、周囲を山々と氷河、湖に囲まれている。ベネット博士も地理学と地質学に情熱を燃やしていた。数年前には一年の休暇を取って、ヴィクトリア大学でこの二つを勉強したという。運転しながら、彼は氷成堆積物《モレーン》や成層そのほかの地層構造などを指さして教えてくれた。すると、はじめはただの田舎の景色だったものが、歴史と大地の力によって形成された巨大な地質学的パノラマに見えてきた。こんなふうにあらゆる細部に強い関心をもち、表層の下にあるものを見つめ、研究し分析するというのは、つねに精神が活動し疑問を抱いているトゥレット症候群に特徴的な性格である。こうした性格は、強迫的、反復的に何度も同じことをくりかえしたり、あらゆるものに触ったりする傾向と表裏の関係にある。

じじつ、ベネット博士の場合も、関心や興味の流れが乱されると、たちまちチックや反復動作が現われた。とくに口髭とメガネにしつこく触らずにはいられないようだった。口髭をしょっちゅうなでつけては、左右対称かどうかを確かめる。メガネは上下、左右、対角線、それに内側と外側の「バランス」が取れていなければならない。とうとつで衝動的な指の動きで、正確に「中心」におさまるまで直しつづける。また、右腕を伸ばしたり振ったりという動作もあった。突然に両手の人差し指を揃《そろ》えて、フロントガラスに触ったりもした（「触れるときは左右対称でなければならない」と彼は説明した）。あるいは急に膝やハンドルの位置を動かしたりする（「両膝がハンドルに向かって左右対称でなければならない。正確に中心になければならないんです」)。そうかと思えば、急に別人のような甲高い声で「ハイ、パティ」や「やあ、こんちは」、それに二度ほどは「ひでえなあ!」と叫んだ(ちなみにパティというのは以前のガールフレンドで、名前がチックに定着してしまったのだという)。

このような反復症状は、町に入って信号に止められるまではほとんど起こらなかった。急いではいなかったから、べつに信号に苛立ったわけではないが、運転の中断によって力学的なメロディ、早いなめらかな動作が邪魔されて、それまで心と脳を統合していた作用が乱されたのだ。この変化は急激だった。たったいままで円滑だった行動が、次の瞬間には攪乱《かくらん》されて大混乱に陥った。運転がスムーズなあいだのベネット博士は、トゥレット症候群を抑えているというよりも、脳と心がまったくべつの活動状態にあるという感じだった。

それから数分で、町を見下ろす高台にある博士の自宅に着いた。手入れしていない庭のある、風変わりで魅力的な家だった。車が入っていくと、不思議な薄い色の目をしたオオカミのような犬が二頭、しっぽを振って吠えながら飛びついてきた。車から下りた博士は、さっきまで「ハイ、パティ」と叫んでいたのと同じしぼり出すような甲高い声で「ハイ、パピーズ!」と呼びかけ、チック特有のとうとつな手つきで正確に五回ずつ、まったく同じ調子で頭をなでてやった。「半分エスキモー・ドッグで半分マラミュート、すばらしい犬ですよ」と博士は言った。「二匹でないと、仲間がいなくてかわいそうですからね。二匹なら遊んだり、眠ったり、狩りをしたり、何でも一緒にできますから」それに、一緒に頭をなでてやれるし、とわたしはひそかに思った。二頭飼うことにしたのは、なんでも対称でなければならぬという強迫観念のせいもあるのだろうか。犬の鳴き声を聞いて、博士のふたりの息子も駆けだしてきた。ハンサムな十代の少年だった。わたしはふと、博士が「ハイ、子供たち《キッディズ》！」とトゥレット症候群特有の声で叫び、頭を対称になでてやるのではないかと思った。だが、博士はそうはせず、マークとデヴィッドをべつべつに紹介した。彼はそれから家に入り、みんなのために午後のお茶の支度をしていた奥さんのヘレンを、私に紹介した。

テーブルにつくと、ベネット博士はチックをくりかえした。頭の上のガラスのランプシェードに衝動的に触るのだ。両手の人差し指の爪で、ときには楽器を奏でるように軽く叩き、ときには一斉射撃のように連打する。彼自身にも止めようがないらしく、座っている時間の三分の一はこのガラス叩きに費やされた。どうしても叩かずにはいられないのだろうか。どうしても、その席に座らなければならないのだろうか。

「手が届かなくても、叩きますか？」わたしは聞いてみた。

「いや。どこに座るかによるんですよ。まったく場所の問題なんです。たとえば、ここに座っているときには、あそこのレンガの壁に触りたいとは思わない。でも、手の届くところにいれば、百回は触っているでしょうね」彼の視線の先にある壁を見ると、彼がつついたり、叩いたりした跡が月面のように点々とついていた。それに、その先の冷蔵庫の扉は隕石か大砲の弾でもぶつかったようにでこぼこになっている。「そうなんです」わたしの視線に気づいたベネット博士が言った。「ものを投げるんですよ。アイロン、麺棒、フライパン、なんでも。突然かっとなって、ぶつけてしまう」これを聞いたわたしは、黙って考えた。それまでの博士の印象にこの新しい側面、不安で暴力的な側面をつけくわえてみる。目の前にいる穏和で静かな人物にはどうしてもしっくりしなかった。

「ランプシェードがそれほど気になるのなら、どうして近くに座るんですか？」わたしは聞いてみた。

「もちろん気になりますが、『刺激』みたいなものですね。ガラスの音や感触が好きなんです。でも、そうですね、たしかに気になる。だから、ここでは勉強ができません、ダイニングではね。ランプシェードのない書斎に行かないと」

トゥレット症候群では、個人的な位置感覚、ものや他者との関係についての感覚がふつうと大きくちがっている。わたしの知っているトゥレット症候群患者のなかには、レストランで他人に手が届く範囲の席に座ることに耐えられず、やむなくそんな席に座ってしまうと衝動的に手を伸ばして触らずにはいられないというひとがおおぜいいる。この衝動は、「刺激的な」人物が近くにいると、とくに激しくなる。だから、トゥレット症候群のひとたちは隅が好きだ。そこなら他人と「安全な」距離を保てるし、近くには誰もいない。同じような問題は運転中にも起こる。じっさいには（トゥレット症候群ではない者の判断なら）あたりまえの車間距離であっても、他の車が「近すぎる」、「迫ってくる」あるいは「急接近してくる」と感じるのだ。逆に他の車に「引き寄せ」られていく傾向もある。ふつうはそうした衝動を意識するし、反応が敏速なので事故にはいたらない（脳神経における位置感覚の異常から生まれる同じような幻想と衝動は、パーキンソン病患者にもよくみられる）。

ベネット博士のトゥレット症候群には、こうしたとうとつな衝動的、強迫的接触とはべつの症状もあった。周囲に足でゆっくりと、探るように輪を描くのである。そのことを尋ねると、博士は「本能的なものなんじゃないかな」と答えた。「犬が縄張りに印をつけるような感じです。自分の骨の髄にそれがあるような気がする。原始的な、人類誕生以前のものかもしれない。誰でも自分では知らずにもっているんじゃありませんか。トゥレット症候群はそういう原始的な本能を『呼び覚ます』んですよ」

　ベネット博士はトゥレット症候群を「脱抑制の病」と呼んだ。ひとにはさまざまな思い、それ自体は異常でもなんでもなくて、誰でもふっと感じるが、ふつうなら抑制してしまう思いがあるというのだ。だが、彼の場合には、そういう思いが頭の奥にいつも強迫的に潜んでいて、当人の同意や意志とは無関係に爆発してしまう。たとえば、天気がいい日には外に出て日光浴をしたいと思う。この思いが病院で患者を診ているときにもつきまとい、ふいに表出する。「看護婦が『ミスター・ジョーンズは腹痛を訴えています』と言うでしょう。わたしは窓の外を見ながら『日光浴、日光浴』とつぶやいているというわけですよ。午前中だけで五百回は唱えている。病棟のひとはみんな知ってます。知らないわけはない。無視しているか、どうでもいいと思っているんでしょうね」

　トゥレット症候群はときには強迫的な不安というかたちを取る。「なにかが心配になるとします」テーブルを囲んでいるとき、ベネット博士は言った。「たとえば、どこかの子供がけがをしたというニュースを聞く。すると、立ちあがって壁を叩き、『うちの子供がけがをしませんように』と唱えずにはいられなくなります」これは二日後に、じっさいに目にした。テレビで子供が行方不明になったというニュースを見たベネット博士は、心配そうにそわそわしはじめた。彼はたちまちメガネに（上、下、左、右、上、下、左、右と）触りだし、興奮して何度も位置を直した。そのあいだ、「ホウ、ホウ」とフクロウのような声を出し、それから低い声で「デヴィッド、デヴィッド、あの子は大丈夫か？」とつぶやき、そのあと、息子の安否を確かめるために部屋を飛びだしていった。不安でたまらなくなったらしい。子供のけがや行方不明の事件を聞いて、頭のなかの警戒警報が鳴り響いたのだ。彼はその事件を自分やわが子に引きつけて考え、迷信的な恐怖にかられてどうしても息子の無事を確かめずにはいられなかったのである。

お茶のあと、ベネット博士とわたしは散歩に出て、リンゴがたわわに実る果樹園を通り、町を見下ろす丘に上っていった。よくなれた犬たちは周囲を駆けまわっていた。歩きながら、ベネット博士の生い立ちを聞いた。家族の誰かにトゥレット症候群の者がいるかどうかはわからないという。彼は養子だった。彼自身にトゥレット症候群の症状が現われたのは、七歳ぐらいのときだったという。「トロントで育ったのですが、小さいときからメガネをかけ、歯列矯正器をつけていた、そのうえ身体をくねらせるとなれば、とどめの一撃ですよ。友達もなく、孤独でした。よく、ひとりで長いこと歩きましたね。マークのように、友達と電話で長話するなどということはなかった。大変なちがいです」だが、ひとりで歩きまわったおかげで、彼は鍛えられ、独立心と自立心を養った。昔から器用だったし、自然の仕組みを愛した。岩の組成、植物の生育、動物の行動、筋肉のバランスの取れた動き、人体の成り立ち。彼は幼いころから、外科医になろうと思っていた。

解剖には「抵抗がなかった」と彼は言うが、医学部の勉強は非常にむずかしかった。年齢とともにひどくなったチックやなにかに触れまわるという性癖のためばかりでなく、奇妙なこだわりや強迫観念のせいで、読書という行為がむずかしくなったからだった。「同じ行を何度も何度も読まなければなりませんでした。それに、視野のなかで、それぞれのパラグラフの四隅が対称になっていないと気がすまなかったのです」パラグラフや、ときには行まで位置を調整せずにはいられなかったうえに、音節や単語の「バランス」を取り、心のなかで句読点を「対称」にし、ひとつの文字が何度出てくるかをチェックし、単語や節や行をくりかえし読まずにはいられないという問題まであった。これでは、たくさんの本を読むことはできない。いまでもこうした問題はつきまとい、速読して要点をつかむとか、上手な文章や語り口、詩を楽しむことができないという。だが、苦労して読まざるを得なかったおかげで、医学部の教科書はほとんど暗記してしまうほどになった。

医学部を卒業したあと、彼は遠方、とくに北方への興味を満足させることにした。北西部とユーコンで開業医として働き、北極海の砕氷船にも乗った。ひとなつこい彼は一緒に働いていたエスキモーと親しくなって、極地医療専門家になった。一九六八年に二十八歳で結婚すると、花嫁を連れて世界一周の旅に出かけ、キリマンジャロ登攀《とうはん》の夢を果たした。

これまで十七年間、彼はカナダ西部の辺鄙《へんぴ》な小さな町で医師をしてきた。最初の十二年間は小さな町で開業医として働いた。そして、五年前に山や開けていない自然、湖の近くで暮らしたいという思いがつのり、ブランフォードに移った（「ここにずっといると思います。もう引っ越さないでしょうよ」）。彼の言葉によれば、ブランフォードは「フィーリング」がぴったりだという。ひとびとは温かいがなれなれしくなく、一定の距離を保っている。自然な育ちのよさと節度がある。学校の水準は高く、コミュニティ・カレッジがあり、劇場や本屋も——本屋のひとつはヘレンが経営している——そろっているが、それでいてアウトドア志向、自然志向が強い。狩猟や釣りも盛んだが、ベネット博士はハイキングや登山、クロスカントリー・スキーのほうが好きだという。

初めてブランフォードに来たとき、ベネット博士は疑いの眼差しを感じた。「身体をよじる外科医だって！　そんな医者、だいじょうぶなのか！　つぎはどんな変人が来ることやら」最初は患者がぜんぜん来なくて、やっていけるのかどうかわからなかったが、徐々に町のひとたちの愛情と敬意を獲得した。やって来る患者もだんだん増え、はじめは驚いて不信を抱いた同業者たちも、まもなく彼を信頼して、地域の医者仲間として受け入れるようになったという。「おしゃべりはこれくらいで充分でしょう」と、家に戻る道すがら彼は言った。すでに日が落ちて、ブランフォードの町の明かりがまたたいていた。「明日、病院に来てください。七時半に会議です。その後、外来患者と担当患者の診察があります。金曜日には手術の予定です。ごらんにいれますよ」

その夜、わたしはベネット家の地下室でぐっすりと眠ったが、夜明けに隣の遊戯室から聞こえる奇妙な回転音で目を覚ました。遊戯室のドアにはガラスがはまっていた。寝ぼけまなこでそこからのぞいてみると、機関車のようなものが見えた。大きな車輪がもくもくと煙を吐きながらぐるぐる回転し、ときどきふうーっと音をたてているのだ。不審に思ったわたしは、ドアを開けてそっとのぞいてみた。すると、上半身裸になったベネット博士が悠然と大きなパイプをくゆらしつつ、ものすごい勢いでエアロバイクをこいでいた。前に置いた病理学の本は、見たところ、神経線維腫症のページが開いてある。これが彼の毎朝の習慣だったのだ。好きなパイプをふかしつつ、エアロバイクで三十分運動しながら、その日の仕事に関係のある病理学や外科の本を読む。パイプとリズミカルな運動が彼の神経を鎮《しず》めてくれる。チックも強迫行為もなく、せいぜい、ふうふうと言うだけだった（こういうとき、彼は平原を走る列車になったつもりでいるらしい）。こうすれば、いつもの強迫観念や混乱なしに本を読むことができる。

だが、リズミカルな回転運動がとまると、たちまちチックと強迫行為が始まった。彼はひきしまった腹をつつきながら、「脂肪《ファット》、ファット、ファット……ファット、ファット、ファット、ファット」と言い、それからいぶかしげに「ファット・アンド・クォーター・ティット（おっぱいが四分の一）」とつぶやいた（最後のティットが省略されることもあった）。

「それ、何のことですか？」わたしは聞いてみた。

「自分でもわからないんですよ。それに、『ひでえなあ』という言葉がどこかからきたのかもわからない。二年前にとつぜん始まったんです。そのうち消えてしまって、べつの言葉が現われるかもしれない。疲れたときには『うんざりだね』になるんです。そういう言葉に意味があるとは限らない。ただ、音に惹かれるだけのこともあります。奇妙な音や名前を聞くと、自然にくりかえしが始まってしまう。一つの言葉が二カ月から三カ月続きますね。それが、ある朝、目が覚めると消えていて、べつの言葉に取ってかわっているんですよ」奇妙な音や言葉に対する博士のこだわりを知っている息子たちは、いつも「おかしな」名前を探している。たいていは、英語になれた耳には奇妙に響く外国の名前だ。少年たちは新聞や本、それにラジオやテレビに気をつけていて、「おいしそうな」名前を見つけると、リストに加える。ベネット博士はそのリストを、「この家で、いちばん大切なもののひとつ」だと言った。リストの言葉は「心のためのキャンディ」なのだという。

リストづくりが始まったのは六年前、オギンガ・オディンガという韻を踏んだ名前にベネット博士が惚れこんだときで、いまでは二百以上の言葉が集められている。このうち、「現在使用中」のものは二十二で、なにかのひょうしに反芻《はんすう》しては、心のなかで味わっている。その二十二の言葉のなかでいちばん古いのは、ヘレンの母校であるサスカチェワン大学で労使関係論を講じているスラヴェク・J・フルカという教授の名前だった。この名が反響言語化したのは一九七四年で、それ以来ほぼ中断なく十七年のあいだ続いていた。だが、たいていのものは数カ月しかもたない。多いのは短い弾むような音の名前（ボリス・ブランク、フロイド・フレイク、モリス・グック、ルボア・J・ツィンク）だが、複数音節で韻を踏んだ響きのいい名前のこともある（イェルバートン・A・ティットル、ババルー・マンデル）。反響言語は音を凍りつかせて、時を停止させ、刺激を心の「異物」あるいはこだまとして心に移植し、定着させる。ベネット博士が言うように、心のなかに移植されるのは言葉の音、「メロディ」だけで、起源や本来の意味、連想などとは無関係である（チック症状として「定着した」名前も同様だ）。

「数字に対する強迫観念も同じですよ」と彼は言った。「いまは何でも三か五でなければならないんですが、数カ月前までは四と七だったんです。ところがある朝目が覚めたら、四と七は消えていて、三と五に変わっていた。どこかで一つの回路が閉じ、べつの回路が開いたという感じです。わたし自身とは何にも関係がないように思えますよ」

トゥレット症候群のひとの目や耳を惹き、真似やくりかえしにつながるのは、奇妙な、あるいは特徴的で戯画的な事柄である。このことは、一九〇二年にメージュとフェンデルが引用した手記にも、よく現われている。

わたしはいつも真似に対するこだわりを意識してきた。誰かの奇妙な動作やおかしな行動を見ると、たちまち真似したくなったし、それはいまでも同じだ。同様に、変わった単語や文章、発音、イントネーションなどもすぐに真似してしまう。

十三歳のとき、おどけて目と口をゆがめたひとを見て、完璧に真似ができるまでやめられなくなった……数カ月のあいだ、わたしはその老人のしかめ面を無意識のうちに真似しつづけていた。つまり、チックになったのだ。

午前七時二十五分、わたしたちは車で町へ向かった。病院までは五分とかからなかったが、到着はいつものようにはいかなかった。ベネット博士は、はからずも有名人になっていたからだ。数週間前に雑誌のインタビューを受け、それが掲載された号が発売されたばかりだった。だれもが笑いかけ、冗談を言ってからかった。博士は少々とまどいながらも、楽しそうに冗談に応えていた(「もう、昔には戻れないだろうな。これだけ有名になってしまってはね」)。医師たちの休憩室で、ベネット博士はいかにも気楽そうだったし、同僚も気を遣ってはいないらしかった。お互いに気楽でいることは、逆説的だが、トゥレット症候群の症状が顕著に現われていることからうかがえた。ベネット博士は指先で同僚に触れたり、軽く叩いたりし、ソファに座っているときなど、二度ほどふいに身体をひねって隣に座っていた同僚の肩を爪先で軽く蹴った。ほかのトゥレット症候群患者がこの動作をするのを、わたしは見たことがあった。ベネット博士は初対面のひとが相手だと、トゥレット症候群を意識し、なれるまでは隠したり、抑えたりする。この病院で働きはじめたとき、誰も見ていないのを確かめてから廊下を跳ねたと彼は言っていた。だが、いまでは彼が飛び跳ねていても、誰も見向きもしない。

休憩室での会話はどこの病院でも同じだ。医師たちは珍しい症例について話しあう。床になかば寝そべったベネット博士は、片足で宙を蹴りながら、珍しい神経線維腫症の患者について話した。患者は最近、彼が手術をした青年だった。同僚たちは、熱心に耳を傾けていた。博士の異常な動作と、まったく正常な話しぶりとは極端に対照的だった。その場の情景は何だか奇妙だったが、医師たちはすっかりなれていて、とくに目をひくこともないらしかった。だが、部外者が見たら、仰天しただろう。

コーヒーとマフィンのあと、わたしたちは外科の外来患者診察室へ行った。そこでは数人の患者がベネット博士を待っていた。最初の患者はバンフー国立公園のトレッキング・ガイドで、格子縞のシャツにぴったりしたジーンズ、カウボーイハットというウエスタンスタイルをしていた。彼は馬が転んで落馬し、馬の下敷きになるという事故にあい、膵臓《すいぞう》に巨大な仮性嚢胞ができていた。ベネット博士は患者と話し——患者は腫《は》れが引いてきたと言った——腹部のぶよぶよしたふくらみを優しい穏やかな手つきで触診した。それからレントゲン技師と音響スペクトログラムの結果について話しあい、嚢胞が縮小しているということで意見が一致した。患者のところへ戻った博士は、「自然に小さくなりそうですよ。順調に収縮しています。手術は必要ないでしょう。また、馬にも乗れるようになる。ひと月したらまた診察しますよ」と安心させた。喜んだガイドは弾むような足取りで出ていった。わたしはあとで、レントゲン技師に話を聞いた。「ベネット博士は診察がうまいだけじゃない」と彼は言った。「博士ほど、患者にやさしい外科医には会ったことがありませんよ」

次の患者は臀部《でんぶ》に黒色腫ができたでっぷりした女性で、かなり深くえぐりとる必要があった。ベネットは手を消毒し、手術用の手袋をはめた。ここで消毒と緊張がトゥレット症候群を刺激したらしく、衝動的な動作が始まった。手袋をはめた右手を、左腕の消毒していない「汚い」部分に近づけたのだ。患者は無表情でこのようすを見ていた。博士の手の奇妙な動きや、とうとつな痙攣のような動作を彼女はどう考えたのだろう。まったく予想外ではなかったにちがいない。かかりつけの開業医がある程度は警告していたのだろう。「ちょっとした手術が必要ですね。ベネット博士をご紹介しますよ。彼はすばらしい外科医です。ただ、申しあげておきますが、彼はときどき奇妙な動作をしたり、声をあげたりします。トゥレット症候群というんですがね。でもご心配いりません、それと医師としての腕とは関係ありませんから」

準備が整ったベネット博士は、処置にとりかかった。臀部をヨードで消毒し、局部麻酔薬を注射する手の動きは非常に安定していた。だが、まもなく動きのリズムが狂った。局部麻酔薬が足りなかったので、看護婦が注射器に入れるため薬瓶を差しだしたときだった。そのとたん、彼の衝動的、突発的な動作が再発した。だが、看護婦はまばたきもしなかった。これまでの経験から、博士が決して手を汚したりはしないことを知っているのだろう。またリズムが戻った博士は、落ち着いた手で黒色腫のまわりを半径二・五センチぐらいの円形に切開し、四十秒ほどでブラジルナッツ大の脂肪と皮膚の塊を摘出した。「取れた！」と彼は叫んだ。それからじつに手早く、器用に傷を縫いあわせ、ナイロン糸の縫い目のそれぞれにきちんとした五つの結び目をつくった。首をひねって縫合を見ていた患者は、「先生は家でもお裁縫をなさるんですか」と冗談を言った。

ベネット博士は笑った。「しますよ。靴下の繕いはしませんがね。最近じゃ、誰も靴下を繕ったりはしないようですが」

患者はまた医師を見あげた。「縫い目がとてもよく揃っているわ」

手術は三分もしないうちに終わった。博士が叫んだ。「はい、終了です！　ほら、これを取りだしたんですよ」彼はそう言って、肉の塊を患者の目の前につきつけた。

「おお、いやだ！」患者は身震いした。「そんなもの、見せないでくださいよ。とにかく、ありがとうございました」

最初から最後まですべてが非常に手際よく進み、手を突きだしていまにも汚しそうな動作があったほかは、トゥレット症候群はまったく見られなかった。だが、ベネット博士が摘出した肉塊を患者につきつけたのはどういうことなのか、わたしは判断しかねた（「ほら！」）。結石を患者に見せることはある。だが、血だらけの不気味な脂肪と肉の塊を見せるだろうか。患者は見たくなかったのに、ベネット博士のほうは見せたがっていた。あれもトゥレット症候群特有のきちょうめんさと緻密《ちみつ》さの現われなのか。すべてを見せて、理解させたいというトゥレット症候群の衝動だったのだろうか。この日、以前、彼が胆嚢《たんのう》にTチューブを挿入した老婦人の診察を見ていて、わたしは再度、同じ思いを抱いた。チューブの絵を描いて解剖学的な説明をくわしくしている博士に、老女は「そういうことはどうでもいいんですよ。早く診てくださいな！」と答えたのである。

あれはトゥレット症候群のベネット博士だったのか、それとも解剖学講義を行なっているベネット教授だったのか（博士はカルガリーで毎週解剖学の講義をしている）。彼の細心さと気遣いの現われだったのか。どの患者も彼と同じような好奇心をもち、細部を知りたがっているると想像したのだろうか。もちろん、そういう患者もいるだろうが、あのふたりの患者はそうではなかった。

おおぜいの外来患者の診察はこうして進行していった。外科医としてのベネット博士は人気抜群らしかった。彼はすばらしい集中力を示して、つぎつぎに患者を診察して処置を施し、患者のほうでは診療の間は医師が自分のことだけを考えてくれていると思うことができた。だから、待たされたことも、まだほかの患者が待っていることも忘れられたし、医師の目が自分だけに向いていると感じられた。

外科医の仕事の楽しさや手応えについて、わたしは考えていた。とくにこういった外来患者の場合、医師との直接的でなごやかな関係がはっきり表われる。内科医、とくにわたしのような神経科医にくらべると、患者と密接なうえに、仕事の内容や結果が具体的で、感謝されることも多い。わたしは外科医だった母がどんなに楽しんで仕事をしていたか、そして母が外科の外来患者を診察しているとき、そばで見ているのがどんなに楽しかったかを思い出していた。わたし自身はどうしようもなく不器用だったから外科医にはならなかったが、子供のころでさえ、外科医というのは楽しそうだと思って、母の仕事を眺めていたのだ。なかば忘れていたあの思い、楽しさが、ベネット博士の診療を見ていてよみがえり、ただの傍観者でいるのがつまらなくなったわたしは、なにかをしたい、開創器をもっているだけでもいいから外科医の仕事に参加したいと思った。

ベネット博士の最後の患者は、重度の神経線維腫症にかかっている若い機械工だった。神経線維腫症というのは茶色っぽい瘤《こぶ》が身体のあちこちにできて全身が変形してしまう、癌《がん》に似た奇妙な病気だ。青年の胸にできた瘤は、エプロンのようにもちあげると顔がかくれてしまうほど大きく、瘤の重さで身体が前屈《かが》みになっていたという。二週間ほど前、その瘤をベネット博士が見事な腕を発揮して手術し——大手術だった——取り除いたということで、今度は肩から下がっている大きなエプロン状の瘤と、鼠蹊《そけい》部および腋下《えきか》にできた茶色い肉塊を診察していた。わたしは彼が抜糸しながら、「ひでえなあ！」と叫ぶチック症状を起こしはしないかとはらはらした。いくらチックだといっても、この言葉はまずいと感じたからだ。しかし、幸いなことに「ひでえなあ！」も、ほかの言葉も発せられなかった。ただ、背中の瘤を診察しているとき、「ひで……」とつぶやきかけたが、語尾は口のなかでうまく消えた。あとで知ったのだが、これは意識的な抑制ではないようだった。博士はチックについてまるで記憶していなかったのだ。だが、意識はしなくとも、無意識のうちに配慮が働いていたのではないかという気がする。「いい青年ですよ」と、外へ出ながら、博士が言った。「萎縮していない。積極的で、気だてがいい。この病気になると、たいていは引きこもってしまうものですが」彼のこの言葉は、彼自身をもさしているのかもしれない、とわたしは感じた。トゥレット症候群の患者のなかには、悩んで萎縮し、世の中に背を向けて引きこもってしまう者も多い。だが、ベネット博士はちがった。彼は症状をものともせずに闘い、人生や世間、そしてもっともむずかしいと思われる職業と果敢に取り組んできた。彼の患者はそのことを感じるのだろう。それが彼への大きな信頼の一因なのではないか。

神経線維腫症の青年で外来患者は終わりだったが、多忙なベネット博士はちょっと休憩しただけで、午後はまたおおぜいの入院患者を診察するということだった。わたしは午後は失礼して、町を見物することにしたのだが、ブランフォードの町を歩きながら、どこか見たことがあるような、しかし初めてでもあるような、既視感《デジャヴュ》と未視感《ジャメヴュ》が混ざりあった奇妙な感覚を覚えていた。この町には来たことがあるという気がするが、しかし目新しい感じもする。そのうち、ふいに思い出した。そうだ、ここには来たことがある。一九六〇年八月、ロッキー山脈をヒッチハイクしながら西へ抜けようとしたときに、この町で一晩過ごしたのだった。あのころはほこりっぽい道路、モーテル、バーがあるだけの人口数千人の集落で、西へ向かう遠距離トラックの中継地点にすぎなかった。いまは人口二万人のりっぱな町になり、にぎやかな店が立ちならぶメインストリートには車があふれているし、役場も警察署も病院も、学校もいくつかある。目の前にあるのは発展した現実の町なのだが、それでもその向こうには三十年前のブランフォード、ほこりっぽい道路やバーのある風景が妙に鮮明に見えてくる。わたしの心のなかのブランフォードは、ひとつも変わっていなかったからだ。

金曜日はベネット博士が手術をする日で、その日は乳房切除手術の予定があった。わたしは、ぜひ手術中の博士を見たかった。外来患者の診療も診療だが、ひとは数分なら神経を集中していることができる。しかし数秒や数分ではなく、数時間にわたって強い集中力を要求されるむずかしい手術を、彼はどうやってこなすのだろうか。

手術の準備をするベネット博士は見物《みもの》だった。「そばで見ているといいですよ」若い助手が教えてくれた。「なかなか得がたい経験ですからね」たしかに、外来で見た光景がここでは増幅されていた。絶えまなく両手を突き出したり伸ばしたり、消毒していない汚れた肩や助手、鏡に触りそうなそぶりをするかと思うと、ふいに飛びあがる。あるいは足で同僚に触れたり、フクロウのように大声で「フーティ－フウー！　フーティ－フウー！」と鳴く。

手の消毒が終わると、ベネット博士と助手は手袋をはめて手術着に着替え、手術室に入った。患者はすでに麻酔をかけられて横たわっている。ふたりは少しのあいだ、X線写真を検討した。それから、博士が揺るぎない大胆な手つきでメスを入れた。チックも気分の乱れもまったく見られず、すぐにリズミカルな手術が始まった。二十分が経過し、五十分、七十分、百分が経過した。手術には血管を縛り、神経を探すというような込みいった手順が含まれるが、動きは的確、円滑で流れるようにすすみ、トゥレット症候群は影も形もなかった。二時間半にわたる複雑でむずかしい手術がようやく終わると、ベネット博士は傷を縫合し、スタッフをねぎらい、あくびをし、のびをした。手術の最初から最後まで、トゥレット症候群の症状はまったく現われなかった。トゥレット症候群は抑制されたのでも、閉じこめられたのでもなかった。がまんしたり、抑えたりしているようすは、博士には全然みられなかった。

ただ、チックの衝動がまったく起こらなかっただけなのだ。「ふつう手術中は、自分がトゥレットだなんて意識すらしないんです」とベネット博士は言う。そのときの彼は完全に仕事中の外科医で、心理や神経構造のすべてがその方向に向かい、行動的で集中力のある、トゥレット症候群とは無関係の人間になる。何分か手術が中断されたときだけ、たとえば、手術中に撮影したX線写真の出来あがりを待っているようなときだけ、彼はトゥレットであることを思い出し、その瞬間にトゥレット症候群になる。手術の流れが再開されれば、トゥレット症候群も、トゥレット症候群であるベネット博士もたちまち消滅する。助手たちは何年も博士と仕事をしていてよく知っているのだが、それでもこれを目にするたびに感心するという。「トゥレット症候群が消え失せるさまは、まるで奇跡ですよ」とひとりは言った。ベネット博士自身もそれには驚いていると言い、手術用の手袋をはがすように脱ぎながら、神経生理学的に見てどう思うかとわたしにたずねた。

ものごとはいつもそう簡単なわけではない、とのちにベネット博士は語った。手術中に外部から刺激があったとき、たとえば「救急患者が三人います」とか「ミセスXが、十日に来院していいかどうかうかがいたいそうです」「帰りにドッグフード三袋を買ってきていただきたいと奥さまからの伝言です」などと言われたりすると、そのプレッシャーが集中力を損ない、円滑でリズミカルな流れが中断されてしまうのだ。二年ほど前、手術に専念するため、手術中は邪魔をしてはならないというルールをつくった。それ以来、手術室ではチックは出ていないという。

ベネット博士の手術は、リズム、メロディ、「流れ」、それに行動や役割、別人格を演じること、アイデンティティといったトゥレット症候群にともなうあらゆる問題を浮き彫りにしている。トゥレット症候群のひとは、リズミカルな音楽を聞いたり動いたりすることで、飛び跳ねたり、チックを起こしたりする存在から、統制が取れた全体的な存在へとすみやかに移行する。このような例は、『妻を帽子とまちがえた男』のなかの「機知あふれるチック症のレイ」でも記したが、レイはチックなしにリズミカルなストロークでプールのはしからはしまで泳ぐことができるのに、ターンして力動的なリズムが崩れたとたん、激しいチック症状を起こした。トゥレット症候群のひとたちの多くは運動に惹かれるが、（たぶん）ひとつには運動の際に要求される並外れたスピードと正確性のためであり、またひとつには彼らの瞬発力と過剰なほどの動的衝動とエネルギーがはけ口を求めるからだろう。演技《パフォーマンス》や試合のなかでは、彼らの衝動とエネルギーは爆発的に発散されるのではなく、調整の取れたリズミカルな流れとして表現される。

芝居や音楽に対する反応も、これによく似ている。トゥレット症候群にみられる発作的な、あるいはぎくしゃくした動きや発声のパターンは、詠唱や歌唱になるとたちまち消えて正常になる（これは吃音《きつおん》者にもいえることは昔から知られている）。パーキンソン病患者のぎくしゃくした動き（運動性吃音と呼ばれることもある）も同じで、音楽や動作をともなうことで、リズミカルでなめらかな流れに変わる。

こうした反応はおもに、個人《ペルソナ》の性格やアイデンティティといった高次の部分ではなく、運動パターンに由来しているようだ。手術中のベネット博士の変貌は、基本的には「音楽的」なレベルのものだと思われる。このレベルでは、ベネット博士の手術は自動《オートマティック》的だった。それぞれの瞬間になすべきことはたくさんあるが、すべてが統合され編成されて、断絶のないひとつの流れになっていた。運転中と同じくある意味では自動制御の状態で、看護婦とおしゃべりしたり、冗談を言ったり、からかったりしながら、手と目と脳はほとんど無意識に誤りなく動いていく。

同時に、もう一つ上のレベルには、外科医としてのアイデンティティや役割と関連した高度に人格的な存在がある。ベネット博士はつねに解剖学と外科を愛してきた。これは彼という存在の中心にあり、仕事に没頭しているときに、もっとも深い意味で自分自身になるのだ。彼の性格や行動はときには神経質だったり、自信なげだったりするが、手術着を身につけたとたんに変化し、仕事を知りつくした者の静かな確信がみなぎり、アイデンティティが確立される。この全体的な変化のなかでトゥレット症候群も消滅する。わたしはトゥレット症候群の俳優に同じ変化を見たことがある。その性格俳優は舞台以外では激しいトゥレット症候群を示すのだが、演技中は完全に役になりきり、トゥレット症候群は消えてしまう。

ここでは、単なるリズムやいわゆる自動的な運動パターンの共振というよりももっと高度なレベルのなにかが働いている。このときには（今後、心理的あるいは神経的レベルで明らかにされるべきものだが）、変身あるいは別人格化が起こり、そのパフォーマンスが続くかぎり、他者の技能や感情、神経レベルでの記憶痕跡《エングラム》が脳を占拠して、人格も神経システム全体も組み替えてしまう。このようなある役割、ある人格から他の人格へのアイデンティティの変化、人格の組み替えは、毎日の暮らしのなかで誰にでも起こり、親から職業人へ、政治家へ、エロティックな人間へ、その他のさまざまな役割へと変身している。だが、神経的、心理的な症候群のあるひとの場合、それにプロの演技者や俳優の場合、この変化がとくに劇的なのである。

こうした変化、複雑な神経レベルでの記憶痕跡の転換は、「思い出す」と「忘れる」という言葉に端的に現われている。したがって、ベネット博士は自分がトゥレット症候群であることを忘れている（「自分がトゥレットだなんて、意識すらしないいんです」）が、邪魔が入ったとたんに思い出す。そして、思い出した瞬間に、トゥレット症候群になる。このレベルでは、記憶、知識、衝動と行為との間に区別はなく、すべてが一緒にやってくるからだ（ほかの病気でも似たようなことが見られる。わたしは一度、パーキンソン病の患者が、筋肉の固縮、「凍結」を解くためにアポモルフィネを注射するのを見たことがあるのだが、二分後、彼はとつぜんに溶解し、にっこりして言った。「パーキンソン病患者がどんなものか、もう忘れたよ」）。

金曜日の午後は休みだった。金曜日になると開放的な感覚を味わいながらどこまでも道をたどって長いハイキングに出たり、サイクリングやドライブしたりするのをベネット博士は楽しみにしているという。彼が好きな牧場には美しい湖と滑走路があって、舗装されていないでこぼこ道を通らないと行けない。この牧場はすばらしい場所にあった。細長い肥沃な土地が湖と山脈にはさまれていて、わたしたちはあれこれとおしゃべりをしながら何キロも歩いた。ベネット博士は道々、植物採集をし、地質学的な観察をした。それから湖に立ち寄り、わたしは泳いだ。わたしが水から上がると、ベネット博士はまるくなって眠りに落ちていた。眠っている彼の顔はじつに安らかでのびやかだった。このとうとつな居眠りとその深さに、わたしは彼が毎日どんな困難に取りくんでいるかを思い、ときには耐えられるぎりぎりのストレスを感じているのではないかと考えた。穏和な外見の下にはなにが隠れているのだろう。内心で彼はどれほど大きな力と闘い、コントロールしているのだろうか。

そのあとまた牧場を散策していたとき、あなたが見ているのはトゥレット症候群の外側にすぎないとベネット博士は言った。それに、外からわかる奇妙な行動は彼にとって最悪の問題でもない、と。ほんとうの問題、内面の問題とは、パニックと怒りだった。パニックや怒りは抑えられないほど激しく、身構える暇もないほど突然に湧きおこってくる。ときには駐車違反切符を渡されたり、パトカーが近づいてくるのを見ただけで、暴力シーンが脳裏をかすめる。カーチェイス、銃撃、めちゃくちゃな破壊、流血沙汰、そして死というシナリオがほんの一瞬のあいだに、彼の脳裏にものすごいスピードで展開される。彼のなかには、他人事のように無関心にこうしたシーンを眺めている自分がいるが、べつの自分は衝動に突き動かされて行動したくなる。人前ではなんとか爆発を抑えているが、こうした抑制の緊張と疲労は非常に大きい。そこで、自宅に帰って一人になると発散せずにはいられない。家族ではなく、周囲のものにあたる。怒りくるって壁を殴りつけ、キッチンにあるものを手あたりしだい冷蔵庫にぶつけてでこぼこにしてしまうというわけだ。オフィスでは壁を蹴って穴をあけてしまったので、植木鉢を前に置いてごまかしたという。自宅の書斎のヒマラヤスギの壁には、一面にナイフの傷跡があった。「なまやさしいことじゃないんです」と、彼は言った。「気まぐれだとかこっけいだとか、あるいはロマンティックな見方をするのも自由です。しかしトゥレット症候群は神経系と無意識の底からやってくる。わたしたちのもっとも原始的で強烈な感情に根ざしているんです。トゥレット症候群は大脳皮質下に起こった癲癇《てんかん》のようなものです。発作が起こったとき、それをコントロールしきれるかどうかはほんの紙一重、自分とそれ、自分と怒りの嵐、自分と皮質下の盲目的な力を分けているのは薄い大脳皮質の層にすぎないんですよ。トゥレット症候群に魅力的な面、こっけいな面、創造的な面を見ることはできますが、同時に暗黒の面もある。それと一生闘っていかなければならないんです」

牧場からの帰りのドライブでは、刺激的で恐ろしい経験をした。わたしになれたベネット博士は、トゥレット症候群を抑えなくてもいいと思ったのだろう。一度に何秒も（仰天したわたしにはそう思えた）ハンドルから手を離し、フロントガラスを（「フーティ－フウー！」だの「やあ、こんちは！」「ひでえなあ！」などとくりかえしながら）叩いたり、メガネをいじって百ぺんも「中心にくる」ようになおしたり、道路から目をそらしてバックミラーをのぞきながら、人差し指で口髭を何度も何度も整えたりした。また膝とハンドルの位置の調整も度を超していた。「バランス」を取るために、しじゅうぐいぐいと動かすので、車は危なっかしくジグザグに走りつづけた。わたしの不安に気づくと、博士は「心配いりませんよ」と言った。「この道路はよく知っています。ほかの車が近づいていないことはわかっている。車で事故を起こしたことはありません」

ベネット博士は見たい、見られたいという衝動が非常に強く、自宅に戻るなり、マークをつかまえて自分の前に立たせ、勢いよく髭をなでつけながら、「ほら、わたしをごらん！わたしをごらん！」と叫んだ。つかまったマークはじっとしていたが、目はきょろきょろと動いていた。するとベネット博士は息子の頭を押さえつけて、「ほら、ほら、わたしを見るんだ！」と命令した。マークは催眠術にかかったようにおとなしく、身動きもしなくなった。

この場面に、わたしは不安を感じた。家族とのほかの場面は心あたたまるものだった。ベネット博士は「フー、フー」とつぶやきながら、ヘレンの髪をぴんと伸ばした指先で対称的に叩いたりする。ヘレンは従順になされるがままになっていた。そんな場面は非常識ではあるが、感動的でもあった。「わたしはありのままの彼を愛しているんです」とヘレンは言った。「変わってほしいとは思いませんわ」ベネット博士も同じだという。「奇妙な病気ですが……わたしはこれを病気だとは思わず、自分の一部だと感じています。いま『病気』と言いましたが、あんまりぴったりした言葉だとは思いませんね」

　ベネット博士もそうだが、トゥレット症候群のひとは、トゥレット症候群と自分とを切り離して考えるのはむずかしいと言うことが多い。チックやさまざまな衝動を、自分の意志、自分自身、性格の一部と感じているからだろう。これと対照的に、パーキンソン病や舞踏病は、自我や自分の意志の一部とは思えないから、つねに自己の外側にある病気だと感じられる。衝動やチックはその中間にあり、あるときは個人的な意志、あるときは他者からの強制と感じる。こうした矛盾した感情は、彼らが使う言葉にも現われる。トゥレット症候群のひとは、ふざけて「それ」と「わたし」を分けたりする。あるひとは、それを「トビー」と呼んでいたし、べつのひとは、「ミスター・T」と呼んでいた。対照的に、トゥレット症候群に自我を奪われたという感じは、ユタ州のある青年の手紙にあった「トゥレット化された魂」という言葉に生々しく表現されている。

　ベネット博士はトゥレット症候群を神経化学的あるいは神経生理学的に考えていた。というか、考えたいと思っていた。トゥレット症候群は「回路の接続と遮断」の化学的異常で、「原始的な、通常は抑制されている行動が解放される」というのが、彼の考え方だった。だが、同時に、トゥレット症候群が自分の一部になっているとも感じていた。だからこそ（とくに）ハロペリドールといった薬を使うのはがまんならなかった。薬はたしかにトゥレット症候群を和らげるが、そうなると自分自身ではなくなるように感じたのである。「ハロペリドールの副作用はひどい」と彼は言った。「気持ちがざわざわして落ち着かなくなり、じっと座っていることもできない。身体がねじれたり、パーキンソン病のように硬直したりする。

薬をやめたときには、ほんとうにほっとしました。プロザックはありがたいですよ、強迫観念や怒りの発作がなくなる。ただチックには効きません」プロザックがよく効くというトゥレット症候群の患者はおおぜいいるが、まったく効果がないひともいるし、逆に興奮や強迫観念、怒りが強くなるというひとも多少はいる。

ベネット博士のチックは七歳ぐらいから始まったが、本人がトゥレット症候群のことを知ったのは三十七歳になってからだった。「結婚したころは、『神経的な癖』だと言っていました」とヘレンが語ってくれた。「わたしたち、よく冗談を言ってました。『わたしは禁煙するから、あなたは身体をよじるのをやめてよ』なんてね。その気になれば、やめられるものだと思っていたのです。『どうして、そんなことをするの』と聞くと、彼は『どうしてか、自分でもわからない』と答えていました。あまり自覚していないようでしたね。ところが一九七七年、マークがまだ赤ちゃんだったころ、カールはラジオの『不思議な癖』という番組を聞いていたんですが、興奮して大声をあげました。『ヘレン、聞いてごらん！　ぼくと同じ癖の話をしているよ！』ほかにも同じようなひとがいると知って興奮したんです。わたしはほっとしました。だって、なにか変だとずっと感じていましたでしょう、はっきりした名前がわかってよかったわ。彼はそれについてどうこうするってことはありませんでしたし、話題にもしませんでしたが、正体がわかっていれば、聞かれたらちゃんと答えられますもの。彼が同じ病気のひとと会ったり、トゥレット症候群協会の会合に出たりするようになったのは、この数年ですね」トゥレット症候群はごく最近まで、医者の世界でもあまり知られていなかったくらいで、きちんとした診断は驚くほど少なかった。マスコミを通じて自分で病名を知るか、友人や家族に教えられたというひとが多い。もうひとり、わたしの知っているルイジアナの外科医も、トゥレット症候群を取りあげたフィル・ドナヒューの番組を見た患者に、自分の病名を教えられている。いまでも、十人のうち九人までは、医師ではなくテレビや新聞などで知識を得たひとに病名を知らされているのである。マスコミが取りあげるようになったかげには、トゥレット症候群協会の努力がある。協会の会員は一九七〇年代はじめにはわずか三十人だったが、いまでは二万人以上に増えている。

土曜日の朝、わたしはニューヨークに帰ることになった。「お天気さえよければ、カルガリーまで飛行機で送ってあげますよ」前の晩に、とつぜんベネット博士が言った。「トゥレット症候群のパイロットの飛行機に乗ったことがありますか」

一緒にカヌーに乗ったことならあります、とわたしは答えた。車で大陸を横断したこともある、しかし飛行機は……。

「おもしろいですよ、きっと。こんな体験はめったにできるものじゃない。ぼくは、世界でただひとりのトゥレット症候群の空飛ぶ外科医なんです」

夜明けに目覚めると、寒さは厳しかったがよく晴れていた。わたしは複雑な気分だった。わたしたちはブランフォードの小さな飛行場まで車で行った。身体をねじったり、ぴくぴくひきつらせたりしながらの運転に、わたしは空の旅がますます不安になった。「なあに、空のほうがずっと楽ですよ。道路から外れる心配もないし、いつも操縦桿を握っている必要もありませんからね」ベネット博士はそう言った。空港に着くと、彼は格納庫を開いて、得意そうに自家用機を見せた。赤と白に塗られた単発の小型機セスナ・カーディナルだった。彼は機を滑走路まで引きだしてチェックし、もう一度チェックし、さらにもう一度チェックしてから、ようやくエンジンをかけた。飛行場の気温は零度近くで、北風が吹いていた。わたしは念入りなチェックのくりかえしを半分じりじりと、しかし半分は安心感を覚えつつ見守った。トゥレット症候群のおかげで、すべてを三回か五回チェックしなければ気が済まないのなら、それだけ安全度も増すというものだ。手術中の彼にも、わたしは同じ安心感を覚えていた。トゥレット症候群のせいで、彼は直観力や自由意志を損なわずに慎重で正確になれるのだろう。

チェックがすみ、空中ブランコ乗りのように軽やかに飛行機に乗ったベネット博士は、わたしが乗りこんでいるあいだに回転数をあげ、離陸した。ちょうど東のロッキー山脈から太陽が顔を出し、小さな機内に薄い金色の朝日があふれた。機は二千七百メートルの尾根に向かった。ベネット博士のチックはそわそわしたり、手を伸ばしたり、叩いたり、メガネや口髭、操縦席の天井に触ったりと盛大に発揮された。まあこの程度なら、チックとしてはリトル・リーグなみだとわたしは思った。だが、もっと大きなチックになったらどうなるだろう？　空中で飛行機をきりもみさせたいとか、激しく上下させたい、トンボ返りや輪くぐりをさせたいという衝動にかられたら？　あるいは身体を乗りだして、プロペラに触りたいと思ったら？　トゥレット症候群のひとは、回転する物体に魅了される傾向がある。窓の外に身を乗りだして、目の前で回転しているプロペラに飛びつこうとする彼の姿が目に浮かんだ。だが、チックや衝動的な動作は軽いままで、彼が両手を放しても機は静かに飛びつづけていた。ありがたいことに、外れてはならない道路はなかった。十数メートル降下しようが上昇しようが、たいしたことはない。空は広いのだ。

ベネット博士はたしかに腕もよかったが、天性の飛行士らしく、子供のように飛行を楽しんでいた。トゥレット症候群も多少は関係しているのだろう。ふつうは抑制されている、あるいは失われている遊びの衝動の解放だ。広々とした開放感と自由が見るからに嬉しそうで、地上ではあまり見られない少年のように屈託のない表情をしていた。機は上昇して、ロッキー山脈の前哨である最初の尾根を越えた。黄ばんだカラマツ林が目の下を流れていく。わたしたちは尾根から三百メートルあまりの余裕をもって、山に沿って飛んでいた。ベネット博士ひとりなら、山肌から三メートル程度の高さで尾根すれすれに飛びたくなるのではないか、とわたしは思った。トゥレット症候群のひとは、間一髪のスリルに魅せられることがある。だが、わたしたちは高度三千メートルで尾根のあいだを飛んでいた。左手の山は朝日に輝き、右手の山は太陽を背にシルエットになっている。高度三千五百メートルまで上ると、ロッキーの全景が見渡せた。このあたりではロッキーはわずか幅九十メートルほどで、東のほうに金色の広大なアルバータ平原が姿を見せている。ベネットの右手がわたしの目の前をひらひらし、指が軽く窓ガラスを叩いている。「そら、堆積岩だ！」彼は窓の外を指さした。「七十度から八十度の角度で海底から盛りあがったんですよ」急角度の岩山を見つめる彼の視線は、まるで友人を眺めるようだった。この地方で見慣れた山々を眺めていると彼は故郷に帰ったような気がするらしい。日向には雪はなかったが、日陰の斜面は白く、北西のバンフのそばには氷河が見えている。ベネットは操縦桿に向かって膝が対称になるよう、しきりに身体を動かしつづけていた。

四十分ほどでアルバータ州上空にさしかかり、くねりながら流れるハイウッド川が見えてきた。北へ機首を向けた飛行機はカルガリーに向かって、ポプラにおおわれたロッキーの最後の斜面をゆるやかに降りていった。高度が下がると、小麦やアルファルファの広大な畑、農地、牧場、肥沃な草原が目に入ってくるが、なおいたるところに金色のポプラが目立つ。市松模様の草原の向こうに、カルガリーの高層建築がにょきにょきと立っていた。

ふいに無線が入りはじめた。ロシアの大型機が近づいている、メンテナンスのために閉鎖されていた主滑走路を急ぎ再開するように。ザンビア空軍の大型機も接近中。世界じゅうの飛行機がとくべつの作業やメンテナンスのためにカルガリーにやってくる。ベネット博士によれば、ここの設備は北米でも最高にランクされているという。こうした重々しいやりとりに割って入って、ベネット博士が機の位置と数値を通報すると（長さ四・五メートルのカーディナル、トゥレット症候群患者と神経医学専門家搭乗）、まるでボーイング七四七機なみの扱いで、すぐに懇切な答えがかえってきた。この世界では、どの飛行機もどの操縦士も平等なのだ。ここは特殊なクラブのような別世界で、ここだけの言葉、合図、神話、マナーがある。ベネット博士は明らかにこの世界の一員で、管制官も知っているらしく、滑走路に下りていくと陽気なあいさつが聞こえてきた。

　彼はチック独特のびっくりするほどどうとつで敏捷な動きで飛行機から下り、わたしはもっとゆっくりした「ふつうの」動きでそのあとに続いた。博士はすぐに滑走路にいた大男の青年ふたりと話しはじめた。ふたりは、ケヴィンとチャックという兄弟で、四代も前からロッキー山脈を飛んでいるという。彼らはベネット博士をよく知っていた。「彼は仲間ですよ」とチャックがわたしに言った。「よく、飛んできます。トゥレット症候群？　それがどうしたというんです。彼はいいやつです。それに、とても優秀なパイロットだ」

　ベネット博士は仲間のパイロットとおしゃべりをし、ブランフォードへの帰りの飛行計画を届け出た。十一時に看護婦のグループを相手に講演することになっているので、すぐに引き返すという。講演のテーマは外科ではなくトゥレット症候群だった。小型機は帰路の燃料を積みこみ、準備が完了した。わたしたちは抱きあって、さよならを言った。ニューヨーク行きの飛行機のほうへ歩きだしてから、わたしは振り返った。彼は自分の機に乗りこんだ。機は主滑走路を滑っていき、追い風に乗ってたちまち離陸した。そのまましばらく見送っていると、やがて機は小さくなり消えていった。

「見えて」いても「見えない」

一九九一年十月はじめ、中西部の引退した牧師と名のるひとから電話がかかってきた。彼の娘が五十歳のヴァージルという人物と婚約したが、ヴァージルは幼いころから目が見えないという。重度の白内障のほか、色素性網膜炎にもかかっているらしい。色素性網膜炎はゆっくりとだが、確実に網膜を侵す遺伝性の病気だ。娘さんのエミーも糖尿病のため定期的に眼科のチェックを受けなければならない身なのだが、最近、婚約者をかかりつけの眼科医スコット・ハムリン医師のもとへ連れていったところ、新たな希望が生まれたという。ヴァージルの既往症をていねいに聞いたハムリン博士は、はたして色素性網膜炎かどうか疑わしいと考えた。いまの段階では重い白内障で水晶体が濁っていて、網膜が見えないので、はっきりしたことはわからない。しかし、いまでも明暗を識別できるし、光が来る方向もわかり、目の前で手を動かすと影を感じるというので、完全に網膜が侵されているわけではないらしい。白内障の手術は比較的簡単で局所麻酔ですみ、外科的な危険性も低い。失うものはなにもないのだし、もしうまくいけば得られるものは大きい。エミーとヴァージルはまもなく結婚する予定だ。もし彼が視力を取り戻したらすばらしいではないか。生涯をほとんど盲目で過ごしてきた彼が初めて見るのが花嫁であり、結婚式であり、牧師であり、教会だということになったら！　ハムリン博士は手術に同意し、右目の白内障の手術は二週間前に行なわれた、とエミーの父親であるもと牧師は言った。手術は奇跡的な成功をおさめた。手術の翌日、包帯が取れた日からつけはじめたエミーの日記の冒頭には、つぎのように記されているという。「ヴァージルは見える！……みんな涙にくれた。ヴァージルは四十年ぶりに視力を取り戻した……ヴァージルの家族は興奮し、泣いて、信じられないと言った！　視力回復という奇跡、夢のようだ！」だが、翌日の日記からは、問題が生じたことがうかがえる。「見えることに慣れようという努力、盲目から晴眼者への変化はきびしい。自分の見ているものが信じられず、大急ぎで考えなければならない……見ることを初めて覚えた赤ん坊と同じで、すべてが新しく、わくわくどきどきする。見るということがなにを意味するのか確信がもてない」

神経学者は科学者とちがってあまり整然とした暮らしをしてはいないが、おかげで思いがけない新しい経験をすることがある。その経験が自然の複雑さをのぞき見る窓になる。ふつうの暮らしでは予想もできない自然の複雑さだ。十七世紀、ウィリアム・ハーヴェイはつぎのように書いた。「踏みならされた道から離れた場での自然の営みの跡ほど、自然の不思議な秘密を明らかにしてくれるものはない」幼いころから盲目だった人物が成人後、視力を回復したという先の電話も、たしかにそんな例のひとつとなりそうだった。眼科医のアルベルト・ヴァルヴォは『長期間の盲目のあとの視力回復』のなかで「過去十世紀を通じて、こうした事例は二十を超えないと思われる」と記している。

そんな患者が見る世界はどのようなものだろうか。視力が戻った瞬間から「正常」に見えるのか。ひとはまずそう考えるだろう。常識的に考えれば、目が開く、ふさいでいた鱗が落ちる、そして、新約聖書にあるように、盲人は視力を「得る」だろうと思う。

だが、ほんとうにそれほど簡単だろうか。見ることに経験はいらないのか。見ることを学ぶ必要はないのか。この問題を取りあげた調査研究をあまり知らないのだが、一九六三年に《クオータリー・ジャーナル・オブ・サイコロジー》に掲載された、ジーン・G・ウォレスと心理学者のリチャード・グレゴリーの優れた症例研究は熱心に読んだ覚えがあるし、仮定であれ現実のものであれ、そうした症例が何百年ものあいだ、哲学者や心理学者の関心を集めてきたことも知っている。十七世紀の哲学者ウィリアム・モリヌーは妻が盲人だったが、友人のジョン・ロックにこんな疑問を投げかけた。「生まれながらの盲人が、手で立方体と球体を識別することを学んだとする。そのひとが視力を取り戻したとき、触らずに……どちらが球体でどちらが立方体かを見分けることができるだろうか」ロックは一六九〇年の『人間悟性論』でこの問題を取りあげ、答えはノーだと述べた。一七〇九年、ジョージ・バークレーは視覚と触覚の関係をくわしく考えた『視覚の新理論』のなかで、触覚の世界と視覚の世界には必ずしも関連がないという結論を出している。両者の関係は経験の上にのみ成り立ち得るというのだ。

それから二十年たらずのち、この問題が実地に検証された。一七二八年、イギリスの外科医ウィリアム・チェズルダンが、生まれながらに盲目だった十三歳の少年の白内障を手術した。若くて知能も高かったにもかかわらず、少年にはごく単純な視覚的認識すらきわめてむずかしかった。彼には距離という認識がなかった。広がりとか大きさという感覚もなかった。さらに、絵を見ると非常にとまどった。現実を二次元で表現するということが理解できなかったのだ。バークレーが予想したとおり、少年は視覚的経験を触覚的認識と結びつけることで、徐々に目に見える世界を把握していった。チェズルダンの手術から二百五十年、ほかの患者の大半もこの少年と同じだった。ほとんどがロックが考えたような当惑と混乱を経験したのである。

しかし、わたしが聞いたところでは、ヴァージルは包帯が外されると医師と婚約者を見て微笑みかけたという。たしかに彼の目はなにかを見たのだ。だが、なにを見たのだろう。盲目だった人物が「見る」というのはどういうことだろうか。彼の目はどんな世界に向かって開かれたのだろう。

ヴァージルは第二次世界大戦勃発後まもなく、ケンタッキーの小さな農場で生まれた。赤ん坊のときは正常に思われたが、母親の記憶では幼児期から視力は弱かったらしく、ものにぶつかったりしていて、そんなときは見えていないようだったという。三歳のとき三つの病気にかかって重態になった。髄膜炎あるいは髄膜脳炎（脳と髄膜の炎症）、脊髄性小児麻痺、それにネコひっかき病である。ひきつけを起こした彼は盲目になり、足が麻痺したうえに、部分的な呼吸障害まで併発し、十日後、昏睡状態に陥った。昏睡状態は二週間続いた。母親によれば、やがて回復したとき彼は「別人」のようになっていた。妙にものぐさで、ものごとに頓着せず、受動的で、以前の元気いっぱいのやんちゃ坊主ではなかったという。

　翌年、足の麻痺はよくなり、胸部も発育したが、完全にもとどおりにはならなかった。さらに、視力もそうとう回復したが、網膜がかなり損なわれていた。これが病気によるものか、部分的には先天性のものだったのかは明らかでない。

　ヴァージルが六歳になるころ、両眼で白内障が進行しはじめ、ふたたび盲目になってしまった。同じ年、彼は盲学校に入学し、ここで点字と杖を使うことを覚えた。だが、彼は目立つ生徒ではなかった。盲人のなかには冒険的で自立心に富むひとびとがいるが、彼はそうではなかった。学生時代の彼は驚くほど受け身でおとなしかった。じつのところ、病気以来ずっとそんなふうだった。

　ともかくヴァージルは学校を卒業し、二十歳のときに自分の人生を切り開こうとケンタッキーを離れて、オクラホマのある町に移った。彼はマッサージ療法士の訓練を受け、ＹＭＣＡに職を見つけた。仕事はよくできたらしく、評価も高かった。ＹＭＣＡでは彼を常勤に迎え入れ、道路の向かいに小さな住まいを提供してくれたので、そこにやはりＹＭＣＡで働いている友人と住んだ。ヴァージルにはおおぜいの客がつき、仕事に心から喜びと誇りを感じていたようだ。触覚で知った客たちのことをくわしく語る彼の言葉は、なかなか印象的だった。ヴァージルは地味ではあるが彼なりの人生を築いていた。安定した仕事があって、職業人として認められ、働いて暮らし、友達もいて、点字の新聞や本を読んだ（のちには、テープを聞くほうが多くなったが）。彼はスポーツ、とくに野球ファンで、ラジオの試合中継を聞くのが好きだった。野球の試合や選手、スコア、統計数値については、百科事典なみの知識をもっていた。二度ほどガールフレンドができ、公共輸送機関を利用して町の反対側まで会いに行ったりした。実家、とくに母親とのつながりは密で、故郷の農場から食べ物を入れた籠が届くと、洗濯物を入れて送り返すというやりとりが定期的にあった。制約の多い生活ではあったが、それなりに安定していた。

一九九一年、彼はエミーに会った、というか、再会した。ふたりは二十年以上も前に知りあっていたからだ。エミーの育ちはヴァージルとはまったくちがっていた。教養ある中産階級の出で、ニューハンプシャーで大学に通い、植物学の学位を取った。彼女は別のYMCAで水泳コーチとして働いていて、一九六八年のキャット・ショーでヴァージルと会った。ふたりはしばらくデイトを重ねた。エミーは二十代前半、ヴァージルは二つ三つ上だった。だがエミーがアーカンソーの大学院へ進学することになり、そこで最初の夫となる男性と出会ったため、ヴァージルとの音信は途絶えた。彼女はしばらくランの栽培をしていたが、喘息がひどくなったために、事業を続けられなくなった。数年後、最初の夫と離婚した彼女はオクラホマに戻った。そして一九八八年、とつぜんにヴァージルから電話があった。三年間、電話でのつきあいが続いたあと、一九九一年、ついにふたりは再会した。「会ったとたんに、二十年が消えたようでした」とエミーは言う。

再会したころ、ふたりはともに生きる仲間を求めていた。どうやらエミーのほうが積極的だったらしい。彼女はヴァージルが植物のような無気力な暮らしをしていると感じた。YMCAに出勤し、マッサージをして、帰宅する。家では、ラジオで野球を聞くぐらいで、外出してひとに会う機会は年とともにますます減っていた。視力が回復すれば、それに結婚という変化があれば、彼は無精な独身生活から抜け出すだろうし、ふたりにとって新しい人生が開けるとエミーは考えたのだろう。

ヴァージルはここでも、ほかと同じく受け身だった。これまで半ダースほどの専門医のところへ連れていかれたが、どこでも網膜の機能が損なわれているだろうから、手術しても無駄だと言われた。ヴァージルはもうあきらめているらしかった。だが、エミーはちがった。すでに盲目なのだから、失うものはない、たとえわずかとはいえ、視力が回復して、四十五年ぶりに見えるようになる可能性があるなら試してみない法はない。エミーはそう言って手術を勧めたが、母親は障害を恐れて強く反対した（「いまのままでいいじゃありませんか」と母親は言った）。ヴァージル自身は、どっちとも決めかねていた。まわりが決めてくれれば、それでいいのだ。

ついに九月なかば、手術の日が来た。右目の水晶体が摘出されて、眼内レンズが挿入された。手術後二十四時間は包帯をしたままでいる。翌日、包帯が外され、ヴァージルは初めてじかに世界を見ることになった。とうとう、真実が明らかになる瞬間がやってきたのだ。

だが、そうだったのだろうか。真実は、（のちに知ったところでは）エミーの日記にある「奇跡」というようなものではなく、非常に奇妙なものだったらしい。劇的な瞬間は手応えがないまま、じりじりと過ぎていった。ヴァージルの口から叫び声（「見える！」）は発せられず、彼はとまどったように焦点のあわない目で、まだ包帯を手にして目の前に立っている医師をぽかんと見ていた。医師が「どんなぐあいですか？」と口をきいたとき初めて、ヴァージルは合点がいったという表情になった。

あとになって、ヴァージルはこの最初の瞬間のことを、なにを見ているのかよくわからなかったと語った。光があり、動きがあり、色があったが、すべてがごっちゃになっていて、意味をなさず、ぼうっとしていた。そのぼんやりした塊のひとつが動いて、声がした。「どんなぐあいですか？」そこで初めて、この光と影の混沌とした塊が顔だと気づいた。それは執刀した外科医の顔だった。

彼の経験は、グレゴリーの患者で、子供時代に事故で視力を失い、五十代になって角膜移植手術を受けたS・Bのそれと瓜二つだ。

包帯が外された……彼は前方、少し寄ったところから声がするのを聞いた。声が聞こえるほうを向くと、「ぼうっとした塊」が見えた。これは顔らしいと彼は気づいた……だが、前に声を聞いていなかったら、そして声は顔から発せられると知らなかったら、それが顔だとはわからなかったのではないか。

生まれながらに見える者には、こんなとまどいは想像もできないだろう。はじめから五感が補いあって働き、見えるものと概念と意味とが一体になった世界がかたちづくられているからだ。毎朝、目覚めて見るのは、生まれて以来、学びつづけてきた世界だ。その世界は与えられるのではない。間断のない経験と区分けと記憶と関連づけを通じて、自分でつくりあげてきた世界だ。だが、四十五年間盲人だったヴァージルが目を開いたとき、彼には子供時代に見た視覚的世界のかすかな記憶しかなく、それもとうに忘れられていた。彼には知覚を支える視覚的記憶がなかった。彼が理解できる経験と意味の世界はそこにはなかったのである。見てはいても、対象はばらばらで何の関連性もなかった。彼の網膜と視神経は活動し、信号を送っていたが、脳のほうはそれを意味づけることができなかった。神経学的にいえば、彼は失認症だった。

ヴァージル自身もほかのひとたちも、もっと単純な結果を想像していた。目が開く、光が入って網膜にとどく、そして見える。単純なことだと思ってしまう。それに眼科医も外科医も、ふつう扱うのは人生も後半になって視力を失った白内障患者で、手術さえ成功すれば、すぐに正常な視覚的世界がよみがえる。見る能力を失ったわけではないからだ。そこで、手術や術後の合併症については事前の相談がなされたが、ヴァージルがどんな神経的、心理的困難に遭遇するかについては、ほとんど話しあいも準備も行なわれなかった。

白内障の手術を受けたヴァージルは、色と動きは見えたし、大きな物体やかたちも見ることができた（識別することはできなかったが）。また、驚いたことにスネレン視力表の三行目の文字まで読めた。視力でいえば〇・二か、これより少しいいぐらいだ。だが、最高視力が〇・二五であっても、安定した視野はよみがえらなかった。中心視野力が劣っていて、しかも対象に焦点を結ぶことがほとんど不可能だったのだ。そこで、すぐにものを見失い、あてもなく動きを探しては捕らえ、また見失うということがくりかえされた。このことから考えて、黄斑《おうはん》あるいはその中央の中心窩《ちゅうしんか》という、もっとも視覚が鋭くて正確な焦点を結ぶ部分がほとんど機能せず、周辺部だけで見ているのではないかと思われた。網膜の状態は虫食いというかまだらになっていて、色素の多い部分と少ない部分がある。比較的侵されていない部分と、萎縮している部分とが混じりあっているのだ。黄斑は劣化して色が薄く、網膜全体の血管が細かった。

こうした検査結果から見て、以前の病気による傷あるいは残留物があるが、現在進行している病気はないようだった。このため、ヴァージルの視覚は現在の状態で安定するのではないかと思われた。さらに、悪いほうの目を先に手術したので、数週間後に手術する左目の網膜のほうが右目よりずっといいのではないかという期待もあった。

わたしはすぐにはオクラホマに行けなかった。電話を受けたとき、できればただちに飛行機に飛び乗りたいぐらいだったのだが、何週間かはエミーとヴァージルの母親、それにもちろんヴァージル自身からようすを聞くだけでがまんした。その間、どんな種類の検査をすべきかを、ハムリン博士とイギリスの心理学者リチャード・グレゴリーにくわしく相談した。わたし自身、そうした症例の経験がなかったし、(グレゴリー以外は)経験した人物も知らなかったからだ。こうして、いろいろな資料を用意した。物体、絵、漫画、だまし絵、ビデオ、それに同僚で生理学者のラルフ・シーゲルがつくった知覚テストなどだ。そのうえで、友人の眼科医ロバート・ワッサーマン(以前、色盲の画家の症例で協力してもらったことがある)に電話し、ヴァージルに会いに行く計画をたてはじめた。ただ検査するだけでなく、彼がどのように暮らしているか、家の内外や自然な社会的環境のなかで観察することが重要だろうと、わたしたちは考えた。それに、彼をひとりの人間として考え、これまでの人生と個性や要求や期待を理解しようとすることが大切だろう。さらに、手術を熱心に勧め、いまでは彼の人生と切っても切りはなせなくなった婚約者に会う必要もある。彼の目と認識力だけを調べるのではなく、暮らしぶりを見なくてはならない。

新婚のヴァージルとエミーが空港まで迎えにきてくれた。中背だが太りすぎの感のあるヴァージルは動作が遅く、ちょっとした運動にもすぐせきこむ。健康状態がいいとはいえないようだ。視線がしじゅうさまよって、動くものを探している。エミーがワッサーマンとわたしを紹介したときも、彼はまっすぐわたしたちを見てはいなかった。だいたいの方向はあっているのだが、焦点があっていない。そのとき、ふと、わたしたちの顔が見えていないにちがいないと感じたが、彼はにっこりとわたしたちに微笑みかけ、熱心に耳を傾けたり、笑ったりした。

わたしは、「彼は話し手の顔を見ず、その顔には何の表情も浮かばなかった」というS・Bについてのグレゴリーの言葉を思い出した。ヴァージルのふるまいは晴眼者のそれではないが、かといって盲人らしくもなかった。むしろ見ることはできるが、それがなにか理解できない精神的な視覚障害者、あるいは失認症に近い。彼を見ていると、（妻を帽子とまちがえた）失認症のP博士が心に浮かんできた。P博士は、ふつうにこちらを見て顔全体を「認識する」のではなく、視線がとうとつに鼻に向かいつぎに右の耳、それから顎へ下がって、右目へ上がるというように、部分だけを見つめるひとだった。

エミーがヴァージルの腕を取って支え、わたしたちは一緒に混雑した空港を出て、ふたりの車がおいてある駐車場へ向かった。ヴァージルは車が好きで、手術後の楽しみのひとつは、（S・Bと同じように）自宅の窓から車を眺めては、その動き、色やかたち、とくに色を楽しむことだった。「どんな車が見えますか？」駐車場を歩きながら、わたしは聞いた。彼ははしから指さした。「あの青い車、それにあれは赤——ああ、あれは大きいぞ！」とくにかたちに興味をもった車も何台かあり、一度など、「ほら、あれはすごい！」と叫んだ。それから「よく見てみないと！」と言って屈《かが》み、（流線型のV字型12気筒のジャガーだったが）手でなでて、低い車体を確かめていた。だが、彼が識別しているのはどんな色か、どんなかたちをした車かということだけだった。エミーが一緒にいなければ、自分たちの車のそばさえも通りすぎてしまっただろう。また、ワッサーマンとわたしは、ヴァージルが見る、つまり視覚的世界に関心を向けるのは、誰かに言われたり指さされたりするときだけで、自分からは見ようとしていないのに気づいて驚いた。視力がかなり回復したといっても、自然に目を使って見られるようになったわけではないのだ。彼には、盲人の習慣やふるまいが根強く残っていた。

ふたりの家は、空港から町の中心街を通り抜けただいぶ先にあったので、道々、わたしたちはふたりと話をし、回復した視力に対するヴァージルの反応を観察することができた。彼は動きを見ているのが楽しいらしく、移り変わる車窓の景色やよその車の動きを眺めていた。後ろからとばしてくる車にも気づいたし、乗用車とバス（とくに明るい黄色のスクールバスが好きだった）、大型トラックを見分け、一度は路肩をのろのろと騒々しく走っているトラクターも見つけた。また、大きなネオンや広告をめざとく見つけては、通りすぎるときに、文字を拾い読みしておもしろがっていた。単語全体を読みとるのはむずかしいらしかったが、ひとつふたつの文字やネオンの感じからの想像がだいたいあたっていた。それ以外の広告は、見ても読めなかった。町に入ったあと、交通信号の色が変わるのも識別できた。

ふたりは手術後に彼が見たもの、それに予想しなかった当惑について話してくれた。月も見たが、想像していたより大きかったという。またあるとき、「ふくらんだ飛行機」が空で「動かないでじっとして」いるのを見つけて首をかしげた。飛行船だった。また、小鳥を眺めることもあったが、小鳥がそばによってくると、ヴァージルは驚いてとびすさった（もちろん、小鳥がそんなに近づいてくるはずはないのだけれど、とエミーが説明した。ヴァージルには距離感がないのだ)。

ふたりはよく買い物をした。結婚の準備があったし、エミーには知りあいの店員や店主に視力を取り戻したヴァージルをじかに見せたい気持ちがあった。外出は楽しかった。地元のテレビがヴァージルの手術を紹介したので、気づいたひとたちが近寄ってきて握手を求めたりした。だがそれだけではなく、スーパーマーケットにもふつうの店にも、きれいな包装のさまざまな品物があふれていて、ヴァージルのよみがえった視力にはいい「練習」になった。包帯を取った翌日、まず彼が識別したもののひとつは、ならべてあったトイレットペーパーのロールだったという。彼は見えるという証拠にそれをひとつとりあげて、エミーに渡した。手術の三日後、ふたりでスーパーに出かけたとき、ヴァージルの目に飛びこんできたのはずらっと並んだ陳列棚、果物、缶詰、買い物客、通路、ショッピングカートなどで、あまりのものの多さに彼は怯《おび》えてしまった。「すべてが一緒になって押し寄せてきた」と彼は言った。それで、店を出て、目を閉じて休まなければいられなかったという。

彼はごちゃごちゃしていない景色のほうが好きだと言った。とくにあまりにものがあふれてにぎやかな店の光景のあとに、緑の丘や草原を眺めるとほっとした。ただし、エミーが言うように、彼には見える丘と自分の足で歩く丘がうまく結びつかなかった。大きさとか遠近感がわからなかったからだ。とはいえ、視力が回復して最初の一カ月は、非常に明るかった。「毎日がすばらしい冒険。毎日、初めて見るものが増えていく」とエミーは日記に書いている。

家に着くと、ヴァージルは杖なしで歩いて玄関までいき、キーを出してから、ドアのノブをつかみ、鍵をまわして、ドアを開けた。感動的な光景だった。ひとりでするのは今日が初めてだと彼は言い、手術の日からずっと練習してきたのだと説明した。まさに得意の絶頂だった。だが、ほんとうは場所や距離の判断が危ういままで、触りもせず、杖もなしで歩くのは「怖い」し「とまどう」とも言った。ときには、遠くにあるものの表面や物体がぐっと近づいてきたり、のしかかったりするように感じるという。また、自分の影に驚いて（物体が光をさえぎって影ができるということが、彼には理解できていなかった）立ち止まったり、よけたり、飛びこえようとすることもあった。とくに階段が危なっかしかった。並列する平らな面、交差する線など、彼をとまどわせるものばかりが見えるからだ。頭ではわかっていても、それが三次元の場で上ったり下りたりする堅い物体であるとは思えなかった。手術から五週間後、盲目だったころには自信をもって動けたのに、それができなくなって、前よりも障害者のように感じることがあると彼は言った。だが、いずれは時間が解決してくれるだろうと期待しているのだった。

だが、ほんとうにそうなってくれるだろうか。文献を見ると、どの患者も手術後何カ月か、あるいは何年かたっても、空間と距離の認識に非常な困難を感じたと記されている。ヴァルヴォの患者で、知能が非常に高かったH・Sの場合もそうだった。彼は、化学爆発事故にあった十五歳までは正常に見ることができていた。事故後、完全な盲目になった彼は、二十二年後に角膜移植を受けた。ところが手術後、彼はさまざまな困難にぶつかった。そのことをくわしく記録した録音テープがある。

（手術後の）最初の数週間は、深度と距離の感覚がまったく摑めなかった。街灯は窓ガラスにはりついた光るしみに見えたし、病院の廊下は真っ暗な穴に見えた。道を渡るときは、だれかが一緒にいても通る車が恐ろしかった。歩いているときはとても不安だ。その不安は、手術前よりもずっと大きい。

わたしたちは、家の裏側にあるキッチンで、松材の厚板でできた大きな白いテーブルのまわりに集まった。ワッサーマンとわたしが、テーブルに色彩表、文字の表、絵、だまし絵など検査のための道具を並べ、ビデオカメラをセットした。そこへヴァージルの猫と犬がなにごとかとやってきた。見ていると、ヴァージルはどちらが猫でどちらが犬か見分けかねているようだった。このちょっとこっけいな困った問題は、手術後に帰宅して以来、ずっと続いているという。たまたま、どちらも白と黒だったので、触って確かめるまではしじゅうまちがえて、ペットたちにいやがられていた。エミーが見ていると、彼はときどき、昔のように猫の頭、耳、前足、しっぽにそっと触りながら観察しているという。わたしも、翌日その光景に出くわした。ヴァージルはしきりに猫のティブルスに触ったり眺めたりして、確かめていた。これからもずっとそうするのではないかとエミーは言った（「一度で充分だと思うでしょうけれど」）。視覚的認識は彼にとってはまったく新しいことで、しかもすぐに頭から抜け落ちてしまうのだ。

チェズルダンも、一七二〇年代にこれとそっくりの若い患者の光景を記している。

ひとつだけ、一見ささいな事柄を指摘しておこう。彼はどっちが猫でどっちが犬かをすぐに忘れてしまった。だが、聞くのは恥ずかしい。触ればわかるので、彼は猫をつかまえてしげしげと眺め、それから下ろしてやって言う。さあ、これで今度からおまえだとわかるよ……彼はものについての説明を聞くと……つぎの機会に備えて慎重に観察する。だが（当人が言うように）一日に何千というものを覚えても、また忘れてしまうのだった。

包帯が取れたとき、最初にヴァージルが見て理解したのは視力表の文字だったというので、まず文字の認識からテストすることにした。視力はまだ〇・二五だったので、新聞の文字はおぼつかなかったが、八ミリ以上の大きさがあれば読むことができた。ふつうの字は（少なくとも大文字は）だいたい読めたし、これは包帯を外したときからずっと同じだという。ひとの顔や猫、それにかたち一般、空間と距離の認識はむずかしいのに、なぜ文字が比較的簡単に読めるのか。ヴァージル自身に聞いてみたところ、学校で盲人用の文字ブロックや切りぬき文字に触ってアルファベットを覚えたのだと答えた。この答えにはっとしたわたしは、またグレゴリーの患者S・Bを思い出した。「驚いたことに、彼は壁の大きな時計を見て時刻を知ることができた。このため、手術前にほんとうに盲目だったのだろうかと疑ったくらいだ」S・Bは盲目だったころに、大きな懐中時計のガラスを外してもち歩き、針に触って時刻を読みとっていたのだった。そこで、グレゴリーの言葉を借りれば、すぐに触覚と視覚の「クロスモダリティ（異なる感覚領域による感覚を連合する能力）」が可能になったらしい。ヴァージルも、同じ変換をしていたと思われる。

だが、ヴァージルは個々の文字はたやすく読めたものの、それをつなげることはできなかった。単語を読むことも、見ることもできなかったのだ。わたしはこれには首をかしげた。ヴァージルは点字だけでなく浮きだしたり彫りこまれた文字も学校で勉強しており、かなり自由に読むことができたと言ったからだ。じじつ、いまでも戦争の記念碑や墓石の文字を触って読める。ところが、目で見ようとすると視線が特定の文字に吸い寄せられて自由に動かない。視線がスムーズに動かなければ、読むことはできない。これもまた、H・Sの手記に出てくる。

> 最初に読もうとしたときは、大変だった。ひとつひとつの文字はわかるが、単語が理解できない。単語として見ることができるようになったのは、何週間もさんざん努力したあとだった。それにまた、ひとつひとつの単語を読んだあと、全部の文字を覚えていることができなかった。また、はじめの何週間かは、五本の指を使って数えることもできなかった。たしかに五本全部がそこにあると感じている……だが、一本からつぎの一

本へと移って数えることができないのだ。

ヴァージルに会ったその日、ほかにも問題があることが明らかになった。彼は角《かど》、端、色、動きなど部分部分をいっしょうけんめいに見るのだが、それを統合し、全体をざっと見て把握するということができなかった。いくら見たところで猫が識別できないのは、そのせいでもあった。前足、鼻、しっぽ、耳などは見るのだが、全体を見て猫と判断することができなかったのだ。

エミーの日記には、視覚的、論理的に「わかりきった」関係さえも、ひとつひとつ学ばなければならなかったと記されている。このため、手術後数日がたったとき「彼は木々が地球上のどんなものにも似ていないと言った」という。しかし手術から一カ月後の十月二十一日の日記には、「ヴァージルに、ようやく木が見えてきた。幹と葉が一緒になって木ができていることがわかったのだ」と書かれている。またべつの日の欄には、「高層建築が不思議だ、どうして崩れ落ちてこないのかわからないと言う」と記されている。

ヴァージルのような立場に置かれた患者の多く、あるいは全員が同じ困難にぶつかるのだろう。そうした（一八九一年にエドゥワルド・レールマンが記している）患者のひとりは、手術前にもわずかながら視力があり、しじゅう犬を扱っていたのに、「頭、足、耳がそれぞれどういう関係にあるのか、理解できなかった」という。ヴァルヴォは彼の患者T・Gの言葉をつぎのように記している。

手術前、空間についてまったくちがった考えをもっていて、ものは一点を占めるだけだと思っていた。また……ポーチのはしまでの間に障害物や階段があれば、それらの障害物は一定時間ののちに現われるものだと考えていたし、それになれていた。ところが手術後何カ月も、視覚的刺激と自分の歩く速度を結びつけることができなかった……距離を理解するためには、視覚と時間をてらしあわせなければならなかったのだ。これが非常にむずかしかった。歩くのが遅すぎたり速すぎたりすると、つまずいてしまう。

ヴァルヴォはこれについて、こう解説している。「ここでのほんとうの困難は、時間の流れにしたがって触覚で認識してきたひとたちが、さまざまなものの同時的な認識に不慣れであるということだ」わたしたち五感が備わった者は空間と時間の世界で暮らしているが、盲人は時間だけの世界に生きている。盲人は（触覚、聴覚、嗅覚の）印象の連続によって世界をつくりあげていて、晴眼者のように同時的な視覚認識によって状況を把握することができない。じじつ、空間を見ることができなければ、知能が高くて、比較的遅く視覚障害者になったひとでも、空間という概念は理解不能だ（これが、フォン・センデンの偉大な論文の中心的なテーマである）。このことは、ジョン・ハルがほとんど「時間のなか」だけで暮らす盲人として書いた『岩に触る』という優れた自伝のなかに、じつに生き生きと描かれている。盲人は、と彼は書く。

空間のなかにいるという感覚が希薄だ……空間は自分自身の身体にまで縮小され、身体の位置はどのようなものかを通りすぎたかではなく、どれくらいの時間動いたかで測られる……盲人には、声がしないかぎり他者は存在しない……ひとは動くもので、一時的なもので、来て去るものだ。どこからともなく現われ、どこかへ消えていく。

ヴァージルは文字や数字を認識できたし、書くこともできたが、よく似たものを（たとえばAとHを）取りちがえたり、左右逆に書いたりした。ハルも四十代に盲人になってわずか五年後には、視覚的記憶が定かでなくなり、「3」はどちらむきなのか、宙に指で書いてみなければわからなかったと記している。数字は視覚的概念ではなく、触覚的な動きの概念として保持されていたのである。ヴァージルの成績は四十五年も盲目だった人物にしては、立派なものだった。だが、世界は文字と数字からなりたっているのではない。彼は物体と絵を見分けられるだろうか。実世界では、どうなるのか。

包帯が外されたとき、最初に印象づけられたのは色だった。触覚の世界では色にあたるものがなく、彼はとくに色に喜びと興奮を感じたらしい。このことは彼の言葉からも、エミーの日記からも明らかだった（色と動きの認識は先天的なもののようだ）。ヴァージルが語るのはいつも色についてで、新しい視覚の世界で色がどれほど意外だったか、ということだった。前夜、ギリシャ風サラダとスパゲッティを食べたのだが、スパゲッティにはびっくりしたと彼は言った。「釣り糸みたいな白いひもだった。きっと茶色だと思ってたんです」光とかたち、動き、とくに色はまったく予想外だった。肉体的、感情的な影響は衝撃とさえいえるもので、爆発しそうだったという（「この感覚は暴力的だった」とヴァルヴォの患者H・Sも記している。「頭をがんと殴られたようだった。感情の暴力……それは最初に妻を見たときや、車で出かけて、巨大なローマの遺跡を見たときに襲われたのと同じ激しい感情だった」）。

ヴァージルはさまざまな色をたやすく見分け、組みあわせることができるようだった。だが、不思議なことにというか、困ったことにというか、色の名前をよくまちがえた。たとえば黄色をピンクと言ったりするが、それがバナナの色だということは知っている。はじめは、脳の特定部位の損傷によって色が認識できなかったり、色の名称がわからなくなる色覚失認症あるいは名称失認症なのかと思った。だが、これは単純に、幼いころからの長い盲人生活で色を名前と結びつけられない、あるいは関連づけてもすぐに忘れてしまうという学習の欠如（あるいは忘却）のためらしかった。この関連づけとそれを支える脳のつながりはもともと弱いうえに、彼の場合には病気のせいだけでなく、使われなかったために確立されていなかった。

ヴァージルは、色を含めた幼いころの視覚的記憶が残っていると考えていて、空港からの道々、ケンタッキーの農場で育ったころの話をしてくれた（「真ん中に小川が流れているのが見える」「塀に鳥がとまっている」「大きな古い白い家だ」）。だが、これがほんとうの記憶で、彼の心のなかに視覚的イメージとして存在するのか、（ヘレン・ケラーのように）イメージなしの言葉にすぎないのか、わたしにはわからなかった。

ものの形はどうなのだろう。この問題はさらにややこしかった。ヴァージルは手術後の数週間に、目で見た形と触れて感じとった形とを関連づけることを学んでいたからだ。色については、そんな学習は必要がなかった。だが、形のほうは、目で見ただけではなにひとつわからなかった。触ればすぐにわかる四角だの円形だのですら、わからなかったのだ。触れて感じとる四角と目で見た四角とはまったく関係がない。これが、モリヌーの疑問に対する彼の回答だった。そこで、エミーが形はめパズルを買ってきた。大きな箱に四角や長方形、円形、菱形などの穴が開いていて、それと同じ形の板をはめこむという幼児用の教育玩具である。ヴァージルは最初は穴と板の形をあわせることができなかったが、一カ月練習したいまでは、簡単にできるようになった。いまでもはめこむ前に穴と板を手で触りたがったが、触るのを禁止されても、見るだけではめられるようになっていた。

平面的な板とちがって、立体の識別はずっとむずかしい。立体の形は見ようによって変化するからで、それまでの五週間の大半は物体の探求に、つまり遠くから見た場合と近くから見た場合の予想外の変化、半分だけ見えているとき、あるいはちがった場所や角度から見たときの変化などの探求に費やされていた。

包帯が外されて帰宅した日、ヴァージルは家もその内部も識別できず、手を引かれて庭や家のなかを歩き、それぞれの部屋、それぞれの椅子を教えてもらわなければならなかった。

一週間ほどすると、エミーの助けで標準動線ができあがった。居間を通ってキッチンに、そこから当然の必要にしたがってバスルームと寝室へという決まったラインである。最初はこのラインから見える光景だけが識別できた。といっても、大変な推測と解釈を要した。たとえば表のドアを斜めに入ってくるとき、「テーブル」も「ダイニングルーム」もまだ見えていないが、「右手に見える白いもの」は、じつは隣の部屋のダイニングテーブルであるとわかるようになった。ただし、このラインから外れると、なにがなにやらまったくわからない。そこでエミーに手伝ってもらいながら、このラインを拠点としてそこから両側に向かって少しずつ足を進め、部屋を眺めては、壁や置いてあるものにさまざまな角度から触り、場所と物体と遠近の認識をつくりあげていくことになった。

自宅の各部屋を探検しつつ、視覚的世界をつくりあげていくヴァージルの話は、目の前にかざした手を動かしたり、頭をかしげたりしながら、生まれて初めて見る世界を把握しようとしている幼児を思わせた。この視覚的世界の構築作業がどれほど壮大なものか、ふつうは意識しない。毎日毎日、一瞬のうちに見てとるという作業を無意識下で数千回も難なくくりかえしているからだ。だが、赤ん坊にとってはそれほど簡単ではないし、ヴァージルにとってもそうだった。また、基本的な世界認識を日々新たにしたいと考える芸術家にとっても同じである。セザンヌは書いている。「同じものも見る角度を変えると限りなく変化し、この上なく興味深い。同じ場所で、ただ少し身体をかがめたり、左右に動かしたりするだけで、何カ月でもあきずに同じ光景を見ていられるだろう」

ひとは生まれて数ヵ月のうちに、視覚の恒常性を獲得する。視点によって異なるあらゆる様相やものの変化を関連づけることができるようになるのだ。そのためには膨大な学習が必要だが、無意識のうちに楽々と行なわれるから、これがいかに複雑なものか、あまり意識しない（しかし、どんな高性能のコンピュータもかなわないほどの作業である）。だが、組み立てた視覚的な記憶の痕跡《エングラム》を半世紀のあいだ失っていたヴァージルには、毎日、何時間もの意識的、系統的な作業が必要だった。そこで最初のひと月には、視覚と触覚を通して家のなかのあらゆる小さなものを探索した。果物、野菜、びん、缶、スプーンやフォーク、花、マントルピースの上の雑多なもの、それらを何度も何度もひっくりかえしてはいじり、引き寄せたり遠くから眺めたりして、さまざまに変化する様相をひとつの物体の存在と結びつけようとしたのである。

目で見える世界を理解しようとする努力はじつにわずらわしいものだったが、ヴァージルは果敢に取りくみ、着実に力をつけていった。台所の果物やびん、缶、リビングの花、そのほか家のなかのこまごましたものを見分けるのにほとんど困難はなくなった。

だが、見慣れないものとなると、そうはいかなかった。わたしが鞄から取りだした血圧計のバンドが何なのか、ヴァージルには見当もつかなかったらしいが、触らせるとすぐに理解した。また、動くものはとりわけやっかいだった。様相がつねに変化するからである。飼い犬ですら、ときによってまったくちがって見えるので、ほんとうに同じ犬なのだろうかと思うと彼は言った。また、ひとの表情の急激な変化となると、完全にお手あげだった。これは、幼いうちに盲目になり、後年視力を回復した患者にほぼ共通する問題である。グレゴリーの患者S・Bも、手術後完全に視力を回復して一年がたっても、ひとの顔や表情を見分けることはできなかった。

写真はどうだろうか。これについては、矛盾したことを聞いていた。ヴァージルはテレビが好きだというし、じじつ晴眼者としての新しい人生を象徴するかのように真新しい大型テレビがでんとリビングに置いてあった。だが、静止した絵、つまり雑誌の写真を見せても彼はまったく理解できなかった。人間ものも見わけられないのだ。写真がなにかを表わしているということが理解できていなかった。グレゴリーの患者S・Bも同じだった。ケンブリッジ大学の庭園にある川とキングズ・ブリッジの写真を見せたときのことを、グレゴリーはつぎのように書いている。

　彼には何なのかさっぱりわからなかった。川の写真であることも、流れも橋も彼には理解できなかった……わたしたちの見るかぎり、S・Bには、カラー写真のなかで、どれが前方にありどれが後方にあるものかもまったくわからなかった……どうも彼にはさまざまな色の集まりとしか見えなかったらしい。

チェズルダンの若い患者も同じだった。

わたしたちは、たぶん彼はじきに写真の何たるかを理解するだろうと考えていた……だが、そうはいかないことに気づいた。白内障の手術後二ヵ月たってようやく、彼は写真がなにかの物体を表わしていることがわかったが、それまではまだらに色がついている平面、あるいはいろいろな塗料で塗りわけられた面としか考えていなかった。しかも、そのときでさえ、写真の手触りが本物とちがうことに驚き……どちらがほんとうの感覚なのか、触覚か視覚かと尋ねたのである。

テレビの動く画面も、少しもわかりやすくはなかった。ヴァージルは野球中継をラジオで聞くのが大好きだったが、そのとき野球の試合をテレビで放映していた。最初は、ヴァージルが画面で試合経過を追っているのかと思った。だれの打順か、試合がどうなっているかをくわしく説明できたからだ。ところが音を消したとたん、彼は途方にくれてしまった。彼には光や色、動きが見えているだけで、(テレビを見ているようでも)実際には聞いた音からすばやく、しかも無意識のうちに解釈し理解していたのだ。それでは、本物の試合を見に行ったらどうだろう。実物を観戦すれば、理解して大いに楽しめるという可能性は大きそうだ。彼をとまどわせるのは、現実を二次元で表現する写真やテレビだったからだ。

検査が始まってそろそろ二時間になり、ヴァージルは疲れはじめていた。手術後ずっとそうなのだが、視力も認識力も低下しやすく、そうなるとますます見えにくく、わかりにくくなった。

朝からの検査で、わたしたちもそろそろ一息入れたくなっていた。そこで、ドライブに出かけることにしたが、最後にもうひとつ、なにか描いてくれないかとヴァージルに頼んだ。まず、金槌《かなづち》を描いてみてはどうだろう（S・Bが最初に描いたのが金槌だった）。ヴァージルはうなずいて、少し震える手で握った鉛筆にもういっぽうの手を添えながら、描きだした（「こうするのは疲れたときだけです」とエミーは言った）。それから、彼は車（天井が高い旧式の車）、飛行機（尾翼がなかったから、さぞ飛びにくかっただろう）、それに家（平板で稚拙な、三歳児のような絵）を描いた。

ようやく外に出ると、十月の光がまばゆく、一瞬目がくらんだヴァージルはダークグリーンのサングラスをかけた。ふつうの日でも光がまぶしすぎると彼は言った。薄暗いくらいのほうがよく見えるのだ。どこへ行きたいかと尋ねると、少し考えてから「動物園」と答えた。動物園には行ったことがないし、動物がどんなふうに見えるか知りたいという。農場で過ごした子供のころから、彼は動物が好きだった。

動物園に着いてまず印象深かったのは、動きに対するヴァージルの鋭敏さだった。彼はひょっこりひょっこり動く動物に驚き、笑った。そんなものを見るのは初めてだった。「あれは何だろう？」彼は尋ねた。

「エミューだよ」

エミューとはなにか、彼にはよくわからないようだったので、どんなものだと思うかと聞いてみた。彼は頭をひねっていたが、エミーと同じぐらいの大きさだが（ちょうどエミーとエミューは並んで立っているように見えた）、動きがぜんぜんちがうとだけ言った。エミューの身体に触ってみたいという。そうすれば、もっとよく見えるだろうと。だが、残念ながら、動物に触れることは禁止されていた。

つぎに、彼の目は近くで跳ねているものに移り、すぐにカンガルーだと気づいた、というか推測した。彼はいっしょうけんめいにカンガルーの動きを目で追っているようだったが、触ってみないと口では説明できないと言った。これを聞いたわたしたちは、彼にはなにが見えているのか、「見る」とは彼にとってなにを意味しているのかと首をかしげた。

どうやらヴァージルは動きか特徴のひとつをとらえて、動物を見分けているようだった。カンガルーなら飛び跳ねているから、キリンは背が高いから、シマウマは縞があるからわかるのであって、全体をつかむことはできないらしい。それに、背景からくっきりと浮きでている必要がある。長い鼻にもかかわらずゾウを見分けられなかったのは、かなり遠くにいたうえに、背景が灰色だったためだった。

最後に大型の類人猿を見に行った。ヴァージルはゴリラを見たがった。ゴリラが木のかげに半分隠れているうちは見分けられなかったが、開けたところにようやく出てきたとき、彼は、動きはまったくちがうが大柄な人間のようだと言った。幸い、実物大のゴリラの像があったので、動物に触ってみたがっていたヴァージルにそれなら触れると教えた。両手ですばやく、ていねいに触ってみたヴァージルは、目で見ているときにはなかったほど得心のいった顔になった。このときわたしはしみじみと、盲人としてのヴァージルがどれほど能力のある自立した人間で、両手で触れて経験する世界を自然にたやすく把握していたかに気づいたが、それはほかのひとたちも同じだったろう。それなのに、わたしたちは彼の性分に反することを強いていた。彼にとっては容易なことを禁じ、信じられないほどにむずかしくよそよそしい方法で世界を把握せよと要求したのだ。

ゴリラの像に触っていたヴァージルの顔が輝いた。「人間とはぜんぜんちがうね」と彼はつぶやいた。手で像を確かめたあと、目を開いた彼は、囲いのなかに立っている本物のゴリラを見た。それから、それまではできなかったサルの説明を始めた。両手を下ろし拳を地面につけていて、ちょっとがに股で、犬歯が目立ち、後頭部が大きいと、いちいち指さしながら彼は語った。グレゴリーも患者のS・Bに関するおもしろいエピソードを紹介している。S・Bは以前から道具や機械に興味をもっていた。グレゴリーは彼をロンドンの科学博物館に連れていった。

もっとも興味深かったのは、とくべつのガラスケースに入っているネジ作成用のモーズレー旋盤を見たときの反応だった……彼をガラスケースの前に連れていって、なにが見えるかときいてみた。だが、彼にはそれが何なのかわからないらしく、いちばん手前のはハンドルだと思うが、とだけ言った……それから、館員に（前もって依頼しておいたとおり）ケースを開けてくれと頼み、S・Bに旋盤を触らせてみた。結果は驚くべきものだった……彼は目を閉じて熱心に旋盤を触っていたが、やがて身体を起こし、目を開いて言った。「さあ、触ったから、もう見えるよ」

ヴァージルとゴリラの場合も同じだった。触ることでものが見えるようになるというこのめざましい事実によって、それまで謎だったことが解明された。手術以来、ヴァージルは玩具の兵隊、自動車、動物、有名な建物のミニチュアなどを買い集めて小人国をつくり、何時間もいじってすごしていたが、彼をかりたてていたのは、ただの稚気《ちき》や遊びではなかった。ミニチュアに触り、同時に見ることで、彼は大事な関連づけを学んでいたのだ。まず玩具の世界で学習することが、本物の世界を見るための準備だった。懐中時計に手で触れて時刻を知っていたS・Bが、壁の大きな時計を見てすぐに時刻を知ったように、縮尺のちがいは問題ではなかったのだ。

昼食時になったので、わたしたちは地元の魚料理のレストランに入った。わたしはときどき、ヴァージルを盗み見ていた。彼は食べはじめたときは晴眼者と同じで、サラダのトマトをフォークで突き刺していた。そのうちに、だんだん狙いが悪くなった。フォークは的をはずれ、心もとなげに宙をさまよいだした。ついに、目で「見分ける」ことができなくなった彼はあきらめて、以前のように両手を使って盲人の方法で食べはじめた。このことはエミーから聞いていたし、彼女の日記にも記されていた。たとえば、髭を剃っているときにも似たような退行が起こったという。最初は鏡に向かって、視覚をたよりに緊張して髭を剃る。そのうちに、だんだん剃刀の動きが遅くなり、鏡のなかの自分を自信なげにのぞきこんだり、手で触って確かめたりしはじめる。そしてついには、鏡から顔をそむけたり、目を閉じたり、明かりを消したりして、感触だけで髭剃りを終えるというのだ。

見る努力を続け、目を使ったあと、目が疲れてヴァージルの視力が低下するというのは、少しも不思議ではない。誰でも目に負担をかけすぎればそうなる。たとえばわたし自身も、三時間も続けて脳波を見ていると、波形の変化を見落としがちになり、壁や天井などなにを見ても、波形の線がちらちらするようになる。そうなったら仕事をやめてほかのことをすべきで、もっといいのは一時間ほど目を休めることだ。それにこの段階では、ヴァージルの視覚は正常なひとにくらべて非常に不安定だったはずだ。

だが、もっと理解しがたい、悪い徴候ではないかと思われる不安な点もあった。理由もなくふいに視力と認識力が「ぼけ」、それが何時間も、あるいは何日も続いた。こうした視力と認識力の揺れについてヴァージルやエミーの話を聞いたボブ・ワッサーマンは首をひねった。二十五年以上も眼科医をしてきて、白内障の手術も数多く手がけてきた彼だが、そんな症状には出会ったことがないという。

昼食後、みんなでオフィスにハムリン博士を訪ねた。ハムリン博士は手術直後の網膜の詳細な写真を撮っており、ボブ・ワッサーマンが現在の目の状況を（直接に、また検眼鏡をつかって）調べたあと、写真と比較したが、術後の合併症はなにも見られないと言った（蛍光眼底血管撮影法によるとくべつの検査で、ごく小さな斑状浮腫《はんじょうふしゅ》が発見されたが、視力や認知力の急激な変動の原因となるようなものではなかった）。眼科的な原因が見つからなかったので、ボブ・ワッサーマンは、何らかの身体的条件によるものか（ヴァージルに会ったわたしたちは、彼のぐあいがあまりよくなさそうなのに気づいていた）、あるいは視覚か認知力への過大な負荷に対する脳の視覚システムの神経的反応のせいではないかと考えた。ふつうの視力をもった者なら、目で見てかたちや境界や物体、光景を見分けるのに大した努力はいらない。生まれたときからそのようにして視覚的世界をつくりあげてきたのだし、そのための効率的で厖大な認知装置も発達している（ふつう、大脳皮質の二分の一が視覚情報の処理に使われている）。ところが、ヴァージルの場合は、この認知力が未開発で原始的なため、大脳の視覚／認知領域の負担がすぐに過重《かじゅう》になった。

どんな動物の脳のシステムも、過剰な刺激や、ある閾値《いきち》を越えた刺激を受けるととつぜんに機能を停止する。こうした反応は個体差や動機づけとは関係がない。純粋に器質的、生理学的なもので、大脳皮質のどの部分にも起こりうる。神経の過重負担に対する生物学的防衛反応なのだ。

しかしながら、知覚／認知プロセスは生理学的であると同時に、個人的なものでもある。このプロセスはひとが知覚してつくりあげる外界ではなく、自らがそのなかにいる自分自身の世界であって、意志や性向、スタイルなどによって自分が認識する自己につながっている。したがって認知システムの崩壊とともにそれまでの自己も崩壊し、性向が変化し、自己のアイデンティティそのものが変わってしまう。こうなると、ひとはただ盲目になるばかりでなく、視覚的存在としてふるまうことすらやめてしまい、自分自身の視覚や視覚の欠如についてまったく意識しなくなって、内面の変化が外に表われない。自分が盲人であることすら否認する精神的な完全な盲目（アントン症候群と呼ばれる）は、発作などによって脳の視覚野に大きな障害が生じた場合に起こるのだが、これがときおりヴァージルにも起こっているらしかった。そんなとき、彼は「見ている」らしきことを口にしても、実際の行動は見えているひとのようではなく、ふるまいは完全に盲人だった。ヴァージルの場合、視覚的認識とアイデンティティの基礎がまだ脆弱なので、負担が過重になったり、疲れたりすると、生理的な盲目状態ばかりでなく、アントン症候群のような精神的盲目にもなるのだろうか。

さらに精神的なストレスや葛藤が強くなると、これとはべつの種類の視覚機能が停止するらしい。この時期、ヴァージルのストレスはかつてなかったほど大きかった。手術を受け、結婚したばかりで、独り者の盲人としての穏やかな人生行路は打ち砕かれ、とてつもない期待というプレッシャーにさらされている。それに見ること自体が当惑と激しい疲労のもとだった。プレッシャーは結婚式の日が近づくにつれてますます高まり、家族が町にやってきたときに頂点に達したようだ。家族はもともと手術に反対していたが、このときにも彼を盲人として扱った。このことはエミーの日記にくわしく書かれている。

十月九日　結婚式の飾りつけのために教会へ。ヴァージルの目はだいぶぼやけている。

ものがよく見えない。視力が急激に悪化したよう。また「盲人」としてふるまいだした……どこへ行くにも、わたしに手を引かせる。

十月十一日　今日、ヴァージルの家族が来る。彼の視力は休暇を取ったらしい……また盲人に逆戻りしたようだ！　家族が到着。彼の目が見えることを信じない。なにかが見えると彼が言うたびに、「推測しているだけでしょう」と答える。完全に盲人扱い。手を引いて連れてまわり、なにかが欲しいと言うと渡してやり……わたしはひどく神経質になり、ヴァージルの視力は消滅した……正しいことをしたのだという確信がほしい。

十月十二日　結婚式。ヴァージルはとてももの静か……少しよく見えるようになったが、まだぼやけている……わたしが教会の通路を歩いてくる姿は見えたが、ひどくぼやけていたという……美しい結婚式。母のところでパーティ。ヴァージルは家族に囲まれていた。家族はまだ彼の視力回復を信じていないし、彼もあまりよく見えない。今夜、彼の家族を送りだした。そのすぐあとから、彼の視力はよくなりはじめた。

こうしたエピソードを読むと、家族に盲人として扱われたヴァージルは、晴眼者としてのアイデンティティを否定されるか、みくびられ、当人もそれに従って盲人として行動するか、ほんとうに盲目になっていたようだ。これは彼の自我にとっては大きな萎縮というか後退で、壊滅的なアイデンティティの否定につながったにちがいない。そうした自我の後退が無意識のうちに、「機能的」基盤の抑圧をもたらしたと見るべきだろう。したがって、「盲人としてのふるまい」「盲人として行動すること」にはふたつのかたちがあると思われる。ひとつは、器質的基盤のうえに成立する視覚的プロセスと視覚的アイデンティティの崩壊（「下から積みあげられる《ボトム・アップ》」、あるいは神経学的用語で言えば神経心理学的な障害）で、もうひとつは機能的な基盤のうえに成立する視覚的アイデンティティの崩壊（「上から下りてくる《トップ・ダウン》」、あるいは精神神経的な障害）だが、どちらにしても、彼にとって痛切な現実であることに変わりはない。彼の視力の器質的脆弱さ、視覚システムとこの時点での視覚的アイデンティティの不安定さを考えれば、じっさいになにが起こっているのか、「生理学的な」問題か「精神的な」問題かをつきとめることはきわめてむずかしい。彼の視力は限界に近かったから、神経的な過重負担とアイデンティティの葛藤のいずれも、彼を境界の外に押しだしてしまう可能性があった。

　モーリス・フォン・センデンは古典的な著書『空間と視力』（一九三二年）のなかで、三百年あまりにわたって明らかにされた症例をすべて見直し、新たに視力を回復した成人はすべて、遅かれ早かれ「動機づけの危機《モティベーション・クライシス》」に直面するという結論に達した。しかも、すべての患者がこの危機を克服できるとはかぎらないという。彼は、ある患者が見えることに恐怖を感じたあまり（見えるようになることは盲人用の施設を離れ、そこにいる婚約者とも別れることを意味した）両目をくりぬこうとしたと述べている。また彼は、「盲人のようにふるま」ったり、「見ることを拒否」した患者の例を次々にあげ、そのほかにも見えるようになったらどうなるかを恐れて、手術を拒否した患者たちがいたと記している（そうした症例のひとつはすでに一七七一年に、「見ることを拒否した盲人」として発表されている)。グレゴリーとヴァルヴォも、盲人に新しい知覚を強要することが彼らの心をどれほど動揺させるかをくわしく記し、最初の有頂天のあと、深刻な(ときには致命的な)鬱状態がやってくると述べている。

まさにそれと同じことが、グレゴリーの患者S・Bに起こった。病院にいるあいだ、S・Bは非常に興奮していたし、認知力も進歩していた。だが、期待どおりにはいかなかった。手術の六カ月後、グレゴリーはつぎのように書いている。

どうやら、彼は視力にひどく失望したようだ。見えるようになって、できることは多少増えた……だが、視力の回復によって与えられるチャンスは彼が想像したほどのものではなかった……彼はいまでも、かなりの部分は盲人として暮らし、夜になっても明かりをつけないことすらある……隣人たちともうまくいかなくなった。隣人たちは彼を「おかしい」と考え、職場の同僚は(以前は、彼に感心していたのに)いたずらをしたり、字が読めないとからかったりしはじめた。

S・Bの鬱はだんだんひどくなり、体調を崩し、手術の二年後に世を去った。以前はどこも悪いところがなく、健康で生活を楽しんでいた彼は、亡くなったときまだ五十四歳だった。ヴァルヴォは六つの例をあげて、幼いころに視力を失った者が視力という「贈り物」を前に、ひとつの世界、ひとつのアイデンティティを否定し、べつのものに乗り換えることを強いられたときの感情や行動をくわしく検討している。

ヴァージルの主な葛藤は、視力を回復したすべてのひとたちと同様に、触覚と視覚との関連が不安定だということだった。触るべきか、見るべきかがわからないのだ。この問題はヴァージルが手術した日から起こり、わたしたちが会ったときもとくに目立っていた。彼は形はめパズルの板から手が放せず、どの動物にも触りたがり、食べ物をフォークで突き刺すのをあきらめてしまった。彼の語彙《ごい》、知覚、世界観は触覚が基本というか、少なくとも非視覚的なものだった。手術までは、徹頭徹尾、触るひとだったのだ。

先天的な聾者で、とくにごく幼い頃から手話を使っている場合には、脳の聴覚野の一部は視覚野として機能するようになる。また、点字を使っている盲人の場合も、点字を読む指に対応する大脳皮質の領域がとくべつに拡大していることが確かめられている。また、盲人の場合、触覚（それに聴覚）野が拡大して、ふつうなら視覚野になる部分にまで入りこんでいるのではないかと考えられている。残っている視覚野も、視覚的な刺激がないためにあまり発達しない。また幼いときに五感のひとつを失うと、大脳の発達に変化が起こってほかの感覚が強化され、失われた感覚を補うようになるらしい。

ヴァージルにもこうしたことが起こっていたとすると、視覚機能がとつぜんに回復し、これを使わなければならなくなったらどうなるか。たしかに、ある程度は視覚の学習が行なわれるだろうし、脳の視覚野に新しい回路がつながるだろう。成人後の視覚野の活動がどう始まるかをつきとめた研究はまだなく、ヴァージルが見ることを学んでいく過程で、とくべつの陽電子放射断層撮影法（PET）で彼の視覚野を調べればそれがわかるのではないかと思われた。だが、その学習、視覚野の活動はどんなものだろう。赤ん坊が最初に見ることを覚えるときのようなものか（エミーは最初、そう考えていた）。だが、新しく視力を獲得した者は、神経学的に言って赤ん坊と同じスタートラインには立っていない。赤ん坊の大脳皮質の各部は等価で、どんな知覚にも適応できる準備が整っている。だがヴァージルのように幼いときに視力を失った者は、空間ではなく時間によって知覚を組み立てるように適応している。

　嬰児はただ学べばいい。これは終わりのない厖大な作業だが、解決不能の葛藤をもたらしはしない。対照的に、新しく視力を獲得した成人は、時間的な知覚法から視覚的、空間的な方法へと急激な転換を行なわなければならず、そうした転換はそれまでの人生経験とまっこうから対立する。グレゴリーもこのことを強調し、「生涯の知覚的習慣と戦略」を変化させようとすれば、どれほどの葛藤と危機が不可避となるかを指摘している。こうした葛藤は神経系自体の性質によるもので、幼いときに盲目となって、脳をそれに適応させ特化させてきた者が、今度は脳に逆の作業をさせなければならなくなる。しかも、成人の脳にはもう子供の脳のような可塑性はない。だから、年齢《とし》を取れば取るほど、新しい言葉や技能を覚えることがむずかしくなる。だが、視力を回復した盲人の場合、見ることを学ぶというのは、新しくべつの言葉を学ぶのとはわけがちがう。ディドロが言っているように、はじめて言葉を学ぶのと同じなのだ。

新たに視力を獲得した者の場合、見ることを学ぶのに神経機能の急激な変化が要求され、それとともに心理的な機能、自己、アイデンティティの急激な変化が必要になる。この変化は、文字通り生きるか死ぬかの体験である。ヴァルヴォは、「晴眼者としていったん死に、盲人として生まれ変わらなければならない」というある患者の言葉を紹介しているが、逆もまた真である。盲人としては死んで、晴眼者として生まれ変わらなければならない。その中間の煉獄《リンボ》——二つの世界のあいだ、いっぽうでは死んで、もういっぽうではこれから生まれるべき無力な者であること——恐ろしいのは、これである。盲目になるとはじめは激しい喪失感と無力感を味わうだろうが、時とともにその思いは薄れ、適応や性向の変化が進めば、非視覚的世界を再構築し、それに慣れていく。非視覚的世界では状況も存在形態も異なるが、独自の感覚と一体感、感情がある。ジョン・ハルはこれを「深い盲目」と呼び、「人間のあり方のひとつ」だと言っている。

十月三十一日、ヴァージルの左目の白内障の手術が行なわれたが、視力は右目と同じ程度であることが明らかになった。失望は大きかった。左目のほうがずっといいのではないか、視力に決定的な差が出るのではないかと期待されていたからである。手術後、視力はわずかに上がった。視点が定まりやすくなり、視線がうろうろとさまようのも減り、視野は広がった。

両目が見えるようになって、ヴァージルは職場に復帰したが、見えることにはまたべつの側面があり、とまどったりショックを受けたりすることが多かった。三十年間、ＹＭＣＡで楽しく働いてきて、顧客の身体を全部知っているつもりだったと彼は言った。だが、それまで触覚のみで知っていた身体や皮膚を見た彼は驚いた。皮膚の色もびっくりするほどさまざまだったし、触っているときには完璧に思われた皮膚の傷や「しみ」にたじろいだ。マッサージをするときは目をつぶっているほうが気持ちが安らかであることに彼は気づいた。

その後の何週間か、彼の視覚的能力は改善していった。とくに本人のペースにまかせていると、経過は良好だった。彼はできるかぎり晴眼者として暮らすように努力したが、同時に葛藤も強くなっていた。ときどき、いずれ杖を捨てて外を歩かなければならず、視覚だけを頼りに通りを渡らなければならないと思うと不安だと言った。あるときには、車を運転し、「晴眼者」として新しい仕事に就くのを「期待されて」いることに不安をもらした。そうなれば、まさに快挙で大成功なのだが、その成功は大きな心理的代償、激しいストレスと彼自身の自我の分裂をともなうものになりそうだと、まわりは感じた。

クリスマスの一週間前、ヴァージルはエミーと一緒にバレエを見に行った。「クルミ割り人形」は前から好きな音楽のひとつだった。その舞台を初めて目にした彼は、「舞台を踊りまわっているひとは見えるが、なにを着ているのかはわからない」と言った。また、野球の試合を観戦するのはきっとおもしろいだろうと、春の開幕を楽しみにしていた。

クリスマスはとりわけ大切な行事だった。結婚して最初のクリスマス、そして視力回復後の最初のクリスマスでもある。彼はエミーを連れてケンタッキーの実家の農場に帰った。結婚式のときには母の姿もほかのものもほとんど見えていなかったので、母の姿を見るのは四十五年ぶりだったが、「とても美しい」と感じた。また、古い家やフェンス、牧場を流れる小川など、子供のとき以来見たことがないが、いつも心のなかで大切にしてきたものを目にした。そのうちの一部には非常にがっかりしたが、実家を眺め、家族を見ることには失望せず、曇りのない喜びを感じた。

同じく重要な意味をもったのが、彼に接する家族の変化だった。「前よりもきびきびしていた」と姉は言った。「壁をつたわずに、家のなかを歩きまわっていました。立ちあがって、自然に歩きだすのです」最初の手術のときとは大きなちがいだと姉は思い、母親やほかの家族も同じことを感じた。

わたしはクリスマスの前日に電話をかけて、ヴァージルの母や姉たちと話した。こちらへ来ませんかと誘われたし、誰もが楽しく明るい時を過ごしているようだったから、わたしもそうしたかった。はじめはヴァージルの視力回復に対する（それに、たぶんエミーに対する）家族の反対と、ほんとうに見えるのかという不信感の影響で、彼はじっさいに見えなくなっていたようだ。だが、家族が「転向」したために、大きな心理的障害がとりのぞかれたのではないか。クリスマスはクライマックスであり、同時にこのとくべつな年のしめくくりでもあった。

では来年はどうなるだろう。彼がもっとも期待しているのは何だろうか。どんな視覚的世界、晴眼者としての暮らしが彼を待っているのだろう。正直なところあの時点では見当もつかなかった。おおぜいの患者の予後が暗くみじめなことはわかっていたが、最悪の困難を克服し、比較的葛藤の少ない晴眼者として暮らしはじめた者も何人かはいた。

ふつうはひかえめなヴァルヴォが、幸せな結果を迎えた患者について記すときにはあまり筆を抑えずに書いている。

いったん視覚的パターンを獲得し、自然に見ることができるようになると、見ることを学ぶのが大きな喜びになっていくらしい……人格の再生《ルネッサンス》だ……患者たちはまったく新しい経験について考えはじめる。

「人格の再生《ルネッサンス》」、エミーがヴァージルに望んだのもそれだった。だが、望みがかなえられたようには見えなかった。ヴァージルはあいかわらず活気がなく前と少しも変わらなかった。だが、網膜や大脳皮質の問題、それに心理的、医学的な問題を数々抱えながらも、ある意味ではめきめきと回復し、着実に視覚的世界を広げているらしかった。前向きの姿勢と、見ることを楽しみ利用しているらしい態度からみて、さらによくなりつづけると予想しても良さそうだった。完全な視力を回復することはないにしても、見えるようになったことで生活が大きく広がると彼も期待していたにちがいない。

破局はとつぜん訪れた。二月八日、エミーから電話があった。ヴァージルが倒れ、真っ青になり、昏睡状態で病院に運ばれた。大葉性肺炎を起こして片方の肺がほとんどつぶれ、集中治療室で酸素吸入と抗生物質の点滴を受けているという。

何日か彼は生死のあいだをさまよった。そして三週間後、ようやく感染が抑えられ、肺はふたたび広がりはじめた。だが、ヴァージルは重態のままだった。肺炎はよくなったものの、呼吸不全を起こして、脳の呼吸中枢がほとんど麻痺し、血中の酸素濃度と二酸化炭素濃度に適切に反応することができなくなった。血中の酸素濃度が下がりはじめ、通常の半分にまで低下した。二酸化炭素濃度は通常の三倍にまで上がった。いつも酸素吸入をしていなければならなかったが、少しずつしか酸素を与えられなかった。呼吸中枢の損傷がさらに進むおそれがあるからだ。脳に酸素がゆきわたらず、二酸化炭素に毒されたために、ヴァージルの意識は薄れて混濁し、ひどいとき（血中酸素濃度が低く、二酸化炭素濃度が高い）にはなにも見えなくなった。彼は完全に盲目になった。

この呼吸困難には多くの要因がからんでいた。ヴァージルの肺は線維が増殖して肥厚しており、気管支炎と肺気腫も進んでいて、子供時代のポリオのために片側の横隔膜は運動を完全に停止していた。そのうえに、彼は大変に肥満していた。ピクウィック症候群（『ピクウィック・クラブ』に登場する太って眠ってばかりいる少年ジョーにちなんで名付けられた症状）だ。ピクウィック症候群になると重い呼吸困難、血中酸素の不足、それに脳の呼吸中枢不全が起こる。

ヴァージルの病気はたぶん何年か前から進んでいたのだろう。彼の体重は一九八五年以来増加しつづけていた。そのうえ結婚式からクリスマスまでに、さらに十八キロも太った。体重は数週間のうちに九十四キロにまで増えていた。たぶん、心臓疾患のむくみもあっただろうが、ストレス解消のために食べつづける癖も関係していたにちがいない。

入院して三週間たち、酸素吸入を続けていても、血中酸素濃度が危険なレベルにまで低下することがあった。そして、血中酸素濃度が低下するたびに、彼は嗜眠状態に陥り、盲目になった。エミーは病室のドアを開けただけで、その日の血中酸素の状態がわかるようになった。彼が目で見ているか、手探りをして「盲人のようにふるまって」いるかで、推しはかることができた。あとになって考えてみれば、手術直後から始まっていた彼の視力の奇妙な不安定さもまた、少なくとも一部は血中酸素濃度の変化と、その結果としての網膜あるいは大脳の酸素欠乏症に起因していたのかもしれない。ヴァージルは何年も軽いピクウィック症候群にかかっていて、重態に陥る前から呼吸不全と酸素欠乏症に近い状態だったのではないか。

退院までに、もうひとつエミーが首をひねった状態があった。ヴァージルはなにも見えないと言いながら、手を伸ばしてものを取り、障害物をよけ、晴眼者のように行動していたという。この状態はわけがわからないとエミーは思った。はっきりとものに反応し、探し、見ているのに、意識の上では見ていないという。この状態は盲視とも呼ばれる潜在的な、あるいは無意識下の視覚機能で、大脳皮質の視覚野が侵されているものの（たとえば酸素欠乏症のように)、皮質下部の視覚中枢は無傷な場合に起こる。視覚的信号を受容して適切に反応しているのだが、それが意識のレベルに到達しないのだ。

やがて、ヴァージルは退院して自宅に戻ることができたが、呼吸不全の障害者になってしまった。つねに酸素ボンベが必要で、これがなければ椅子から立ちあがることもできない。こんな状態では回復して仕事に復帰することなどできそうもなく、YMCAは彼を解雇することになった。数ヵ月後、彼はYMCAの従業員として二十年以上も住んでいた家を立ち退かなければならなくなった。これが夏のことで、ヴァージルは健康だけでなく、職も家も同時に失った。

十月にはだいぶぐあいがよくなり、一、二時間なら酸素ボンベなしでいられるようになった。ヴァージルやエミーと話したかぎりでは結局、彼の視力がどうなったのかよくわからなかった。エミーは「ほとんどだめに」なりましたと言ったが、身体が回復するにつれて多少は改善してきたような気もするという。ヴァージルが検査を受けた視覚リハビリセンターに電話をしたところ、話はまったくちがっていた。ヴァージルは前年回復した視力を完全に失ってしまい、今ではごくわずかな視力しか残っていないという。セラピストのキャシーは、色は見えるらしいがあとはほとんど見えず、ときにはものがまったく見えなくなり色だけになるらしいと言った。胃薬のびんがあっても、びんは見えず、ぼんやりしたピンクのもやもや、やや輪が見えるだけなのだ。色覚だけが安定して残っているが、あとはほとんど盲目で、手探りをしているという。目の動きも、以前のように焦点が定まらずふらふらするようになった。それでも、ときおりふいに視力が戻り、そのときには小さなものまで見えたりする。ただ、この視力も現われたときと同じくとつぜんに消えてしまい、ふつうは取り戻すことができない。要するに、いまのヴァージルは盲目です、とキャシーは言った。

キャシーの話を聞いたときには驚き、不審に思った。以前の状態とあまりにちがったからだ。彼の目と脳にはなにが起こったのだろう。遠くから話を聞いているだけでは、見当がつかなかった。まして、エミーはヴァージルの視力がだんだんよくなっていると主張していた。彼女は、ヴァージルが盲目だと言われると激怒し、視覚リハビリセンターは「彼が盲目になるように仕向けて」いるとまで言った。そこで、彼が重態に陥ってからちょうど一年たった一九九三年二月、わたしたちはヴァージルとエミーをニューヨークに招いて、網膜と脳の機能に関するとくべつの生理学的検査を受けてもらうことにした。

ラガーディア空港の到着出口にヴァージルを迎えてすぐ、どうも状況はよくなさそうだと思った。彼はオクラホマで会ったときより二十キロ以上も太っていて、肩に酸素ボンベをかけていた。視線は宙をさまよい、手探りをしている。完全に盲人に見えた。どこへ行くにも、エミーがひじに手を添えて連れて歩く。それでも車で五十九丁目の橋を渡って市内に入るとき、ときにはなにか、たとえば橋の上の明かりが推測ではなくはっきり見えると言った。だが、その一瞬の視力は継続することも、回復することもなかったから、結局は見えないままだった。

わたしのオフィスでは、最初は大きな色の的を使い、つぎにはものを大きく動かしたり懐中電灯を使ったりして検査したのだが、どれもまったく見えなかった。彼は手術前よりもずっとひどい盲目になってしまったようだった。手術前には、白内障ではあっても光がどちらから来るかわかったし、目の前の手の動きが影のように見えたのだ。だが、いまは光を感知する受容器がまったく機能していないようだった。網膜が損なわれてしまったらしいのだが、不思議なことに、完全にやられてはいなかった。ときどき、なにかがはっきりと見えるのだ。一度はバナナを見てつかんだし、二度ほど、コンピュータの画面で光の動きを手で追うことができた。ときどき、自分では「なにも」見えないと言いながら、ものに手を伸ばしたり、正確に「推測」したりした。入院中にもみられた盲視の状態である。

わたしたちは、検査がほぼすべて否定的な結果になったのにがっかりし、ヴァージルもしょんぼりして元気がなかった。そこで検査を切りあげて、昼食にしようということになった。果物の鉢を渡されて、手早く巧みに指で果物を確かめたヴァージルの表情が明るくなり、活気を帯びた。彼は果物をいじりながら、触覚を通して果物をみごとに説明しはじめた。プラムのつるつるした皮の手触り、モモの柔らかさ、ネクタリンのなめらかさ（「赤ちゃんの頬のようだ」）、そしてオレンジのざらざら、でこぼこした感触。彼は手で測ってみた重さや密度、種のようすなどを口にし、それから鼻にもっていって香りをかぎ分けた。彼の触覚（それに嗅覚）は、わたしたちよりはるかに優れていた。鉢のなかにとてもよくできた蠟細工が入れてあった。色も形もじつによくできていて、晴眼者は完全にだまされる。だが、ヴァージルはたちまち見破った。彼は蠟細工に触れたとたんに笑いだし、不思議そうに言った。「おやおや、ロウソクじゃないか。ベルか西洋ナシみたいな形をしている」たしかに彼は、フォン・センデンの言葉を借りれば、「空間的現実からは追放され」たかもしれないが、触覚の世界に安住の地を見出していた。

触覚は完全に残っていたが、網膜のほうの火花はごくたまに起こるだけになっていた。網膜の九十九パーセントは侵されているようだった。ボブ・ワッサーマンも彼に会うのはオクラホマ以来だったが、視力の悪化に驚き、もう一度網膜を診察してみようと言った。ところが診察してみると、網膜はまったく以前と同じで、色素が増加しているところと減少しているところが斑状になっていた。新たに色素が減少したようすはなかった。それなのに、残っている網膜の機能までがほとんどゼロになっている。網膜電位図で光の刺激を受けたときの網膜の電気的活動を調べてみても、波形は完全に平らで、脳の視覚野の活動を表わす視覚誘発脳波も検出されなかった。網膜でも脳でも、電気的活動はまったく見られなかったのだ(ごくまれに、瞬間的に火花が生じることがあったのかもしれないが、検査ではわからなかった)。以前の網膜炎はとうにおさまっていたから、この機能停止が網膜炎のせいとは考えられない。なにかほかの異常が昨年のうちに現われて、残っていた網膜の機能を奪ったのだろう。

ヴァージルがくもった日ですらいつもまぶしいとこぼし、サングラスをかけていたのをわたしたちは思い出した。では（わたしの友人のケヴィン・ハリガンが示唆したように）白内障の手術をしたために、それまで白内障でふさがれていた脆い網膜がむきだしになって、ごくふつうの光が致命的な刺激となって彼の網膜を焼いたのだろうか。黄斑変性症などの患者は、光の刺激に非常に弱く、紫外線だけでなくすべての波長の光が網膜の劣化を早めるとも言われている。ヴァージルの場合もそうだったのか。その可能性もあった。それを予想して、見ることを制限したり、周囲の明かりを調節すべきだったのかもしれない。

もうひとつの大きな可能性として、ヴァージルの慢性酸素欠乏症がある。一年にわたって、血中酸素が不足していたという事実である。入院中、血中酸素濃度の上下とともに視力が変化したことははっきりしている。網膜が（同時に脳の視覚野も）くりかえし、あるいはつねに酸欠状態にあったことも一因ではないか。この時点では、酸素を百パーセントにまであげる（純粋酸素を人工的に吸入しつづける）ことで、網膜か大脳の機能を回復できるのではないかとも考えられた。だが、これは危険が大きすぎた。大脳の呼吸中枢が長期的に、あるいは完全にやられてしまう可能性があったからだ。

こうして、「奇跡的に」視力を回復した盲人ヴァージルの物語は、基本的には一七二八年のチェズルダンの若い患者や、そのほか過去三世紀の何人かと同じ経過をたどったが、最後は奇妙に皮肉なひねりがきいていた。グレゴリーの患者は、手術前は盲目の生活に非常によく適応し、視力を回復したあともはじめは喜んでいたが、まもなく耐えがたいストレスと困難にぶつかって、「贈り物」が呪いと化したことに気づき、すっかり落ちこんで、ほどなく亡くなった。じっさい過去の患者の大半は、最初の有頂天の喜びが過ぎると新しい感覚に適応する困難さにうちのめされてしまったが、ごく少数はヴァルヴォが強調したようにうまく適応した。見える世界への適応には多くのひとびとが失敗したが、ヴァージルは困難を克服し成功したのだろうか。

それはもうわからなかった。適応作業、そして彼の新しい人生は、運命のいたずらでふいに途絶してしまったからだ。たった一度の発作が彼から仕事も家も健康も自立心も奪い、自分を守ることもできない障害者にしてしまった。手術を勧め、ヴァージルの視力回復にあれほど心血を注いだエミーにとっては、不発に終わった奇跡であり災厄である。だがヴァージルは、「そんなこともあるさ」と動じなかった。ただ、そんな彼でも打撃にうちのめされて、怒りを爆発させることがあった。自分の無力さへの怒り、病への怒り、期待と夢をうちくだかれたことへの怒り、そして、その下には勝ち目がないのに投げ出すこともできない闘いを強いられたという怒りが、ほぼ最初からくすぶっていた。視力が戻った当初には驚き、感激したし、ときには喜びもあった。それにもちろん、彼には勇気があった。新しい世界への冒険や遠征の機会はめったに与えられるものではない。だが、やがて見ることと見ないこととの葛藤が生じた。見える世界をつくりあげられないのに、自らの世界は捨てなければならないという葛藤だ。彼はふたつの世界のあいだで引き裂かれ、どちらにいても落ち着けなかった。逃げ場のない苦しみだ。だが、皮肉なことに二度目の決定的な盲目というかたちで、救いが与えられた。盲目を彼は贈り物のように受けとった。ついにヴァージルは見なくてもすむようになった。わけのわからないまばゆい視覚の世界と空間から逃げることを許され、ほぼ五十年慣れ親しんだべつの感覚の世界に、ようやく身を落ち着けることができたのである。

夢の風景

　フランコ・マニャーニに初めて会ったのは一九八八年、サンフランシスコにある科学と芸術と人間の知覚を結びつけた展示や教育を行なうエクスプロラトリウムという博物館《ミュージアム》で、記憶に関するシンポジウムと展示会が開かれたときだった。そのとき、フランコの絵五十枚も展示されたのである。すべて、彼が三十年以上も前に離れて以来、一度も見たことのない生まれ故郷、イタリアのトスカーナ州の丘陵の村、ポンティトを描いた絵だった。この絵と、となりに並べられたエクスプロラトリウムの写真家スーザン・シュワルツェンバーグの写真は驚くべき見物《みもの》だった。シュワルツェンバーグはできるだけ絵と同じ視点からポンティトを撮影してきた。だが、それができないこともあった。フランコは想像のなかで、地上十五メートルから百五十メートルの位置から見たポンティトを描いていたからだ。シュワルツェンバーグはカメラをポールにつけて吊りあげたが、ヘリコプターか気球を雇おうかと考えたこともあったという。「記憶の画家」と呼ばれたフランコが、驚異的な記憶力の持ち主であることは、会場の展示を見れば一目瞭然だった。彼はポンティトのすべての建物、通り、石を遠景、近景、あらゆる角度から写真のような正確さで記憶していた。フランコの頭のなかには、限りなく精密なポンティトの立体模型があって、それをひっくりかえしてみたり、まわしてみたり、あちらからこちらから眺めては、忠実にカンバスに再現できるらしかった。

絵と写真がそっくりなのを見て、わたしが最初に考えたのは、世の中にはときどき希有の直観力をもった画家がいるということだった。何時間も何日も（たぶん何年も）一瞬目にしただけの光景を記憶に焼きつけていられる画家、天性の驚異的な想像力と記憶力の持ち主（あるいは奴隷）である。だが直観力をもっていても、ひとつのテーマ、ひとつの対象だけを描きつづける画家はあまりいない。たいていは記憶を探り、あるいは再現して、じつにさまざまなものを描き、果てしない直観力を証明してみせる。ところが、フランコはただただポンティトだけを描いているらしい。彼の場合、「純粋な」記憶ではなく、きわめて強い動機に縛られて、たったひとつの記憶、育った村の思い出だけを描いている。そこでわたしは、これはただ記憶を再現しているのではなく、追想しているのだと気づいた。記憶したものを描こうというより、やむにやまれぬ衝動に動かされてできた作品なのだ、と。

数日後、フランコと話したわたしは、彼の自宅で会うことになった。彼はサンフランシスコから数キロの小さな町に住んでいた。家のある通りを探しあてれば、番地を確かめる必要はなかった。目立って特徴のある住まいだったからである。低い石の塀で囲まれた小さな前庭は、彼の絵のなかのポンティトにそっくりだった。通りには、「ポンティト」のナンバープレートがついた古びたセダンがとまっていた。アトリエに改造されたガレージの扉が大きく開き、せっせと絵を描いている画家の姿が見えた。

背が高くてやせたフランコは、大きな角縁のメガネをかけていて、目がやたらに大きく見えた。濃い茶色の髪は片側できちんと分けてある。弾むような足どりで元気いっぱいの彼は、五十四歳という年齢よりもずっと若く見えた。彼はわたしを家に招きいれて、なかを案内してくれた。どの部屋の壁にも絵がかかっていて、引き出しにも戸棚にも絵が詰まっている。家というよりも、ポンティトを表現しているものだけを集めた美術館か文書館といった感じだった。

一緒に家のなかを歩きながら、彼は一枚、一枚の絵の前にたちどまった。一枚ごとに思い出が押し寄せてくるのだ。ここでなにがあったか、あそこでなにがあったか、ここには昔、なにが建っていたか。「ほら、この塀、教会の庭にしのびこんだわたしは、ここで牧師さんにつかまったんです。神父さんは通りの先まで追いかけてきた。いつも、子供たちをそうやって追いだしていたっけ」ひとつの思い出がつぎの思い出を呼び、さらにつぎの思い出につながって、たちまちわたしたちは方向もなければ中心もない雑多な、しかしすべて彼の子供時代、昔のポンティトにかかわる思い出の洪水に押し流されていた。彼はとりとめなくつぎからつぎへと思い出を語ったが、それがどうつながるのか、わたしにはさっぱりわからなかった。てんでんばらばらでまとまりがなく、夢中で思い出を語っているのだが、脈絡もなければ焦点もないというのが、どうやらフランコの特徴らしい。それは彼の強迫観念を、日夜ポンティトのことしか考えていないという事実を物語っていた。

フランコの話を聞いて、彼は思い出に取り憑かれている、押し寄せる思い出が彼を駆り立て、支配し、抗いがたい力で動かしているという印象を受けた。大きな身振り手振りで、身体全体で表現し、息を切らして語りつづける彼は、完全に別世界にいた。それからはっと我に返り、ちょっときまりわるげに微笑して「そんなふうだったんですよ」と言うのだった。

このとどまることを知らない饒舌、具体的な逸話の思い出は、彼の絵の雰囲気とはずいぶんちがっていた。だが、ひとりのときはにぎやかな思い出は影をひそめ、静かなポンティトの印象だけがよみがえるという。住民もいなければ、事件もなく、有為転変もないポンティト、時間のない平和な「ある時」に宙づりになったポンティト、寓意とファンタジーと神話とおとぎ話のなかの「ある時」のポンティトである。

昼に近いころ、わたしはふたたびフランコの絵に魅了されていたが、思い出のほうはもうたくさんだという気がした。彼にはひとつしか話題がなく、ほかの話はできない。こんな不毛で退屈なことがあるだろうか。だが、この強迫観念から、愛らしくリアルで静かな芸術が生まれたのである。彼の記憶を変身させたのは何だったのだろう。個人的で些末でうつろいやすい思い出を、普遍的に理解される聖らかな領域にまで高めたのは何だったのか。つまらない思い出をしゃべり散らす人間はおおぜいいるが、そのなかにはフランコのような真の芸術家はまずいない。彼を芸術家たらしめているのは、ただの厖大な思い出でもなければ強迫観念でもなく、なにかもっと深いもののはずだ。

フランコは一九三四年にポンティトで生まれた。フィレンツェから西に六十キロほど離れたピストイア地方カステルヴェッキオの丘陵地帯にある、人口五百人ばかりの小さな村である。トスカーナ州の丘陵の村はどこもそうだが、ポンティトも昔のおもかげを色濃く残し、いまも古代エトルリア時代の墓がたくさんあって、伝統的な農業様式や階段状に開かれた地形、オリーブとブドウの栽培などは二千年以上も前から続いている。石造りの建物と急な曲がりくねった坂や、山地に慣れたロバか人間の足でなければ通行できない道も、簡素で落ち着いた住民の暮らしも、何世紀も前から変わっていない。最上部には教会の尖塔が村を圧するように建っていて、フランコの家は教会の隣だった。子供のころ、寝室の窓から身を乗りだすと、もう少しで教会の屋根に触れそうだったという。ぽつんと離れた村では、村人たちのほとんどは血がつながっていて、大きな家族のようだった。マニャーニ家、パピ家、ヴァヌッチ家、タンブリ家、サルピ家はみな親戚だった。村でいちばんの有名人は十八世紀のフランス革命の研究家ラザロ・パピで、村の中央広場に記念碑が建っていた。

ひっそりと変わらない伝統的なポンティトは、時の流れと変化の潮流に抗して建つ城砦だった。地味は豊かで、住民は働き者で、畑や果樹園はぜいたくではなくても不自由のない暮らしを保証してくれた。フランコにとっても村人にとっても、生活は楽で安定していたが、それも戦争が勃発するまでのことだった。

それからあらゆる恐怖や災厄がふりかかってきた。フランコの父が一九四二年に事故死し、翌年ナチスが侵入し、村を占拠して住民を追いだした。やがて村人が戻ったとき、家々の多くは見る影もなくなっていた。その後、村の暮らしは二度ともとどおりにはならなかった。村は略奪され、畑や果樹園は荒廃していた。なによりも重要なことは、古い風俗や習慣が乱されたことだった。戦後、ポンティトは立ち直ろうと雄々しく努力したが、しかし完全に復興することはなかった。以来、村はゆっくりとさびれていった。果樹園や畑、農業を中心とした経済は二度と回復しなかった。自給自足経済は成りたたなくなり、若者や女性たちは村の外へ働きに出なければならなかった。かつては栄え、戦前は五百人が暮らした村だが、いまではわずか七十人が住んでいるだけで、いずれも老人か引退したひとたちだ。子供の姿はないし、働きざかりのおとなもほとんどいない。昔は活気のあった村も住民がどんどん減って、滅びかけている。

フランコの絵はすべて一九四三年以前のポンティトとそこでの暮らしを描いたものだ。どれもみな子供時代の思い出であり、生活し、遊んで大きくなった場所の思い出で、父が事故死する前、ドイツ人が侵入してくる前、村の占拠と土地の荒廃前のことだった。

フランコは十二歳までポンティトで暮らしたが、一九四六年にルッカの学校に入った。一九四九年には、モンテプルチアーノに出て、家具職人の見習いになった。それ以前から彼は、「写真」のような驚くべき記憶力をもっていた。彼の母親と姉のひとりも、彼ほどではないが、優れた記憶力の持ち主だった。フランコは一度読んだだけのページ、あるいは教会で一度聞いただけの説教を記憶していたという。また墓地の墓碑銘もすべて覚えていた。たくさんの数字を書いた表を一読しただけで記憶して、足し算をすることもできた。だが、べつの種類の記憶を経験したのは、ルッカに出て、激しいホームシックにかかってからのことだった。ふいに心のなかにイメージが浮かんでくる。甘く切ない、喜びと苦痛をともなう思い出のなかのイメージだ。こうしたイメージは、それまでの彼の特技だった「機械的な」暗記とはまったくべつものだった。思い出そうとしなくても、とつぜん、いやおうなしに襲ってくる。ほとんど幻覚に近く、音や手触り、匂い、感触をともなっていた。それに、この新しい記憶は経験的というか自伝的だった。すべて個人的な体験にかかわるイメージだったのである。どのイメージもフランコの暮らしの一場面の再現だった。「彼はポンティトをたまらなく恋しがっていた」とフランコの姉はわたしに語った。「ポンティトの教会、通り、畑がなつかしくてならなかった。それで『見えた』のでしょう。でも、まだ絵を描こうとは考えていませんでした」

フランコは四年の見習い期間を終えて一九五三年にポンティトに戻ったが、すでにさびれかけた村では、家具職人の仕事はあまりなかった。ポンティトでは暮らしが成りたたなかったので、彼はラパロに行き、コックになった。だが、満たされず、どこか遠くでべつの生き方をしたいと夢見ていた。一九六〇年はじめ、二十五歳になっていた彼は、なかばは考えた結果、なかばは衝動的に仕事をやめ、巡航船のコックになって世界を見てまわろうと決意した。船に乗りこむまでのあいだ（たぶん二度と故郷に戻らないだろうと考えて）、彼は自伝を書いたが、乗船したとき海中に投じてしまった。昔を回想したい、子供時代の思い出をかたちに残したいという気持ちはこのころから非常に強かったようだが、まだ適切な手段が見つかっていなかった。こうして彼は船出し、カリブ海とヨーロッパのあいだを何度も往復し、ハイチ、アンティル諸島、バハマなどにくわしくなった。一九六三年から六四年にかけて、ナッソーに十四カ月滞在していたこともある。このころは、ポンティトのことは「忘れて」いて、ほとんど思い出しもしなかったと言う。

一九六五年、三十一歳になった彼は重大な決断をする。もうイタリアにもポンティトにも戻らず、アメリカのサンフランシスコに腰を落ち着けようというのだ。苦渋に満ちた決断だった。大切にしてきたなつかしいすべてのものからの、たぶん取り返しのつかない決別となりそうで不安だった。祖国、母国語、村、家族、何百年も同郷のひとびとを結びつけてきた伝統や習慣との別れだ。だが、決断すれば自由とおそらくは富、新しい国での新しい人生、船上で味わった解放感と自立が約束される、あるいは約束されるかに思えた（彼の父親も若い頃アメリカに渡って、数年商売をしたが、結局うまくいかずポンティトに帰った）。

だが、苦しい決断と同時に、彼は奇妙な病気にかかり、とうとう療養所に入ることになった。いったい何の病気だったのか、いまだにわからない。決断と希望と不安という精神的危機もさることながら、彼は高熱を発してやせ衰え、錯乱状態になり、発作も起こした。結核ではないかとか、精神病、神経学的異常ではないかといわれた。だが、結局何だったのかはっきりせず、いまも謎のままである。はっきりしているのは、重態に陥ったとき、脳が興奮と熱に冒されたためか、来る夜も来る夜も異常に鮮明な夢を見つづけたことだった。彼は、毎晩ポンティトの夢を見た。家族の夢でもなく、なにかをしている夢でも、なにかの出来事の夢でもなく、通りや家々、建物の石組み、あるいは石そのものの夢である。頭ではとても覚えていられないほどの細部にいたるまでまざまざと、昔のポンティトがよみがえってきた。夢のなかで、彼は奇妙な激しい興奮に駆りたてられていた。なにかが起こった、あるいは起こりかけているという気がした。いてもたってもいられないのだが、なぜだかわからない切迫感に、甘く切なく焼けつくような郷愁の念がからみついていた。目覚めても、はっきり目が覚めている感じがしなかった。頭のなかでは、まだ夢が継続し、布団や天井、病室の壁にありありと像が浮かび、あるいは目の前に精密な模型が置いてあるように立体的に見えていた。

病院でこの夢のようなイメージに意識も意志も占領されていたとき、彼はそれまでなかった感覚にとらわれた。「呼ばれて」いるという感覚だ。もともと、豊かな想像力の持ち主ではあったが、これほど強烈なイメージは見たことがなかった。幻のように宙に現われるこのイメージは、ポンティトの「回復」を約束しているかに思われた。そして、彼に「わたしを描きなさい。わたしに実体を与えなさい」と命じているようだった。

入院中の精神的な危機と錯乱と発熱と発作のあいだ、彼にはなにが起こっていたのだろう（フランコ自身も首をひねりつづけている）。決断のストレスにおしつぶされて、「フロイト的」な自我の分裂を起こし、それ以来、一種の「記憶増進性ヒステリー」に陥ったのだろうか（「主として思い出に苦しむヒステリー」とフロイトは書いている）。彼自身が切り捨てようとした、現実には二度と戻らないものの記憶や幻想を、分裂した自我の一部がもたらしたのか。夢や思い出のイメージは激しい感情的動揺のせいでよみがえったのか。それとも、脳が不思議な生理学的爆撃を受け、彼自身は受け身で反応するほかどうしようもないプロセスが進行していたのか。フランコもこうした「医学的」可能性を考えたが、否定し（くわしい検査は一度も受けようとしなかった）、もっと精神的な解釈をした。これは彼に与えられた贈り物であり運命だから、問いかけたりせずに従うべきだと考えたのだ。多少は抗ったものの、宗教的な気持ちでヴィジョンを受け入れた彼は、それをかたちにすることに献身しはじめた。

それまで絵筆をもったこともデッサンをしたこともほとんどなかったが、ペンか絵筆があれば、宙に浮かぶ、あるいは病室の白い壁に幻灯のように映しだされるイメージを写しとれると彼は考えた。最初の危機のころ、いちばん頻繁に現われたのは彼の生家のイメージで、それは信じられないほど美しく、どこか不気味だった。

生家を描いた最初のポンティトの絵は、正規の教育を受けたことがないのに、輪郭が非常に力強くはっきりしていて、不思議な暗い情感が漂っている。こんな絵が描けたこと、絵という新しくてすばらしい手段で自らを表現できたことに、彼自身が驚いた。初めて絵を描いてから四半世紀たったいまでも、彼の驚きは消えていない。「すばらしい」と彼は言う。「すばらしい。どうして、あんなことができたんだろう。こんな天分をもっていながら、どうして、それまで気づかなかったのだろう」子供のころに芸術家になりたいと考えたことはあったが、ただの夢でしかなく、ペンや絵筆をもってもハガキに船やカリブ海の景色をスケッチする以上のことはしたことがなかった。さらに彼は新しい力を感じて畏怖を覚えていたが、彼をとらえて放さないその力をコントロールして、それに声を与えることができるとも思っていた。彼の絵が語る声、彼のスタイルは最初から存在していた、というよりも、最初の絵にとくに際立っていた。「最初の二枚は、その後の作品とはまるでちがっていた」と、フランコの友人ボブ・ミラーは言った。「あれは、どこか不気味だった。なにか深いところで重大なことが起こったという感じがした」

フランコが取り憑かれたようにポンティトのことを考えはじめた——夜も昼もポンティトを夢見だした——のはこのときからだった。そのことは一九六一年から一九八七年まで会っていなかった義兄が証言している。「一九六一年には、フランコはいろいろな話をしていた」と、彼は話してくれた。「取り憑かれてはいなかった。ごくふつうだった。ところが八七年に会ったときには、おかしくなっていた。しじゅうポンティトの幻を見ていて、話すのもポンティトのことばかりだった」

ミラーは言う。「彼は危機に陥ったときに、絵を描きだした。病院では精神が崩壊しかけていたが、絵が一種の解決手段、癒《いや》しをもたらしてくれたようだ。いまでもときどき、『記憶が押し寄せてくる。夢を見る。なにもできない』と言うが、うまくやっているようだ。ただ、彼とはふつうの話ができない。いつも『ポンティト、ポンティト、ポンティト』なのだ。

立体映画のようにポンティトのイメージを組みたてて、それをあっちこっちとさまざまな角度から『眺める』ことができるらしい。本人はそんなふうに『見える』のがごくふつうのことだと思っていて、七〇年代末に友達のジジがポンティトの写真を撮って帰ってきたとき初めて、それがどんなに不思議なことかに気づいたようだ……なにもかもが、たったいま思い出したばかりのように新鮮で生き生きしている。記憶のなかにあって何度も取り出してみるというのとはぜんぜんちがう。彼は情景を覚えていて、再体験している。だから、とても具体的、個別的で、ストーリーがあり、ひとつひとつ場面が展開していく。誰がいつなにを言ったかがよみがえるのだ」彼の絵は劇的なものを感じさせるが、フランコ自身もそう感じているらしい。

夢のなかで感じた気分は、フランコの心のなかでますます強く、深くなっていった。彼は昼間もポンティトの「幻」を見るようになった。激しい感情を呼び起こす幻は、彼がホログラフィにたとえたように立体的かつ細密で、食べたり飲んだりしているとき、散歩をしているとき、シャワーを浴びているとき、いつ、どこにでも現われた。彼にとって、その幻が実在していることは疑いようがなかった。静かに話をしているとき、ふいに身を乗りだして、うっとりと宙に目をすえる。ポンティトの幻が現われたのだ。マイケル・ピアスは、（展示会が開かれた時期の《エクスプロラトリウム・クォータリー》に掲載された優れた批評のなかで）つぎのように書いている。「フランコの絵の多くは、いきなりよみがえってくる思い出を端緒としているという。彼の頭のなかに、ふいにある場面がよみがえる。すると彼はその場面をすぐに紙に写しとらねばならぬとあせり、スケッチをするために飲みかけの酒をおいてバーを出ていってしまうそうだ……その『ふいに思い出される』場面は、静止した写真のようなものではないらしい……彼はその場面を俯瞰《ふかん》したり、ちがった角度から『見たり』できる。そんなとき、彼は実際に身体を動かし、ポンティトの右側はどうなっているかと右側を眺め、今度は左はどうかとそっちを『見る』……また、遠くの石造りの建物やアーチ、通りを眺めるように目を細める」

この幻は視覚的なものだけではない。フランコには教会の鐘の音が（まるでその場にいるように）聞こえる。教会の塀を感じる。そして、匂いもする。教会の塀にからみついているツタ、芳香とかびとしめっぽい匂い、それと混じりあって子供のころポンティトの周辺で栽培されていたナッツやオリーブの匂いもする。そんなとき視覚、聴覚、触覚、嗅覚がほとんど不可分になり、フランコは幼いころの複雑に入りまじった感覚をもう一度味わう。そうした感覚の記憶を、精神科医のハリー・スタック・サリヴァンは「一瞬のうちになされる全状況の記録」と言った。

フランコが「霊感」を感じる、あるいは「取り憑かれ」ているとき、彼の脳に急激で大きな変化が起こっている可能性がある。たしかに、幻に襲われて目が虚ろになり、瞳孔が開き、心ここにあらずの状態になったフランコを初めて見たとき、わたしは一種の精神病の発作を起こしたのではないかと思った。こうした発作に最初に注目したのは、偉大な神経学者ジョン・ヒューリングズ・ジャクソンで、強烈な幻覚、自分でもどうにもならない「追憶」、啓示を受けたという感覚、なかば神秘的な奇妙な「夢幻」状態などが特徴だと強調した。これは脳の側頭葉部に起こる癲癇《てんかん》にともなう発作である。

前世紀、ヒューリングズ・ジャクソンらは、頻繁に精神発作を起こす患者の一部は障害の発生によって思考と性格に奇妙な変化を起こしているらしいと考えた。だが、「発作間欠期パーソナリティ症候群」と呼ばれるこの状態に真剣な目が向けられたのは、一九五〇年代から六〇年代になってからだった。一九五六年、フランスの神経学者アンリ・ガストーは、ヴァン・ゴッホに関する重要な論文を著し、このなかで、ヴァン・ゴッホは側頭葉癲癇を患っていたばかりでなく、発症とともに性格が変わりはじめ、その変化がだんだん進行していったと指摘している。一九六一年、アメリカで有数の神経学者のひとりノーマン・ゲシュヴィンドは、ドストエフスキーの生活と著作に側頭葉癲癇が影響していたのではないかと述べ、七〇年代はじめには、側頭葉癲癇の患者の多くは感情生活が異常に激しく(同時に狭く)なって、「哲学的、宗教的、宇宙的な事柄への関心の高まり」を示すと言った。患者のなかには驚くべき創造性を発揮する者も多く、自伝を執筆し、際限なく日記を書きつづけ、強迫的に絵を描いたりする(具象画が多い)。また、一般的に「使命感」や「運命」意識などの啓蒙的意識が強く、それまではそうした方向とは無縁だった、教育水準が低く「インテリではない」ひとたちも例外ではない。

この症候群の発生と性格に関するゲシュヴィンドの最初の研究は、一九七四年と七五年に同僚のスティーヴン・ワクスマンとの共著として発表されて、神経学界を震撼させた。昔から精神病や霊感には特定の神経学的原因があるのではないかと思われていたが、このとき初めてその根拠となる症候群と行動の全貌が明らかにされたのである。とくに、ゲシュヴィンドのもうひとりの同僚デヴィッド・ベアが強調しているように、五感と脳の感情を司る部分との「異常に強い結びつき」が、激しい感情的な知覚、記憶、イメージを呼び起こすのではないかと彼らは考えた。「側頭葉癲癇患者の性格の変化は、行動を左右する感情的な力のもとである神経系の解明にあたり、もっとも重要な鍵となるだろう」とゲシュヴィンドは述べている。

こうした変化そのものは、否定的にとらえることも肯定的にとらえることもできないとゲシュヴィンドは言う。大事なのは、それが患者の生活にどんな役割を果たしているかであって、創造的にも破壊的にも、順応的にも不適応的にもなり得る。だが、彼がとくに興味をもったのは、この症候群が非常に創造的な現われ方をした（比較的めずらしい）症例だった。ドストエフスキーについて、彼は「この悲劇的な病が天才を襲うと、彼はそこから深淵な理解を引きだすことができるようになり……感情的な反応が深くなった」と書いている。ゲシュヴィンドが感銘を受けたのは、病、あるいは生理学的な素因と個人の創造力との結びつきだった。

「発作間欠期パーソナリティ症候群」というどちらかというと無味乾燥な名称に代わって、「ワクスマン‐ゲシュヴィンド症候群」、ときには「ドストエフスキー症候群」という言葉が使われるようになった。一九六五年のフランコの病も、鮮烈で生々しい夢や発作のような幻覚、神秘的な啓示と身体が転送されたような感覚からみて、ドストエフスキー症候群の始まりだったのではないだろうか。

ヒューリングズ・ジャクソンは、こうした発作のときに「意識の二重性」が起こると言っている。フランコの場合もそうだった。白昼夢に取り憑かれてポンティトを思い出しているとき、彼の身体はある意味では現地に飛んでいる。思い出は前触れもなくとつに、神の啓示のような力強さでやってくる。長年のあいだにある程度まではコントロールできるようになり、意図して思い出すことも多少は可能になったが——芸術家なら誰でも知っているとおり——本質的には意のままになるものではない。プルーストがもっとも重要視したのも、それだった。彼にとっては、意図的な思い出は概念的でありふれた単調なものだった。意のままにならない思い出、深奥から湧きおこってくる思い出だけが、子供時代の質、その無邪気さ、驚異、恐怖を余すところなく伝え得る。

意識の二重性は、フランコにとっては当惑の種だった。過去のポンティトの幻が現在と競いあい、ときには完全に圧倒してしまう。そこで彼は方向感覚を失い、自分がどこにいるのかわからなくなる。意識の二重性は、生活の奇妙な二重性につながった。フランコは現代のサンフランシスコで暮らし、働き、生きているが、彼の一部——たぶん、もっとも大きな部分だろう——は過去のポンティトに生きている。過去に生きているという意識が高まり、強まると、いまの暮らしが貧しくなり、損なわれだす。フランコはめったに外出せず、まして旅行などせず、映画も芝居も見に行かず、自分の芸術以外には楽しみも関心もほとんどない。

かつてはたくさんの友人がいたが、ポンティトのことしか話さなくなったころから、おおぜいが離れていった。サンフランシスコのノース・ビーチで長時間コックとして働きながら、彼は一日じゅうポンティトの夢のなかで暮らし、世間のことにはまったく無頓着だった。人間関係はすべて、この強迫観念のために影が薄れた。妻のルースだけはべつだが、それも彼女がこの強迫観念を共有していたからだ。ノース・ビーチにギャラリーを開かせて「ポンティト・ギャラリー」と名づけたのも、「ポンティト」というナンバープレートを手に入れたのも彼女だった。フランコはノスタルジアと芸術の代償として、現在における存在を半分、失ってしまったのである。

精神分析医のアーネスト・シャハテルはプルーストについて、「過去のものごとの思い出」を追い求めるために、「活動や現在の楽しみ、将来への懸念、友情、社会的つながりなど、ふつうひとが生き生きした暮らしと考えるものをすべて否定してはばからない」と見ている。プルーストが追い求め、フランコが追い求める思い出は、夜行性で逃げ足が速くてとらえにくい。彼らは昼間の暮らしの明るさ、騒がしさに耐えられない。そこで、壁にコルクを張った静かな暗い部屋で、あるいは恍惚とした夢想状態で、思い出が湧きおこってくるのを待たなければならなくなる。

しかし、フランコの幻の決定的な引き金となったのが側頭葉癲癇、「思い出」の発作であったとしても、それだけが彼の思い出と芸術を決定づけていると見るのは、作品を矮小化するまちがった解釈だ。彼の性格、母への愛情、理想化の傾向とノスタルジー、楽園のような幼年時代と父親のとつぜんの喪失を含む彼の人生、それに、何よりもひとつの文化をなんとか世に知らせたい、表現したいという情熱、これらも同じくらい重要な要素であることは疑いない。不思議な偶然で、激しい個人的な思いと生理学的な状態がたまたま一致し、共鳴したのではないか。故郷喪失感とノスタルジーが、現実には失われた世界に代わる世界を求めたのだとすれば、発作は彼が必要とするものを与えてくれたのだ。過去の無限のイメージ、あるいは、ほとんど限りなく精密なポンティトの三次元「モデル」、そのなかを歩き、探検し、どこを見ても新しい視点や新しい風景をとらえることができる劇場か幻影のようなものである。これはまた、彼がもって生まれた驚異的な記憶力と想像力のおかげでもあった。

一九六五年のできごとを聞いているとき、わたしは患者のO・C夫人を「襲った」（非常に深い意味をもった）癲癇による追想発作のことを考えていた。発作が続いているあいだ、とうに忘れていた過去、非常に意味のある貴重な記憶がよみがえった。彼女の場合は、追想発作は数週間で消えてしまい、過去への不思議な生理学的ドアはふたたび閉じて、良くも悪くも「正常な」暮らしが再開した。だがフランコの追想はやむどころか、ますます激しく豊饒になっていったから、その後は二度と、ほんとうに「正常」な状態に戻らなかった。こうした取り憑かれたり平常に戻ったりという変化は、側頭葉癲癇の患者にはよくあり、ときには生活を非常に高めてくれる（ただし、崩壊させたり、破壊したりすることのほうが多いが）。フランコの場合には、これもまた希有の偶然で、それまではまったく知らなかった絵画的能力が発見されて、子供時代の幻を成熟した力で表現し、病理やノスタルジーを芸術作品にすることができたのである。

フランコの姉のアントニエッタは現在、オランダに住んでいるが、ドイツ軍撤退後、もとの面影を失ったポンティトに戻ったときのことを覚えているという。フランコの母親は非常に取り乱したが、フランコも衝撃を受けた。父を失った十歳の少年は、母にこう言ったという。「いつか、もういちどポンティトをつくってあげるよ。もういちど、母さんにポンティトをつくってあげる」フランコは最初の——生家の——絵ができあがったとき、母親に送った。ある意味で、彼はポンティトを再建するという約束を果たしたのだ。

フランコもほかの者もずっと、母親を特殊な能力の持ち主だと思っていた。「母には子供たちの病気を治す力があった。その秘密を姉のカテリーナに伝えていったんです」とフランコは語った。「それに、にらんだだけで、ひとを傷つける力もあった」そうした神秘主義的な考え方はポンティトでは珍しくなかった。フランコはもともと母親の秘蔵っ子で、つながりが強かったが、父の死後はとくにその傾向が強くなり、一種の前エディプス期に逆戻りして、共生的な親密さが生じた。すべての絵の模写を母に送っていたフランコは、一九七二年、母の死ですっかりうちのめされた。このときは「絵を描くのをすっかりやめてしまった」と言う。もう人生も作品制作も、そして自分自身も終わりだと彼は感じ、九カ月間、絵筆をとらなかった。やがて立ち直るにしたがって、べつの女性を見つけて結婚したいという激しい衝動にかられた。そんなとき、未来の妻であるアイルランド系アメリカ人の若い芸術家に出会った。「ルースに会ったころ、イタリアに戻りたいと考えていましたが、彼女にひきとめられたんです。わたしは『もう絵を描く理由がなくなった』と思った。でも、ルースが母のかわりになってくれた。ルースがいなかったら、わたしは二度と絵を描かなかったでしょう」

フランコはつねにポンティトに戻る夢を抱いていた。いつも「再会」や「帰郷」について話していたし、ときには母がまだ生きていて、うちで彼の帰りを待っているかのような話し方をした。だが、帰る機会は何度もあったのに、彼は帰ろうとしなかった。「ポンティトに戻るのを引きとめるなにかがあった」とボブ・ミラーは言う。「どんな力か恐れなのか、わたしにはわからないが」フランコは一九七〇年代にポンティトの写真を見てショックを受けた。畑や果樹園が消えて、草が生い茂っている風景に、彼はすくみあがった。一九八七年にシュワルツェンバーグが撮った写真もろくに見られなかった。それは彼のポンティト、子供時代のポンティト、彼が二十年以上も幻や夢に見、描いてきたポンティトではなかった。

ここには皮肉なパラドックスがある。フランコはいつもポンティトのことを考え、幻を目にし、描き、限りなく求めつづけてきた。だが、どうしてもそこへ戻る気にはなれなかった。しかし、ノスタルジーの核心にあるのは、まさにこうしたパラドックスである。ノスタルジーというのは、決して実現しない幻想、満たされないからこそ持ち続ける夢だからである。しかも、こうした幻想はただの夢想や思いつきではない。ある種の間接的な満足、芸術としての完成を要求する力をもっている。少なくとも、フランスの精神分析医D・ギアシャンはそういう。偉大なる懐旧のひとプルーストにふれて、精神分析医のデヴィッド・ウーマンは「ノスタルジーの美的結晶」を語っている。芸術と神話のレベルにまで昇華されたノスタルジーである。

フランコがわたしたちには理解できない力を有する心象の持ち主であり犠牲者であることは疑いない。彼は思い出さずにいることも、思い出を自由に止めることもできない。思い出は夜も昼も、好むと好まざるとにかかわらず彼を襲う。耐えがたいほどの力と正確さをもった追想なのだ。「誰ひとりとして……この不運なイレニオに昼となく夜となく押し寄せた、あくなき現実の熱と圧力を感じたものはいない」とボルヘスは、『記憶の人・フネス』という小品のなかで書いている。このような耐えがたいほどに鮮やかな現実感がフランコをもしめつけているのだ。

驚異的な記憶力の可能性をもって生まれる者はいても、思い出すという素質をもって生まれてくる者はいない。思い出は人生で変化や別離を経験したのちにしか訪れてはこない。ひととの別れ、場所との別れ、出来事や状況との別れ、そしてとくに深く憎んだり愛したりした重要な意味をもつものとの別れのあとだ。わたしたちは人生の大きな断絶に、思い出によって、さらには神話と芸術によって、橋をかけたい、過去と仲直りがしたい、そして過去をもう一度自分のなかに取り戻したいと思う。断絶とノスタルジーは、生まれ育った場所を離れたとき、あるいは失ったとき、祖国を離れたり、亡命者になったとき、育った場所や暮らしがあとかたもないほどに変化したり破壊されてしまったとき、もっとも激しくなる。私たちは結局は過去からの亡命者なのだ。だが、フランコの場合、とくにその思いが強い。彼は自分を、永遠に失われた世界の記憶をもつたったひとりの生存者だと感じている。

フランコがどんな天分と病理をもっていようと、彼の記憶と絵画的能力、そして発作やノスタルジーがどんなものであろうと、彼はいまもこれまでも個人を超えた感情と動機によって突き動かされている。ひとつの文化が忘れられてしまいそうな世界のなかで、過去を記憶し、その意味を伝えていかなければならない、あるいは新しい意味を与えなければならないという必要性である。わたしたちはフランコの作品に、祖国を離れた流浪者の芸術を見ている。多くの芸術、それにまた多くの神話は、追放から生まれる。追放（楽園からの、そして聖峰《シオン》からの）は聖書のメインテーマであり、たぶんすべての宗教のテーマでもある。祖国を離れての流浪、それに大きく姿を変えてはいるが一種のノスタルジーは、ジェイムズ・ジョイスの生活と作品の主たる原動力だった。若いときにダブリンを去った彼は二度と戻らなかったが、そのイメージは彼の作品すべてにつきまとっている。まず『スティーヴン・ヒーロー』『ダブリン市民』そして『亡命者たち』の舞台となり、その後はだんだんに神話化され、普遍化されて『ユリシーズ』『フィネガンズ・ウェイク』の背景になる。ジョイスのダブリンの思い出は厖大で、しかもつねに拡大され、丹念な調査によって補強されていた。だが、彼のインスピレーションとなったのは若いころのダブリンで、その後の発展にはあまり関心がなかった。それほど極端ではないが、フランコの場合も同じである。もっとも個人的で平凡な思い出から、宇宙における善と悪の永遠なる戦いの中心という寓意的なヴィジョンにいたるまで、ポンティトは彼の思考すべての背景をなしている。

一九八九年三月、わたしはポンティトに行き、じかに村を見て、フランコの親戚縁者たちと話をしてきた。村そのものは、驚くほど絵にそっくりでありながら、まったく別物でもあった。フランコが三十年後に思い出して描くポンティトが写真のように正確で、細かなところまで顕微鏡的な精密さで再現されていたことはまさに驚異だった。だが、同時に、その相違は衝撃的だった。ポンティトは絵から想像するよりもずっと小さかった。通りは狭く、家々はちぐはぐで、教会の塔は低くずんぐりしていた。これにはいろいろと理由があるだろう。ひとつは、フランコが子供の目で見たポンティトを描いていることだ。子供にとっては、すべてが高く広く見える。子供の視点が忠実に再現されているのに気づいたわたしは、何らかの脳の仕組みによって、フランコは子供のときに経験したとおりのポンティトを再体験できるというか、そうせずにはいられないのではないかと考えた。彼は痙攣発作によって自分のなかの子供の記憶を取りだしているのではないか。

そうした過去への扉があり、脳のなかに過去が寸分たがわず保存されていることは、ワイルダー・ペンフィールドが側頭葉癲癇の患者から聞かされているし、彼自身もそうらしいと認めている。こうした記憶は、脳の手術中に側頭葉の特定部分を電極で刺激するとよみがえる。患者は意識のうえでは手術室にいることを充分に承知しているが、医師に聞かれると、過去のある時期にいる気もすると答える。それがいつも同じ時、同じ場面なのだ。そのような発作のとき、どんな経験を思い出すかは、患者によってさまざまである。「音楽を聞いている」ときを思い出す患者もいるし、「ダンスホールの入り口を見ている」患者もいれば、「分娩室《ぶんべん》で横たわっている」患者もあり、「雪まみれのひとたちが部屋に入ってくるのを見ている」患者もいる。だがどの患者も発作や刺激によっていつも同じ記憶を思い出すので、ペンフィールドは、それを「経験発作」と呼んだ。彼は、記憶は人生経験の継続的、完璧な記録であり、発作のときにはその断片が当人の意志とはかかわりなくよみがえってくるのだろうと考えた。こんなふうによみがえる記憶はだいたいは特別に意味のあるものではなく、無差別で断片的な、取るに足らぬものだと彼は見ていた。ただ、そうした断片に意味があって、頭のなかで大きな部分を占める重要な記憶であるからこそ、よみがえりやすい場合があることも認めている。では、フランコの場合はそれだったのだろうか。彼は自らの意志とはかかわりなく、自分自身の過去の凍りついた断片、脳の書庫に収められた「写真」を見ずにはいられないのか。

過去の記憶が脳に貯《たくわ》えられているという考え方には多少ニュアンスのちがいがあるし、それほど機械的に解釈されているわけでもないが、精神分析の分野にはつきもので、優れた自伝を書いた作家たちもそう考えてきた。フロイトが好んだ心のイメージは、何層にもわたって過去が埋もれている（だが、いつ古い地層が意識の上にまで上昇してくるかわからない）考古学調査の現場だった。プルーストの人生のイメージは「瞬間の集積」だった。「その後に起こったすべてのことと無関係」で、心のなかの食料庫にしまわれたジャムの壜のような

「密封された」思い出である（記憶について考えた偉人はプルーストだけではない。記憶の不思議さを考えながら、結局、記憶とは「何なのか」わからずじまいになった思想家は、少なくともアウグスティヌスにまでさかのぼる）。

記憶は記録あるいは貯蔵庫であるという考え方はよく知られていて、わかりやすいので、つい鵜呑《うの》みにしてしまい、こうした考え方がどんな問題をはらんでいるかに気づかない。ところがいっぽうでは、「ふつうの」記憶、毎日の記憶が固定されたものにはほど遠いという、まったく反対の経験を誰もがしている。記憶は思い出すたびに、欠けたり、変化したり、修正されたりしている。証人がふたりいれば必ず言うことがちがうし、どんな物語も記憶も同じままではいない。物語はくりかえされるたびに変化していく。一九二〇年代から三〇年代、語り継がれる物語や映画の記憶などを考察したフレデリック・バートレットは、「記憶」というまとまったものはなく、「思い出す」という動的なプロセスがあるだけだと確信した。彼は『想起の心理学』という優れた著作のなかでも、決して記憶という名詞を使わず、思い出すという動詞を使うほど気を使っている。彼はつぎのように書いている。

思い出すということは、生命のない固定された無数の断片的な痕跡を再活性化することではない。それは想像的な再構築、あるいは構築であって、過去の反応や経験の活動的な総体に対する自分の姿勢をもとに、ふつうはイメージや言葉というかたちで現われる際立った細部をつくりあげていくことだ。したがって、どれほど機械的な反復であっても、ほんとうに正確であるはずはないし、たいして重要でもない。

現在、バートレットの結論に対する強力な支持者が現われている。ジェラルド・エーデルマンの神経学研究の成果や、脳とはつねに変化のプロセスにある遍在的な活動システムであって、すべてはつねに改訂され修正されているという見方は、バートレットの結論と一致する。エーデルマンが考える心には、カメラも機械的な働きもない。すべての記憶は関連づけ、一般化し、再分類するプロセスである。こうした見方をすれば、固定された記憶も、現在の色づけのない「純粋な」過去も存在し得ない。バートレットと同じくエーデルマンも、つねに動的なプロセスが働いているのであって、記憶とは再生ではなく再構築であると考えている。

しかし、記憶にはこうした見方が通用しない異例なかたち、あるいは病理的なかたちがあるのではないか。たとえば、ルリアの「記憶術者」にみられる一見したところでは再生可能な不変の記憶、固定し硬直した過去の「人工的記憶」に似たものがあるのではないだろうか。口承文化にみられるきわめて正確で記録的な記憶、何世代も何世代も忠実に伝えられる部族の全歴史、神話、叙事詩はどうか。本や音楽、絵、言葉をまるごと暗記し、何年もたってから文字どおりわずかなちがいもなく再生する、限られた面で特殊な才能を示す知能発達障害者たち「サヴァン症候群」の能力はどうなのだろう。心的外傷《トラウマ》を負って何年も何十年もたってから、どんな細部もそのままに、何度もくりかえしてよみがえる辛い記憶、フロイトが「反復強迫」と言った記憶はどうなのか。時の経過にもびくともしない神経症的な、あるいはヒステリー的な記憶はどうか。これらの記憶では、フランコの場合と同じように、再構築ではなく非常に大きな再生の力が働いているように思われる。ここでは固着、あるいは化石化、石化といった要素が働き、再分類や見直しという通常のプロセスとは切り離されているのではないか。

二種類の概念を考える必要があるのかもしれない。動的で、つねに見直され、新しいかたちで提示される記憶もあるが、同時にもとのかたちで存在し、その後の経験のなかで何度も何度もなぞられ、書き直されてもなおそのままのかたちで存在する記憶もある。この意味では、フランコの記憶がもとのそれに忠実で鮮明であっても、彼の描く作品はつねに再構築されている。寝室の窓から見た風景といった個人的な意味合いの強いものにはとくにそれが当てはまりそうだ。ここでフランコは、同時に見ることはできない（あるいは写真に撮ることはできない）が、さまざまな時点で愛情を込めて眺めた建物を描きこんで、きわめて個人的で美的な総体をつくりあげている。彼が構築した理想的な視点は芸術的な心理のなかにあって、事実を超越している。フランコの写真的、あるいは直観的な表現力がいかにすぐれていても、絵はつねに主観的で、個人的な鋳型《いがた》である。シャハテルは精神分析医として、子供時代の思い出についてつぎのように語っている。

生きた人格の機能としての記憶は、過去の経験や印象を現在の必要性、不安、関心などをもとに組みあげ再構築する能力としてのみ理解できる……非人格的な知覚や非人格的な経験があり得ないように、非人格的な記憶もあり得ない。

キルケゴールは『人生行路の諸段階』のはじめにつぎのように書いている。

記憶は最低条件にすぎない。記憶という手段によって、経験が思い出を経て聖なるものとなる……思い出は理想だからだ……そこには努力と責任がともなうが、無差別的な記憶にはそれがない……したがって、思い出すということは技術である。

フランコのポンティトは細部にいたるまで非常に正確だが、同時に静謐《せいひつ》で牧歌的な印象を与える。そのなかには偉大な静けさ、平和がある。彼が描くポンティトに人影がなく、通りも建物もがらんとして、騒がしいひとの姿が取り除かれているためだけではない。そこにはどこか荒涼《こうりょう》とした、核戦争後の世界のような感じがあるが、同時にもっと深い精神的な静けさが漂っている。ひとは、なにか奇妙だと感じずにはいられない。フランコがここで思い出しているのは、プルーストの場合のような実際の子供時代ではなく、子供時代のヴィジョンの否定と変容であり、子供にとって限りなく大切だった人間（両親やいまも生きているひとたち）をポンティトという場所が代用しているのではないかという思いを抱かされる。彼もそれに気づいていて、気分によっては実際の子供時代、その複雑さ、葛藤、悲しみ、苦痛について語る。だが作品のなかでは、それらは昇華され、楽園の簡素さにまで引きあげられている。ひとは、「たとえ子供のときに辛い経験をしたとしても」幸せな子供時代を信じるものだ、とシャハテルは書いている。「幸せな子供時代という神話は、実際の……経験の失われた記憶にとって代わる」

しかしながら、フランコのヴィジョンを単なる幻想だとか強迫観念だと過小評価することはできない。彼のポンティトの絵には、神経症的な欠損もあるが、想像的な付加、強化もほどこされている。哲学者のエヴァ・ブランは、記憶は「想像力の倉庫」であるという言い方を好み、（エーデルマンと同じく）記憶をはじめから想像的で創造的なものだと考えている。

想像力豊かな記憶は、過ぎ去った時の知覚をただ貯えておくだけではなく、変容させ、距離をおき、生き生きとよみがえらせ、棘《とげ》を抜き……できあがっていた印象のかたちを変え、重苦しい切迫感を大きな展望に広げ……激しい欲望にとらわれた苦しみを和らげて豊かなデザインへと変形させる。

このとき、フランコの個人的なノスタルジーが、個人を超えた文化的な作品になる。彼はポンティトが神の目に特別な存在であると感じ、破壊と崩壊から守らなければならないと感じる。ポンティトは地上から消えてなくなりかけている建物の様式、暮らし方、つまり貴重な文化を体現しているがゆえに特別な存在だ。彼は、その維持保存が自分の使命だと感じている。あらゆる変転や偶然性を超えて、ポンティトの昔の姿をとどめておかなければならない。これこそが彼の絵の中心的なダイナミズムであることは、彼が精神的なストレスや苦痛を感じたときに描く一連の黙示録的な、あるいは「SF的」な絵を見ればよくわかる。こうした絵では、地球はほかの惑星や彗星に脅かされていたり、破壊が目前に迫っていたり、あるいはすでに進んだりしているが、ポンティトは生き延びている。フランコは、周囲がすべて破壊されたのに、奇跡的に残って変容し、陽光のなかで金色と緑に輝いている古い教会や庭を描く（もうひとつの寓意的な絵では、教会に衛星放送受信用のアンテナがある。アンテナは星々のほう、神のほうへ向けられている）。こうした黙示録的な絵には、「無限の空間で永遠に残るポンティト」というようなタイトルがつけられている。

毎朝、早起きするフランコは、その日になすべきことを知っている。彼には仕事、使命がある。思い出すこと、ポンティトの記憶に集中することだ。ヴィジョンが訪れるときは、激しい感情と興奮が押し寄せる。それは、二十五年たったいまでも、初めてのときと変わらない。絵を描くという活動——追想のなかで、たまらなくなつかしい小道や通りをふたたび歩き、それを情感豊かに精密に表現しうる技術——を通して幻をコントロールし、芸術作品にできるということ、それが、彼にアイデンティティと達成感を与えている。

「これらの絵が自分の功績だとは思っていません」とフランコは手紙に書いてきた。「わたしはポンティトのために描いてきた……全世界に、ポンティトがどんなにすばらしく、美しいかを知ってもらいたいのです。そうすれば、ポンティトは死なないですむかもしれません。じつは、もう死にかけているのですが。わたしの絵によって、少なくとも思い出は生きつづけるかもしれないのです」

一九八九年はじめまでに、わたしは数回サンフランシスコのフランコを訪ねた。彼の友達とも話した。オランダにいるふたりの姉妹にも会ったし、ポンティトにまで足を運んだ。これを知ったフランコは興奮し、落ち着かなくなった。このころ、ポンティトに戻りたいという彼の思いは、この二十年あまりでいちばん強くなっていた。それまで、彼の人生は奇妙な安定状態にあった。なかば上の空で現在に生き、食べて、仕事をしながら、彼の心と芸術はつねに過去にしばりつけられていた。そうしていられたのも、ルースのおかげだった。ルースも芸術家で、フランコとポンティトの関係と彼の芸術にもっとも深いところで共感していた。彼女が暮らしのめんどうをできるだけ引き受け、彼が外界と絶縁したところでノスタルジーの芸術にひたり、作品に専念できるよう、保護してくれたのだ。ところが一九八七年、悲しいことに彼女は体調を崩し、辛い闘病生活ののち、エクスプロラトリウムでフランコが作品を展示する三カ月前に癌で世を去った。彼にとっては最初の大きな展覧会だったし、妻の死のショックも重なって、もういままでどおりにはやっていけないと感じた。なにか新しいこと、新しい決意が必要だった。一カ月ほどのちに彼から届いた手紙には、この気持ちがよく表われている。

まもなく引っ越すかもしれません。いちおう、サンフランシスコにはいるつもりですが、あるいはイタリアに帰国することになるかとも思います……妻の死後、非常に困ったことになってしまいました。どうすべきか、よくわかりません……家を売って、サンフランシスコでべつの住まいと仕事を探さなければなりませんが、いずれポンティトに戻るかもしれません。そうなればポンティトの思い出も終わりでしょう。でも、人生が終わるわけじゃない！　新しい思い出をつくるんです。

彼がポンティトへの帰郷で、思い出と自らのアイデンティティ、つまり彼の不思議な追憶と芸術が終わると考えていることに、わたしは驚いた。これまで帰郷の機会があっても、すべてやり過ごしてきたのはなぜか、これで納得がいく。おとぎ話や神話は、現実にぶつかっても生きながらえることができるだろうか。

一九八九年三月、わたしはフィレンツェで開かれた会議で、フランコと彼の芸術について話をした。フランコのもとに招待状が舞いこみはじめた。インタビューしたい、スライドを送ってほしい、展覧会を開きたいという。ポンティトに戻らないかという誘いもあった。ポンティトにいちばん近い都市ペシアが一九九〇年九月に彼の個展を開催した。注目されて、彼の長年の葛藤はさらに大きくなった。興奮と喜びと不安にいてもたってもいられなくなった。その夏、ついに彼は帰郷を決意した。

彼はペシアから歩いていくつもりだった。ポンティトへの曲がりくねった山道を、手作りの木の十字架を背負って歩いていき、ポンティトの古い教会におさめよう。この聖なる道程はひとりで、たったひとりで果たされるだろう。彼はポンティトのすぐ外にある古い、美しい水が湧きでている泉で足を止め、ほとばしる水に顔をつける。水を飲んだあと、そこに伏して死んでしまうかもしれない。あるいは、浄《きよ》められて生き返り、ふたたびポンティトに足を踏み入れる。だれもはるか彼方からやってきた初老の旅人に気づかない。ただ、老いた犬、子供のころの彼を知っていたが、もうろくに身動きもできないほど老いた（そう、犬もフランコと同じ年齢を重ねたはずだから）犬だけが彼に気づき、弱々しく彼をなめる。それから、ようやく待ち人を迎えた犬は尾を振り、死ぬ。フランコからこの空想を聞いたときには不思議な気がした。この幻想には新約聖書ばかりでなく、彼が読んだことも聞いたこともないはずのソフォクレスやホメロスに通じるものがあった。

結局、彼の帰郷は空想とは似ても似つかぬものとなった。

飛行機に乗る前の晩、取り乱した彼から電話がかかってきた。彼のなかで、無数の思いや希望や不安が渦巻いていた。帰るべきか、それともやめるべきか？　彼の気持ちはぐらぐらと揺れ動いていた。彼の芸術は幻想とノスタルジー、現在に汚されていない思い出をもとにしているのに、ポンティトに戻ったらそれを失ってしまうのではないかと恐れていた。わたしは精神分析医のように注意深く耳を傾けたが、意見は述べなかった。「決めるのはあなたですよ」と最後にわたしは言った。翌日の夜の便で彼は出発した。

彼ははじめ、法王にお目通りを願って、ポンティトまで歩いて運ぶ十字架を祝福してもらいたいと考えていた。だが、法王はアフリカに出かけていて留守だった。それに、ポンティトへの道は、ゴルゴタへの道《ヴィア・ドロローサ》とはならなかった。ペシアの市長その他のお偉方がポンティトで待っていますと言われて、彼は車に乗せられて猛スピードで現地入りした。

式典が終わると、フランコはひとりで子供時代に暮らした家に向かった。第一印象は、「あんまり小さいので、身をかがめて窓からのぞきこまなければならなかった。外見は変わっていた。でもわたしにとっては、なにも変わっていない」ということだった。歩きまわってみても、ポンティトは妙に静かで人気《ひとけ》がなく、「誰もかれも出ていってしまい、村はわたしひとりのもの」になったのかと思われた。彼はしばらく、村を独り占めにした気分を味わっていたが、やがて悲しみに襲われた。「にわとりの鳴き声やロバの足音が恋しかった。夢と同じだ。みんないってしまった。昔はいろいろな物音がしていた。子供の、女たちの、ロバの足音が響いていた。だが、みんないなくなってしまった」あいさつする者もなければ、彼と気づく者もなかった。散歩をしているあいだ、通りには人っ子ひとりいなかった。窓のカーテンも、干してある洗濯物もなく、空っぽの崩れかけた家からは暮らしの物音は聞こえてこなかった。半分野生化した猫がこそこそと路地に消えるのだけが見えた。ポンティトは死んでしまったという思いが強くなった。彼はゴーストタウンに戻ってきた放浪者だった。

彼は家並みを抜けて、昔は豊かな畑や果樹園だったところに出た。だがどこを見ても土地は乾いてひび割れていた。ほったらかされた荒れ地には雑草や宿り木が茂っていた。ポンティトばかりでなく、すべての文明が死に絶えたかのようだった。彼は、自分の黙示録的なヴィジョンを思い出した。「いつか、汚染と荒廃が進むだろう。核戦争が起こるだろう。だから、永遠のなかで守るために、それを宇宙に置こう」

そのとき、日が昇ってきた。美しさに彼は息をのんだ。「信じられないほどの美しさだった」山の中腹に階段状に開かれたポンティト全体が緑と金色に輝き、てっぺんにある教会の塔が朝日を受けてきらめいた。彼の教会は昔のままだった。「わたしは塔に上った。石に触れてみた。何千年もたっているような感じだった。銅色、緑、あらゆる色があった」石をさすっていると、ようやくポンティトが現実感をもちはじめた。彼の絵のなかで石はいつも重要な役割を果たしており、じつに精密に描かれている。ありとあらゆる陰翳《いんえい》、色、凹凸や割れ目が愛情を込めて写しとられている。フランコが描く石には非凡な感触と生気がある。その石に触れて、彼はやっと「帰郷」したという気になり、初めて喜びがこみあげてきた。少なくとも石は変わっていなかった。教会も、建物も、通りも変わっていなかった。それらの感触だけは、いまもたしかにあった。そのころになると、たいていは縁続きである村人たちが家から出てきて、興奮のおももちで彼にあいさつし、質問を浴びせた。みんなが彼を誇りに思っていた。「あんたの絵を見たよ。噂も聞いた。とうとう、戻ってきたのかい？」彼は帰ってきた放蕩《ほうとう》息子のような気がした。このときが、帰郷のハイライトだったと彼は言う。

「子供のころ、考えたものだった。いつか、大きくなる。母《マードレ》のためになにか立派なことをして、ひとかどの人物になるんだ。ポンティトのひとたちを見返してやる、と。父が死んだあと、靴が破れても、換えることができなかった。恥ずかしかった。うちは蔑《さげす》まれていた」

子供のころの夢は実現した。フランコはなにかをなしとげ、ひとかどの人物になった。アメリカやイタリアのひとだけではなく、故郷のポンティトのひとたちが、彼を愛し、尊敬していた。ひとびとへの、「故郷のひとたち」への優しい思いがあふれた。彼らはフランコのように過去を思い出すことができない。彼らの記憶力はフランコのような力をもたず、現在によって損なわれ、過去を消してしまっていた。話をすれば、すぐにそれがわかった。彼はひとびとの書庫、思い出だった。「わたしはあのひとたちに、思い出をもって帰ってきた」のちに彼は市長にこう語った。「村にギャラリー、小さな美術館をたてようと思います。なにかをお返ししたいのです」

表面上、ポンティトへの帰郷は思ったほど感動的なものではなかった。神秘的な啓示もなかったし、恍惚感もなかった。だが、心の奥でなかば期待していたように、泉の毒水を飲んでばったり倒れもしなかったし、心臓麻痺も起こさなかった。帰郷の衝撃にほんとうに気づいたのは、故郷を立ち去ってからだった。

サンフランシスコに戻った彼は、危機に陥った。まず、激しい混乱が生じた。彼にはふたつのポンティトが見えていた。頭のなかに二本の「ニュース映画」がいっぺんに映しだされ、古いほうが新しいほうに消されかけているようだったという。この知覚の混乱を彼はどうすることもできなかった。ポンティトを描こうとしても、どうしていいかわからなかった。

「わたしは混乱してしまった。一度にふたつの絵が見える」と彼は言った。「昔のポンティトを描こうとしても、いまのポンティトが『見えて』しまう。気が狂うかと思った。どうすればいいのだろう。もう二度とポンティトを描くことはできないのかもしれない。怖かった。ああ、神さま、また一から始めなければならないのでしょうか……もとに戻るまで十日かかった」

新しいポンティトの生々しい幻が消えるまで、古いポンティトと競合しなくなるまで、十日かかった。ただ、知覚の混乱がおさまるまでが十日で、感情のほうの混乱については、あまりに激しくて、考えることすらできなかった。このころ、絶望的になった彼は「戻らなければよかった。過去の幻影を見ていれば、うまく描けたのに。もう、絵が描けなくなった」と言った。ふたたびポンティトを描きはじめたのは、それから一カ月たってからだった。新しい絵やデッサンは、縦横十数センチの小さなもので、不思議な優しさとなつかしさに満ちていた。街角、少年がこもりそうな隅、彼が子供のころに座りこんで夢見ていた隅などが描かれていた。こうした小さな絵にはひとの姿はなかったが、とても人間くさく、住人はちょっと席を外しただけか、じきに戻ってくるにちがいないという感じがした。以前の理想化された、だが荒涼とした光景とはまったくちがっていた。

フランコは帰郷を振り返って、とても楽しくて疲れる旅だったが、深いところではなにかがまちがっていたと感じた。三週間の滞在中、自分ひとりになる時間がなかった。ポンティトではぞろぞろとひとがついてきたし、毎日インタビューを受けていて、スケッチしたり考えたりする時間がまるでなかった。もっと深いものと向きあうため、ポンティトでひとりの時間を過ごすためにもう一度戻りたい、と彼は考えるようになった。

一九九一年三月、イタリアで二度目の個展が、今度はフィレンツェのメディチ・リッカルディ宮殿で開かれることになり、わたしもフランコに同行して現地入りした。彼は壮麗な宮殿の部屋に掲《かか》げられた自分の絵を見て、当惑していた。「まるで侵入者みたいな気がする」と彼は言った。「わたしの絵はここには似合わない」彼も彼の絵も、根はトスカーナの田舎の丘陵地帯にある。国際的で壮麗なフィレンツェでは落ち着かなかった。

翌日曜日の夜明け近く、フランコとわたしはポンティトへ向かって車で出発した。はじめて一緒にポンティトを見るのだ。フィレンツェの中心部にあるドゥオーモ（サンタ・マリア・デル・フィオーレ教会）と洗礼堂を過ぎ、孤児養育院インノチェンティの前を通って、奇跡的に昔の姿をとどめている人気《ひとけ》のない由緒ある都市を出た。隣に座ったフランコは深い物思いにふけっていた。

車はピストイアへの道からモンテカティーニに向かった。道の両側の山腹には古い町が点在している。「どんな芸術家の心の奥にも、建築物のパターン、タイプといったものがある」とＧ・Ｋ・チェスタトンが書いている。「それは彼がつくりあげたい、あるいは歩き回りたいと思う夢の風景のようなものだ。不思議な花や生き物のいる彼だけの秘密の星だ」アメリカの詩人オーデンの夢の風景は石灰岩と鉛鉱だった。フランコにとっては、昔と変わらない古くてうねうねと曲がりくねったトスカーナの風景である。

運転者は雪に注意という掲示を見て、ポンティトには雪が降るのか、雪のポンティトの絵を描いたことがあるかとフランコに尋ねた。降る、と彼は答えた。一度、雪景色を描きかけたこともあるが、彼の絵のほとんどは「プリマヴェーラ」、春のポンティトだということだった。

山のふもと、ポンティトの下にあるペシアが近くなると、フランコには見覚えのあるひとや場所が現われはじめた。彼が四十年前に絵の具を買った店、地下のバーなどだ。時の進まないこの町はほとんど変化していなかった。郵便配達員も一九四〇年代と同じ人物だった。フランコは郵便配達員と道路の真ん中で抱きあった。だれもが歓迎してくれた。どこを見てもふたたび帰郷した放蕩息子を迎える笑顔に出会った。わたしたちは、最初の帰郷のときにフランコが名誉市民の称号を受けた市役所に行った。預言者は故郷の町で栄誉を受けたのだ。地元で有名になったことを彼は喜んだ。彼はこの土地の人間であって、フィレンツェの人間ではなかった。

ペシアからの道路は狭く、険しかった。ピエトラブオナを過ぎて最初の角を曲がったとき、危うく溝に落ちかけ、あとはセカンドギアでじりじりとのぼっていった。ピエトラブオナはその名のとおり美しい石を産出するところで、教会やこの地方で最古の建物がいちばん高い丘にへばりつくように立っている。道は柔らかな日差しを受けて、ふしくれだったオリーブの木々とブドウ畑が広がる、階段状に切り開かれた丘陵を通っている。このあたりはエトルリア時代にさかのぼる古い土地だ。カステルヴェッキオ、スティアッパ、サン・キリコといったたくさんの小さな村々を通り過ぎ、さらに道を曲がったとき、ポンティトが見えてきた。「ああ、ほら、あれを見て！」フランコは低い声《ソット・ヴォーチェ》で叫んだ。「そうだ！　うちが見えるぞ。いや、見えない……あの茂みがいけないんだ、一面に宿り木がはびこっている。昔はサクランボやナシ、果物の樹があった。それに栗、穀物、トウモロコシ、レンズマメ」彼はひょろひょろした若者だったころ、村から村へと歩いていったものだと言った。ポンティトに近づくにつれ、フランコの目はうるんできた。彼はじっと見つめながら、すべてを自分に刻みつけるかのようにつぶやきつづけた。「これが橋、ここの川で洗濯をした。道の先、ここを女たちが籠《かご》を頭に載せて歩いていた」

　車をとめさせて飛び降りたフランコは、さらにあらゆるものを眺め、細かいところまで思い出をたどった。地理的な記憶のほか、文化的な記憶もよみがえってきた。彼は村人たちが岩を重石にして麻を小川に一年浸け、引きあげて乾かしてからシーツやタオル、それに栗を入れる麻袋を織っていたと話してくれた。いまはフランコ以外にはほとんど覚えている者もない地場産業であり、伝統だった。道をふさいでいる雑草に腹をたてたフランコは、ふいに、ひとかかえもある草をむしりとった。新しい建物があると不機嫌になって、昔はどんなだったかを細かく話して聞かせる。「そこには大きな岩があって、ここには水が流れていた」すみからすみまで、石のひとつひとつが彼の記憶に刻まれているのは疑いようもなかった。

「コメスタ？」険しい砂利道を上りながら、フランコが緑色のコートを着たずんぐりした中年男にあいさつした（「彼の親父さんにはキャンディをもらった」）。フランコの記憶は吟遊《ぎんゆう》詩人のそれだったが、些事《さじ》と重要なこと、個人的なことと神話的なことがごっちゃに混じりあっていた。彼は母の生家の前で立ち止まった。

「サバトーニ！」

「フランコ！」老人が現われた（「わたしの伯父です」）。「おまえはアメリカに行ったんだろう。戻ってきたのかね？　フィレンツェで展覧会があると聞いたが、それでかね」老人は栗を干す話をしたが、細かいところは忘れていた。だが、フランコは忘れていなかった。老人は、隣の四軒には昔はおおぜいが住んでいたのに、いまは空き家だと言った。「わしが死んだら、ここも空き家だよ」

　わたしたちは、フランコの姉のカテリーナを訪れた。カテリーナは引退した夫とポンティトで暮らしていたが、姉が記憶よりも老いてみえるとフランコは気落ちした。カテリーナはチーズにパン、オリーブ、ワイン、庭で穫《と》れたトマトというすばらしいトスカーナ風の昼食をごちそうしてくれた。それからフランコに案内されて教会へ行った。村を見下ろす丘の上の美しい場所だった。墓地で、フランコはこれが母、これが父、これが親戚の誰それと墓を指さし、「村にいるひとよりも、ここにいるひとのほうが多い」とそっと言った。フランコはポンティトに三週間ほど滞在して、静かにスケッチをする予定だった。彼は「またここに根を下ろそうと思っています」と言った。だが、立ち去る前にわたしが最後に見たのは、ひとりで墓地に立って寂《さび》れた村を眺めているフランコの姿だった。

三週間のポンティト滞在で、フランコはふたたび活力を得たようだった。少なくとも、帰国してから彼は絶え間なく創作を続けている。ガレージ兼用のアトリエはまた活気を取り戻した。いたるところに古い絵と新しい絵——新しい絵は三月のスケッチをもとにしたもので、古いものは一九八七年に手をつけたがルースの死で未完成だった絵——があり、新たな決意とエネルギーを得たいま、爆発的なスピードでできあがっていった。

フランコがまた仕事を始め、新たな思い出と創作エネルギーを得たことを考えると、彼の不思議な仕事についてさまざまな疑問が湧きおこる。彼にとってポンティトはなにを意味しているのか、ということだ。彼の「新しい」絵はじつは新しくはない。あちこちに新しいもの(塀、門、それにたぶん新しい木など)が付け加えられてはいるが、本質的にはもとのままである。この夏にフランコを訪ねたとき、ガレージの垂木《たるき》からスニーカーが下がっていて、ていねいな字で書かれたイタリア語の札がついていた。「この靴で、わたしは二十四年ぶりに、かつての約束の地を踏んだ」約束の地は、足を踏み入れたためにいくらか輝きと夢を失った。「帰らなければよかったと思うこともあります」と彼は靴を眺めながら言った。「幻想、思い出、それがいちばん美しい」それから彼は「芸術とは、夢を見るようなものです」としみじみとつぶやいた。

いまのポンティトを見たために、彼は非常に動揺したが、なんとか立ち直った。だが、現在のポンティトが彼のヴィジョンにとっては脅威であるという感覚がいっそう強くなり、これからは少しずつ現実のポンティトと対決していかなければならないと考えるようになった。

その後も何度も招待を受けたが、ポンティトの街路で個展が開かれたときでさえ、彼は戻ろうとしなかった。いまでは、おおぜいの芸術家がポンティトに押し寄せているが、彼らにとってはただ美しいトスカーナの村のひとつでしかない。そうした騒ぎをよそに、ガレージのアトリエに戻ったフランコは、二十五年前に始めたプロジェクトを再開した。このプロジェクトには終わりがなく、結論が出ることも、完成することもあり得ない。彼はいま、見方によっては狂ったように絵を描き、ひとつの作品が完成するかしないかのうちに、つぎの作品にとりかかっている。また、彼はべつの方法も模索している。しなやかな長い指を駆使して厚紙を使ったポンティトの模型をつくり、絵をビデオに撮って（音楽をつけ）町を歩いているる気分になるようにつくりあげている。さらにコンピュータを使ってポンティトのシミュレーションができないか、見るだけではなく、ヘルメットとグローヴをつけて触ってみるヴァーチャル・リアリティが構築できないかとまで考えている。

最初に会ったとき、フランコは「記憶の詩人」プルーストになぞらえて、「記憶の画家」と言われていた。はじめはわたしも、ふたりは似ていると考えた。どちらも芸術家で、世界に背を向けてひきこもり、失われた子供時代をふたたび取り戻そうとしている。だが、フランコのプロジェクトがプルーストのそれとはまるでちがうものであることが年を経るにつれ、はっきりしてきている。プルーストも、失われた過去、忘れられた過去に取り憑かれて、過去への扉が開かれるものならそれを再発見しようとした。一部は「自分でも意のままにならない記憶」の恵みを受けて、一部は厖大な知的作業のおかげで目的を達成したとき、彼の作品は完成し、結論に達した（心理的にも芸術的にも完成をみた）。

だが、フランコにはそういうことはあり得ない。彼は内部に向かってポンティトの「意味」を探求するかわりに、その外部的な側面、建物、通り、石、地形などを際限なく列挙しはじめたのである。まるで、それによって人間のいない虚しさを補えるとでもいうように。そのことになかばは気づいているとしても、彼にははっきりわかっていないし、わかったところで選択の余地はない。彼には内省している時間も趣味も、その力もないし、そんなことをすれば彼の芸術には致命的だとさえ感じているかもしれない。

フランコはまだ二十年、三十年かけてもしきれない仕事があると思っている。一九七〇年代以来描いてきた何千枚もの絵は、彼が描きたい現実のほんの一部を伝えているにすぎないからだ。彼はあらゆる視点から細部を描くか、シミュレーションを作成しなければ気がすまない。遠くからみた村、ピストイアから車で近づいていくときの村、教会の苔むした石まで描きつくしたいのだ。彼は村を見下ろす場所に美術館をたて、彼のポンティトの厖大な記録、つまりこれまで描いてきた、そしてこれから描く何千枚もの絵をおさめたいと思っている。そうすれば彼の生涯の仕事の集大成となり、母への約束の成就になるだろう。「もういちど母さんに、ポンティトをつくってあげる」という約束の。

神童たち

一九八七年六月、わたしのもとにイギリスの出版社から大きな包みが届いた。なかには大量のデッサンが入っていた。わたしにとってはじつに嬉しいデッサンだった。わたしが育ったロンドンの有名な建物が描かれていたからである。たとえばセント・ポール大寺院、セント・パンクラス駅、アルバート・ホール、自然史博物館、それにキュー王立植物園のパゴダといった、見ようによってはちょっと奇妙な、だがなつかしい場所の絵があった。絵は非常に正確だがすこしも機械的ではなく、それどころか奔放《ほんぽう》なエネルギーと風変わりな生命力に満ちていた。

包みのなかには出版社からの手紙が入っていた。絵の作者スティーヴン・ウィルトシャーは自閉症で、幼いころからサヴァン症候群の特徴を示していた。二十六枚組のデッサン集、『ロンドン・アルファベット』は十歳のときの作品で、めまいのするような視点から描かれたエレベーター・シャフトは八歳のときのものだという。また一枚は、一六六六年のロンドン大火の炎に包まれるセント・ポール大寺院という想像上の場面を描いたものだった。スティーヴンはサヴァンであるだけでなく神童だった。今度、出版される彼の六十枚の絵は作品のごく一部にすぎず、しかも作者はまだ十三歳だと手紙にはあった。

スティーヴンの絵は多くの点で、わたしの患者だったホセを思い出させた。「自閉症の芸術家」として紹介したことがあるホセは、非常に優れた目と絵画能力をもっていた。ホセとスティーヴンの境遇はまるでちがうが、絵があまりによく似ているので、「自閉症」的知覚および芸術という独特のカテゴリーでもあるのかと思うほどだった。ただ、ホセは優れた能力があったにもかかわらず（スティーヴンほどではなかったかもしれないが、めざましいものであることはたしかだった）、州立精神病院で所在なく過ごしている。スティーヴンはその点、幸運だった。

数週間後、イギリスにいる家族と友人を訪ねたわたしは、北部ロンドンで開業医をしている弟のデヴィッドに、スティーヴンと彼の絵の話をした。「スティーヴン・ウィルトシャーだって！」と弟は驚いて叫んだ。「ぼくの患者だよ――彼が三つのときから知っている」デヴィッドはスティーヴンの素性について話してくれた。彼は一九七四年四月にロンドンで、西インド諸島から来た黒人の出稼ぎ夫婦の二人めの子供として生まれた。二歳上の姉のアネットとちがって、赤ん坊のスティーヴンは発達の目安となるお座り、たっち、手の動き、歩行などの運動能力に遅れが見られ、抱かれるのをいやがった。二歳から三歳のころには、さらに問題が生じた。ほかの子供と遊ばず、そばによってくると悲鳴をあげたり、隅っこに隠れたりするようになった。また、両親とも誰とも視線をあわせようとしなかった。ひとの声に反応しないこともあったが、聴覚は正常だった（彼は雷にひどく怯えた）。なによりも心配なことは、言葉が出ないことだった。彼は事実上、唖者《あしゃ》だった。

三歳の誕生日直前に、父親がバイクの事故で亡くなった。スティーヴンは父親によくなついていたので、父の死後、情緒不安定がいっそう目立つようになった。悲鳴をあげたり、身体を揺らしたり、両手をひらひらさせたりし、わずかにもっていた言葉までなくしてしまった。このころ、小児自閉症という診断がくだされ、発達障害児のための特殊学校に入学することになった。クイーンズミルの校長だったロレーン・コールによれば、四歳で入学したスティーヴンはひどく孤立していたという。彼はほかのひとたちの存在に気づかないようで、周囲にまったく関心を示さなかった。目的もなくぶらぶらと歩きまわり、ときには教室から飛びだした。コールはつぎのように記している。

彼は言葉をまったく理解せず、関心ももっていなかった。他人は、言葉にできない直接的な欲望を満たすための手段という以外、何の意味ももっていない。彼は他人をモノのように扱う。欲求不満にも習慣や環境の変化にも耐えられず、絶望的な怒りの叫び声をあげる。遊ぶということがわからず、ふつうの意味での危険への警戒心もなく、落書きをするほかは、なにかをしようという意志もない。

のちにわたし宛ての手紙に彼女はこう書いてきた。「スティーヴンはおもちゃの自転車に乗っては狂ったようにペダルを踏み、それから大声で笑いながら、あるいは叫びながら飛びおりていました」

だが、このころから、視覚的なこだわりと才能の片鱗がのぞきはじめた。彼は影や形、角度に魅せられているようすだった。また、五歳のころには絵にも魅了された。彼は「とつぜんほかの部屋に走っていって、気に入った絵をじっと見つめた」とコールは書いている。「紙と鉛筆を見つけると、何時間でも夢中になってなにか書いていた」

スティーヴンの「落書き」の大半は車で、ときどき動物やひとが描かれた。彼は教師たちの「ものまねがあきれるほど上手」だったとロレーン・コールは言う。だが、七歳ごろまでにとくにこだわり、関心をもつようになったのは、建物の絵だった。遠足で見たロンドン市内の建物や、テレビや雑誌で見た建物である。とつぜんほかのものはいっさい描かなくなるほど強力で排他的な関心をもったのがなぜなのか、はっきりしない。自閉症のひとびとには、こうした極端なこだわりがよくある。自閉症の芸術家ジェシー・パークは異常な天候と夜空の星座に執着した。日本人の自閉症の芸術家ヤマムラ・ショーイチローは、昆虫ばかりを描いている。画期的な心理学者ミラ・ローテンバーグが紹介した自閉症の少年ジョニーは、しばらく電球や電球でできた建物と人間ばかりを描いた。スティーヴンの場合は幼いころからほとんど建物、それも大きくて込みいった建物にばかり関心をもち、また鳥瞰図のような極端な視点を好んだ。七歳ごろには、もうひとつ関心の対象があった。突然の災害、なかでも地震である。スティーヴンは災害の絵を描いているとき、あるいはテレビや雑誌で災害の写真を見ると、ひどく興奮した。そんな気持ちの昂ぶりはほかのときには見られなかった。地震への強迫観念は（ある種の精神障害者の終末幻想のように）彼自身の内面の不安定さの反映で、絵を描くことでコントロールしているのかもしれなかった。

一九八二年、若い教師のクリス・マリスがクイーンズミルに赴任《ふにん》し、スティーヴンの絵を見て驚嘆した。クリスは九年間、障害児の絵の指導をしてきたが、スティーヴンの絵に匹敵するようなものは見たことがなかった。「部屋の片隅に座りこんで描いている少年には、まったく驚きました」と彼は話してくれた。「スティーヴンは描いて描いて、描きつづけていました。学校では、彼を『絵描きさん』と呼んでいました。その絵がぜんぜん子供らしくないんです。セント・ポール大寺院の絵や、タワー・ブリッジなどロンドンの建物が非常に緻密に描かれていた。ふつうの子供なら棒きれのような絵を描いているころです。じつにみごとな絵で、線も遠近法も優れている。それがわずか七歳なんですから、驚きました」

スティーヴンはクリスが教えていた六人のクラスのひとりだった。「彼はほかの子供の名前はみんな知っていました」とクリスは言う。「でも、一緒に遊んだり、仲良くしたりすることはいっさいありませんでしたね。まったく孤立した坊やでした」だが、天性の才能があるから、ふつうの方法で「教える」必要はないとクリスは考えた。絵を描くことも遠近法も、少年は自然に覚えたか、生まれながらに知っているようだった。そのうえ、視覚的記憶力が非凡で、どんな複雑な建物でも町の風景でも、細部まで数秒のうちに見てとり、何の苦労もなくいつまでも記憶していられるらしかった。しかも、細部を全体と関連づける必要も、一般的に行なわれるように、普遍的なかたちにまとめあげる必要もないらしい。初期の絵のなかでクリスがもっとも驚いたのは、爆発現場や地震の絵だった。四方八方に吹き飛び、いたるところに梁《はり》が散らばって、なにもかもが完全にめちゃくちゃになっている。ところが、この場面をスティーヴンは記憶していて、ふつうモデルを見ながら描くときのようにやすやすと、同じ忠実さで描いてみせた。実物を見て描くのも、記憶をもとに描くのも、彼にとっては同じことのようだった。覚えるためのメモも、スケッチやノートも必要ない。ほんの数秒ちらりと横目で見る、それだけで充分だった。

スティーヴンはまた、視覚以外の分野でも才能を発揮した。言葉を覚える前から、ものまねの名人だった。歌の記憶も抜群で、覚えた歌を正確に歌った。どんな動きでも完璧にまねができた。スティーヴンは八歳で、文脈や内容、意味とは無関係に、非常に複雑な視覚、聴覚、運動、言語のパターンを把握し、記憶し、再現する能力を示したのである。

視覚的、音楽的、言語的な分野のいずれでも、個々の部分を不思議なほどよく覚えているというのは、サヴァン症候群の記憶の特徴である。大小にかかわりなく、些細なことも重大なことも無差別で、前景も背景も区別がない。こうした個々の部分から普遍化するとか、因果関係や時間的関係でまとめるとか、自己のなかに取りこむということもほとんどない。ふつう個々の部分から普遍化するというような記憶は、場面と時間、内容と文脈に動かしがたい関係がある具体的・状況的な記憶で、エピソード記憶と呼ばれる。それが欠けているために、自閉症のサヴァンは驚異的に正確な記憶力をもっていながら、個々の記憶から重要性を抽出して一般的な知覚や記憶を築きあげることがうまくできない。わたしが『妻を帽子とまちがえた男』で紹介したサヴァンの双子は、驚異的な暦の計算能力をもっていて、四歳以後の出来事のすべてを細かく記憶していたが、人生とか時間的変化の全体となるとまったくわかっていなかった。こうした記憶の構造は、正常な記憶の構造とまったくちがっていて、けたはずれの長所と短所がある。『境界からの便り：母が語る自閉症の息子の思い出』の著者、ジェーン・テイラー・マクダネルは、息子についてこう記している。「ポールは、ひとがふつうするように、具体的な経験を一般化して習慣にしたり、継続するということができない。彼の心のなかでは、個々の瞬間はそれだけで独立していて、ほかの瞬間とほとんど関連がない。そのため、時間経過のなかで失われたり抑圧されたりするものも、なにもないらしい」スティーヴンの場合もそうらしいとわたしはよく考えた。彼にとっての人生は、個々に独立した鮮やかな瞬間の集積で、それぞれの瞬間は相互にも彼自身にも関連がなく、深みのある継続性や発展性も欠けているのだろう。

スティーヴンは絶えず描いていたが、できあがった絵には関心がないらしく、絵が屑籠に入っていたり、机のうえにほったらかしになっているのをクリスはよく見たという。描いている最中でさえ、スティーヴンは絵に集中しているようには見えなかった。クリスはこんな話をしてくれた。「あるとき、スティーヴンはアルバート・メモリアルの向かい側に座って、すばらしい絵を描いていました。ところが描きながら、あっちを見たりこっちを見たり、バスだのアルバート・ホールだの、そのへんのものを手あたりしだい眺めているのです」

スティーヴンには「教える」必要がないとは思ったが、クリスは彼が絵を描けるようにできるだけ努力し、モデルを与えたり励ましたりした。これは楽なことではなかった。スティーヴンはあまり感情を表現しなかったからだ。「彼はわたしたちおとなに反応することはしました。『こんにちは、クリス』とか、『こんにちは、ジーン』などと言いもしました。でも、彼の気持ちをつかむこと、彼がなにを考えているのかを知ることは非常にむずかしかった」スティーヴンには、いろいろな感情があることがわからないらしく、子供のひとりが癇癪を起こしたり、叫んだりしていると笑った。スティーヴン自身は学校ではめったになかったが、幼いとき、家でときどき癇癪を起こしたという。

一九八二年から八六年まで、クリスがスティーヴンの生活の中心だった。彼はクラスの子供たちとスティーヴンを連れてロンドン市内に出かけ、セント・ポール大寺院やトラファルガー広場の鳩、タワー・ブリッジの開閉を見せてやった。こうした遠足が刺激になったのか、九歳になったとき、彼はようやく言葉を発しはじめた。スクールバスの窓の外を通り過ぎる建物や場所を全部知っていて、興奮したようすで名前を呼びあげるのだった（六歳のとき、彼は欲しいときに、『紙』と言えばもらえることを覚えた。長いあいだ、彼はなにかを欲しいという気持ちをどうやって表わせばいいのかわからず、身振りも指さしもしなかった。したがって、これは初めての言葉だっただけでなく、どう言葉で他人に働きかけるかを初めて理解したということでもあった。言葉の社会的使用は、ふつうなら二歳児ぐらいの能力である）。

スティーヴンが言葉を覚えはじめたら、驚くべき視覚的能力が消えるのではないかという不安もあった。だが、クリスとロレーン・コールは、言葉のない世界からスティーヴンを引きだして、相互関係と言葉のある世界に導き、人生を豊かにするためにできるだけのことをするべきだと考えた。そこでふたりは、言葉をおもしろいものにして、興味をもたせようと、彼が好きな建物や場所と結びつけてアルファベット順に絵を描かせた（アルバート・ホールの「Ａ」、バッキンガム宮殿の「Ｂ」、市庁舎《カウンティ・ホール》の「Ｃ」という具合で、最後はロンドン動物園《ズー》の「Ｚ」だった）。

クリスは、ほかのひともスティーヴンの絵をすばらしいと思うかどうか知りたいと考えた。一九八六年はじめ、彼は二枚の絵を全国児童画コンクールに出品した。絵は二枚とも展示されて、一枚は賞を獲得した。このころ、クリスはまた、サヴァンの自閉症患者に関する研究で知られていた心理学者のビート・ハームリンとニール・オコーナーに、スティーヴンの能力について専門的な意見を求めた。ふたりはいままで検査したなかでもスティーヴンのように才能のあるサヴァンは初めてで、視覚的認知も記憶をもとにした絵画能力も非常に優れていると言った。いっぽう、一般的な知能テストの成績はよくなく、言語的なＩＱは五二にすぎなかった。

スティーヴンの非凡な才能の噂が広がり、ＢＢＣの番組「愚かなる賢者たち」に彼も出演することになった。撮影中、スティーヴンはとても静かで、カメラや取材陣を見ても少しも動じないどころか、楽しんでいるようすさえうかがえた。彼はセント・パンクラス駅を描いてくれと言われた（非常に「スティーヴン好みの建物」だとロレーン・コールは強調した。「細かく手が込んでいて、信じられないほど複雑だから」）。彼の絵の正確さは、同時に撮った写真との比較で確認された。もちろん、奇妙なちがいもあった。スティーヴンが描いた時計と建物の正面全体は、鏡像のように左右あべこべになっていた。しかし正確さもさることながら、描くスピード、無駄のない線、絵の様式や魅力は驚くべきものだった。それが、見るものの心をとらえた。BBCの番組は一九八七年二月に放映されて、大反響を呼んだ。どこへ行けばスティーヴンの絵が見られるのかという問い合わせの手紙が殺到し、出版社から契約申しこみが舞いこんだ。まもなく、彼の画集が『ドローイングズ』というシンプルな題で出版されることになった。一九八七年六月にわたしが受けとったのは、この画集の校正刷りだったのである。

わずか十三歳のスティーヴンはイギリス全土で有名になったが、自閉症で障害児であることは、以前と少しも変わらなかった。彼はいままでに見たどんな通りでも楽々と描くことができた。だが介助者がいなければ、ひとりで道を渡ることすらできなかった。彼の心の目には全ロンドンが焼きついていたが、町の人間的な面は少しも理解できなかった。彼は誰とも会話らしい会話を交わせなかった。それでもだんだん一種の疑似交際をするようになって、通行人の誰かれかまわず、奇妙な話しぶりで話しかけるようになった。

数カ月オーストラリアに出かけていたクリスが帰ってきたとき、彼の生徒は有名人になっていたが、少しも変わっていないと彼は感じた。「スティーヴンは自分がテレビに出たことも、画集が出版されたことも知っていました。ふつうの子供なら有頂天になるだろうに、彼にはそんなことはありませんでした。彼は影響されなかったんです。あいかわらず、以前のスティーヴンのままでした」スティーヴンは、クリスが留守でも寂しがるようすはなかったが、再会したときは嬉しかったらしく、にっと笑って「こんにちは、クリス！」と言った。

そうした話を聞いても、わたしには納得がいかなかった。スティーヴンは優れた芸術家として紹介されている。元王立美術院長のサー・ヒュー・カッサンは彼を「イギリスでももっとも優れた少年芸術家だろう」と言った。だが、クリスにしてもほかのひとたちにしても、いちばん同情的な見方をするひとたちが、彼の知性とアイデンティティには大きな欠落があると考えている。検査の結果でも、重大な情緒的、知的障害があることははっきりしている。それでも、彼には精神的、個性的な一面、深みと感性があって、それが（ほかには現われなくても）芸術に表現されているのだろうか。芸術とは、本質的に個人的なヴィジョン、個性の表現ではないのか。「自己」がない芸術家というものが存在するのだろうか。スティーヴンの絵を初めて見て以来、こうした疑問が渦巻いていたので、わたしはぜひ彼に会ってみたかった。

機会は一九八八年二月に訪れた。スティーヴンがクリスに連れられて、テレビのドキュメンタリー番組に出演するため、ニューヨークにやってきたのだ。ニューヨークには一両日滞在し、街を見物して絵を描き、それから彼がいちばん楽しみにしているヘリコプターに乗るという。わたしの住むニューヨーク湾の小さな島、シティ・アイランドも見たがるのではないかと思い、うちに招待することにした。クリスとふたりで到着したのは、吹雪のさなかだった。スティーヴンはひかえめでまじめな少年だったが、剽軽《ひょうきん》なところもたしかにあった。小さな頭をかしげているようすは、十三歳という年齢よりは幼く、十歳ぐらいに見えた。しきりにうなずく癖やチック、両手をひらひらさせるところなどから、以前会ったことのある自閉症の子供たちを思い出した。彼は決してまっすぐこちらを見ず、ちらりと横目でわたしを見るだけだった。

ニューヨークをどう思ったかとわたしが尋ねると、強いロンドン訛で「とてもすばらしい」と答えた。ほかにはなにも言わなかったと思う。彼は非常に物静かで、唖者かと思うほどだった。だが、彼の言葉は昔にくらべれば何倍にも増え、興奮したときにはおしゃべりなくらいだとクリスは言った。飛行機のなかでは——飛行機の旅は初めてだった——すっかり興奮して、「機内で乗員やほかの乗客たちと話したり、自分の本を見せてまわった」という。

スティーヴンはいちばん新しいニューヨークの絵を見せたがった。クリスが持ち歩いている紙ばさみに入っている絵を見せてもらったわたしは、（とくにヘリコプターで描いた空中からの眺めが）すばらしいと褒めちぎった。彼は見せながら、そうだろうというように強くうなずき、ときどき「いい」とか「すばらしい」と言った。彼には虚栄《きょえい》も謙遜もなく、ただ絵を見せて、思ったとおりに言葉を添えているだけで、自意識というようなものはまったくないようだった。

　絵を見せてもらったあと、わたしの家を描いてくれないかと頼んでみた。彼はうなずき、わたしたちは外に出た。じめじめと冷えこむ雪の日で、外をうろつくような陽気ではなかった。スティーヴンは、おもしろくもなさそうに建物にちらりと目をやり――関心をもっているようすはほとんどなかった――それから、道とその先の海をさっと見ただけで、もう入ろうと言った。家のなかに入ったあと、彼がペンを持って描きはじめるのを見て、わたしは息をひそめた。するとクリスが「気にしなくていいですよ」と言った。「なんだったら、そばで大声で話していたっていい。邪魔にはなりません。邪魔することなんかできませんよ。たとえ、家が崩れてきたって、彼の集中は妨げられません」スティーヴンは下書きをしたり、輪郭を取ったりはせず、心のなかに確固としたイメージがあってそれを再現しているかのように、紙のはしから（どこから始めても同じなのではないかという感じだった）せっせと描いていった。ポーチの手すりを描いているとき、クリスが「そんな手すりがあったかな、気づかなかった」と言った。

「そう」とスティーヴンは答えたが、その表情は「そう、気づくはずはないよね」と言っているようだった。

　スティーヴンは建物を子細《しさい》に調べもしなければ、スケッチもせず、実物を見ながら描くこともしなかった。ちらりと見ただけですべてを吸収し、本質をとらえ、細部を焼きつけ、全体を記憶してしまって、それから手早い単純な線で描いた。頼めばきっと、通りにあるすべてを描いてくれたにちがいない。

スティーヴンの絵はたしかに正確だったが、自在に変更を加えている部分もあった。家にはない煙突をつけ、前にある三本のモミの木と垣根、それに近所の家々は省略した。彼の絵は、建物だけに焦点が置かれていた。サヴァンはカメラのような目、あるいは直観的な記憶力をもっているとよく言われるが、スティーヴンの絵をコピーしながら、彼が単なるコピーマシンではないことに気づいた。彼の絵はコピーや写真といった機械的で没個性的なものとはまったくちがう。つねになにかが加わり、なにかが省略され、変更されていて、そこにはまちがいなくスティーヴン独自のスタイルがある。それはイメージであり、視覚的、図像《ずぞう》的イメージの形成に必要な複雑な神経活動のプロセスが関与していることを思わせる。スティーヴンの絵は個性的な構築物だ。だが、はたして、もっと深い意味での創作と言えるだろうか。

彼の絵には、わたしの患者だったホセの絵と同じように、実物そっくりで素朴なところがあった。自閉症の芸術家である娘をもつクララ・パークはそれを、感じたとおりではなく「見たとおりに描く異常な才能」と言っている。また、「ずっと後まで覚えていられる異常な才能」がサヴァン症候群の芸術家の特徴であるとも言っているが、スティーヴンもまさにそれだった。彼は建物をちらりと見ただけで、苦もなく何日も何週間も覚えていて、実物を前にしているように描くことができた。

サー・ヒュー・カッサンは『ドローイングズ』のまえがきにつぎのように書いている。

ふつうの子供たちは直接的な観察よりも間接的な象徴《シンボル》やイメージをもとに描くものだが、スティーヴン・ウィルトシャーは見たとおりを、それ以上でも以下でもなく、見たままを描く。

芸術家には間接的な象徴《シンボル》やイメージが豊富にあり、彼らの絵には子供のときに覚えた普遍的な表現ばかりでなく、西欧の芸術の歴史すべてが取り入れられている。だが、じつはそうしたいっさいを忘れて、さらには目の前のものが「何であるか」という初歩的なカテゴリーまで捨てる必要があるのかもしれない。モネはこう述べている。

絵を描きにいくときには、木、家、野原、何であれ、目の前の対象を忘れる努力をする……ただ、そこに小さな青い塊、ここにはピンクの長方形、こっちには黄色の線があると考え、自分自身のナイーヴな感性で目の前の情景がつかめるまで、ただ見えるがままの精密な色と形を描く。

だがカッサンが正しければ、スティーヴンやホセ、それにほかのサヴァンたちは、そうした「解体」をする必要も、構成概念を放棄する必要もないのかもしれない。彼らには（神経的なレベルから文化的なレベルまでの多くのレベルで）そもそもそうした構成概念がないか、ごく少ないからである。その意味で、彼らの状況は「正常な」それとまったく異なる。もちろん、だからといって、彼らが芸術家になり得ないという意味ではない。

わたしはスティーヴンの人生における人間関係についても、考えさせられていた。彼にとって人間関係はどれほどの重要性をもっているのか、自閉症（とそれによる幼児期の大きな損失）の影響下で、人間関係はどの程度まで発達しているのか。クリス・マリスとの関係は、クイーンズミルの最後の五年間でもっとも重要なものだったはずだが、一九八七年七月にクイーンズミルを出て中学に進学することになり、途絶の危機に瀕していた。クリスはしばらくは週末にスティーヴンと会いつづけ、ロンドンに連れだして絵を描かせたり、ニューヨークやパリへの初めての旅行に連れていった。だが一九八九年五月を最後にこうした遠出はなくなり、スティーヴンは絵を描く意欲をなくしたようだった。絵を描きつづけるためには、誰かに「便宜《べんぎ》をはかって」もらう必要がある。ただ、彼がもっと個人的な意味でクリスをなつかしがったり、悲しんだかどうかとなると、はっきりしなかった。のちに、わたしにクリスの話をしたとき、彼は必ず「クリス・マリス」あるいは「ミスター・マリス」と呼び、まったく感情を表わさず、事実だけを淡々と口にした。ふつうの子供なら、何年もあれほど親しかったひとを失えば大きなショックを受けるだろうが、スティーヴンにはそんなようすはなかった。彼は辛さを抑圧したか、あるいはできるだけ苦痛を感じないようにしているのかとも思ったが、自閉症ではあっても彼なりに個人的な感情があるのかどうかすら確信がもてなかった。クリストファー・ギルバーグは、癌で母親をなくした十五歳の自閉症の少年について書いているが、どんな具合かと聞かれて、少年はこう答えたという。「ああ、だいじょうぶです。ぼくは自閉症だから、愛するひとを失っても、ふつうのひとほど傷つかないんですよ」もちろん、スティーヴンは、こんなふうに自分の内面を説明できなかったが、クリスを失ったことも、ギルバーグの患者の少年のように淡々と受けとめていたとしか考えられなかった。そうした無感動が彼の人間関係を特徴づけていたのではないか。

クリスがいなくなった空白に、マーガレット・ヒューソンが登場した。二年前のBBCの放送以来、彼の著作権エージェントをつとめているマーガレットは、個人的にも芸術面でも彼に大きな関心をもっていた。わたしが彼女に初めて会ったのは、一九八八年、スティーヴンがロンドンを描いてまわるのに同行したときだった。マーガレットとスティーヴンは、とても馬が合っているらしかった。その当時もスティーヴンは深い感情や愛着を抱くことはなかったようだが、本能的にひとによってちがう接し方をしており、マーガレットには最初からなついた。たぶん、いつも周囲に旋風を起こしているような彼女の元気あふれるエネルギッシュで陽気なところと、スティーヴンと彼の芸術をはっきりと評価しているのに魅かれたのだろう。マーガレットがじつに顔が広くて、どこにでも行ったことがあるらしかったのも、それまで狭い世界しか知らなかったスティーヴンに地平線が広がるような思いを抱かせたにちがいない。しかもマーガレットは芸術に造詣《ぞうけい》が深く、美術史から絵の細かなテクニックまでよく知っていた。

一九八九年秋、マーガレットはスティーヴンの絵の注文を取りはじめ、毎週末、夫でありエージェント会社のパートナーでもあるアンドリューとともに、絵を描きに彼を連れだすようになった。彼女は、一九八九年に出版された二冊めの画集『都市』の絵の一部で使ったトレーシングペーパーと定規をただちにやめさせ、フリーハンドでじかにインクで描かせた。「いきなりインクを使って失敗しなければ、線の重要さはわからないわ」と彼女は断言した。マーガレットのはちきれんばかりに元気のいい舵《かじ》とりによって、スティーヴンはまた定期的に絵を描くようになり、以前よりも絵が大胆になった（『都市』のなかにも、モデルにとらわれずに自由に描いた非凡な即興的な絵があった。スティーヴンは、実在のいくつかの都市を混ぜあわせて想像上の都市を描いていた）。

午前中、歩きまわって絵を描いたあと、昼食を取りにみんなでヒューソン家に戻るのだが、そんなとき、マーガレットの娘でスティーヴンより少し年上のアニーも加わることが多かった。スティーヴンはこの外出を楽しみにしていて、日曜日になるとわくわくしたようすで、マーガレットとアンドリューが来るのを待った。彼がヒューソン家のひとたちにほんとうに愛情を感じているのかどうかはわからなかったが、夫妻はスティーヴンに心から好意を抱いていた。そして、ときどき遠方まで連れていくようになった。一行はソールズベリーに一度、スコットランドに二度、週末旅行をした。

スティーヴンは水を眺めるのが大好きだった。ロンドンでは運河の近くに住んでいて、よく母や姉と川辺を歩き、船や閘門《こうもん》の上からスケッチをしていた。このことから、マーガレットは新しい画集のテーマを思いついた。運河を中心につくられた「浮かぶ都市」、ヴェネチア、アムステルダム、レニングラードを一緒に旅行し、絵を描かせようというのだった。

　一九八九年の晩秋、マーガレットはとつぜんにミセス・ウィルトシャーに電話をかけ、クリスマス休暇に、家族と一緒にスティーヴンと姉のアネットをヴェネチアに連れていきたいと申し出た。旅行は大成功だった。十五歳になっていたスティーヴンは、数年前だったらパニックを起こしたかもしれない旅行の落ち着かなさにもうまく対応したようだった。彼はマーガレットの期待どおり、サン・マルコ大聖堂やドゥカーレ宮殿などヴェネチア文化の偉大な記念碑を描くのを大いに楽しんだ。だが、ヨーロッパ文化の華である街に一週間滞在したのち、ヴェネチアをどう思うかと聞かれた彼は、ただ「シカゴのほうがいい」とだけ答えた。これは建物のせいではなく、アメリカの自動車のためだった。スティーヴンはアメリカ車の大ファンで、戦後の車なら何でも名前を知っていたし、描くことができた。

　数週間後、つぎのアムステルダム旅行の計画が生まれた。スティーヴンがこの旅行に賛成したのには、とくべつの理由があった。アムステルダムの写真を見た彼はこう言った。「ヴェネチアよりもアムステルダムのほうがいい、車があるから」このときも、西教会や女子修道会、それに通りにあった風変わりな手回しオルガンの彫像を描いた愛らしい小品などのなかに、スティーヴンは街の雰囲気を的確にとらえた。旅行中、彼は非常に生き生きして上機嫌で、新しい側面を見せはじめた。同行したロレーン・コールは、彼の変化を目の当たりにして非常に驚いた。

幼いときのスティーヴンはなにもおもしろがらなかった。ところが、いまではあらゆるものをおもしろがって、まわりまでつりこまれるような笑い声をあげる。また、周囲のひとのものまねをしては、犠牲者の反応を見ておもしろがっている。

アムステルダムで、スティーヴンがテレビ番組でインタビューを受ける予定だったある晩、マーガレットが重い喘息の発作を起こし、ホテルの部屋から出られなくなった。スティーヴンはひどく取りみだしてテレビ出演を断わり、マーガレットのベッドの足下から離れなかった。「あなたが快《よ》くなるまで、ぼくはここにいる」と彼は宣言した。「あなたは死なない」マーガレットもアンドリューも感動した。

「彼が気づかいを示すのを見たのはこれが初めてでした」と彼女は語った。

スティーヴンが、自閉症にもかかわらず、おそまきながら人格的な発達を始めたという可能性はあるだろうか。マーガレットから聞いたアムステルダム旅行の報告に興味をそそられて、わたしは一九九〇年五月に予定されていたモスクワとレニングラードへの旅に同行することにした。まずロンドンに飛んで、スティーヴンとマーガレットに会い、スティーヴンを少し検査した。ウタ・フリスと彼女の同僚が考案した、いろいろな漫画を見せてその反応を調べる検査である。漫画はわかりやすい筋のものもあれば、登場人物の意志や視点、考え、気持ち、そして偽りなどを想像しなければ理解できないものもある。スティーヴンの場合、他人の心の状態を想像する能力がきわめて限られていることは明らかだった（フリスは、ある研究者が「アメリカで《ニューヨーカー》誌の漫画を使って非公式の調査をした」と書いている。「自閉症のひとたちは、非常に能力があり教育水準が高くても、漫画を理解できなかったり、おもしろみがわからなかったりした」）。

わたしがもっていった大きなジグソーパズルを、スティーヴンはたちまち完成させた。つぎに、ふたつめのパズルを今度は裏返しにして、絵が見えないようにしてやらせてみた。これもひとつめと同じようにたちまち完成させた。絵、つまり意味は、彼には必要ないらしかった。彼はたくさんの抽象的なかたちを見てとり、どれとどれが合うかをまたたくまに見抜くという驚異的な能力を示したのである。

このような能力は自閉症のひとたちの特徴で、彼らはブロック・デザインの検査でずばぬけており、とくに隠れたかたちを見抜くのに優れていた。視覚的なサヴァンだったJ・D（両親の話では、この少年は五百ピースのジグソーパズルを二分間で完成させてしまい、その後は五千ピースのパズルを与えなければならなかったという）のテストをした心理学者のリン・ウォーターハウスは、彼があらゆる視覚的認知テストのほとんどすべてに「驚くべき能力」を示すことを発見した。線分の方向のテスト、視覚的形態閉合テスト、ブロック・デザインのテストなどどれも、少年はほぼ完璧に近い成績をあげた。ふつうのひとたちの成績の数倍にあたる数字である。スティーヴンもJ・Dと同じで、抽象的なパターンの認知テストや、視覚分析テストでは抜群の成績だった。だが、これだけでは彼の絵画的能力は説明がつかない。J・Dの場合は視覚的認知力はすばらしかったが、とくに絵が上手なわけではなかったからだ。

すると、スティーヴンは別の種類の能力をもっているのだろうということになる。認知したものを外に現われるかたちにする、それもはっきりと個性的なスタイルをもったかたちで表現するという能力である。この表現力が内面的な共感や反応をともなっているのかどうかは、まったくわからない。

スティーヴンの抽象的な視覚的分析力を考えると、「意味」がどれほどの重要性をもっているのか疑問になる。彼は、描いたものの意味をどれだけ把握しているのだろう。だいたい、彼がそれを把握しているかどうかが重要なことなのだろうか。わたしは、スティーヴンにマティスの描いた肖像画を見せて、同じものを描けるかと尋ねてみた（マーガレットとアンドリューはマティスが大好きで、わたしがスティーヴンに見せたのも、ふたりの家にあった複製だった）。彼は絵を見ながら、自信ありげな筆遣いでまたたくまに描いてみせた。まったく同じではないが、非常にマティスらしい絵だった。つぎに、一時間後、今度は見ないで描いてごらんと言うと、また少しちがった絵を描き、さらに一時間後にまた描いてもらうと、またちがった絵を描いた。全部で五枚描いたのだが、どの絵も細部はちがっていても、驚くほどもとの絵の雰囲気を伝えていた。したがってスティーヴンは、ある意味では絵の「マティスらしさ」を抽出し、それをさまざまな方法で自分なりに置き換えながら描いたことになる。彼は純粋にかたちだけからマティスの「スタイル」を認知したのだろうか。それとも、もっと深いレベルでマティスのヴィジョン、彼の芸術や感性に反応したのだろうか。

わたしはスティーヴンに、二年以上前に来たわたしの家を覚えていたら、もう一度描いてくれないかと頼んでみた。彼はうなずいて描いてくれたが、絵はじっさいの家とさまざまな点でちがっていた。一階の窓はふたつなのだが、それがひとつになり、ポーチの柱がなくなって、玄関の階段が大きく目立つように描かれていた。彼は想像上の煙突をまた描き、さらに旗竿とアメリカ国旗を付け足した。たぶん、「アメリカの家」の様式には欠かせないものだと感じたのだろう。マティスの絵もわたしの家も、彼なりに考えて、さまざまな変化をつけて表現されていたのである。どちらの場合も、彼は一瞬で様式を見てとり、その後はその様式の範囲内で即興的に描いた。

さまざまな検査をしたあとも、わたしにはまだしこりが残った。スティーヴンには大きな欠陥があるものの、同時に優れた才能に恵まれているらしい。だが、彼の欠陥と才能とはまったく分離しているものなのか、あるいはより深いレベルで分かちがたく結びついたものなのか。自閉症特有の逐語性と具体性といった彼の特質は、あるときには才能であり、別のときには欠陥なのか。それに、検査をしたことで、わたし自身が妙に落ち着かない気分になった。スティーヴンをひとりの人間として見るのではなく、欠陥と才能の組み合わせとして矮小化するのに何日も費やしたような気がしたからだ。わたしはウタ・フリスの『自閉症の謎を解き明かす』を読み直し、彼女に手紙を書いた。「明日、スティーヴンとロシアへ行きま

スティーヴンが最初に描いたわたしの家。1988年2月に初めて来たとき、ちらっと見たあとに描かれた。2枚めは2年以上たってから、3枚めはさらに1年後に記憶をもとに描かれた。時間がたつにつれ、彼は細部を変更しているが、どの絵も家の「スタイル」をつかんでいる。

す……これまで彼の不思議な技能と欠陥を見てきました。だが、まだ彼の人間としての心が見えてこないのです。一週間一緒に過ごせばわかるかと考えています」

そんな希望を抱いて、わたしはスティーヴンとロシアへ出発した。ガトウィック空港で搭乗を待つあいだ、彼の集中力に驚かされた。《クラシック・カー》という雑誌に夢中になった彼は、写真をじっと眺めていて、二十分以上、一度も顔をあげなかった。ときおり、さらに目を近づけて細部を見つめる。いま見ているものは永遠に彼の大脳皮質に焼き付けられるのだろうとわたしは思った。何度か、彼はふいに笑い声をあげた。この抽象的な作業のなにがあんなにおもしろかったのだろう。

機内では、バルモラル城の絵葉書を見たあと、せっせと城の絵を描いていた。周囲の会話にも眼下のすばらしい景色や海にもまったく無頓着だった。

モスクワの空港で、スティーヴンはひどく静かに自動車を見つめていた。「ＭＫ」で始まるナンバープレートをつけた黄色いタクシーや黒塗りの高級車だ。空港には排気ガスの悪臭が漂っていた。スティーヴンは鼻にしわを寄せてくんくんと嗅いだ。匂いにはとても敏感なのだ。午前二時、市内に向かう道の片側には背の高いシラカバの並木がぼうっと銀色に光り、大きな月が低く輝いていた。それまでは周囲に無関心だったスティーヴンも、この月光に照らされた広大な景色を、バスの冷たい窓ガラスに鼻を押しつけて眺めていた。

翌朝、わたしたちは赤の広場を散歩した。スティーヴンは好奇心満々で動きまわり、物珍しげに写真を撮ったり、建物を眺めたりした。道行くひとが振り返って、彼を見ていた。モスクワでは黒人は珍しいのだ。スパスカヤ塔を描くことにしたスティーヴンは描く場所を決め、マーガレットに指示して正確にその位置にストゥールを据えさせた。そこでも、そこでもない、ここでなければいけない、と。さまざまな面で受け身な彼が、このときばかりは王様だった。赤の広場の真ん中で、毛皮の帽子にネイヴィブルーの毛糸の手袋をはめた彼の姿はひどく小さく見えた。明るい五月の太陽のもと、あたりをおおぜいの観光客が歩きまわっている。絵を描いているスティーヴンの手元をのぞきこむひとも多かった。だが彼はまったく無視して、あるいは気づきもせず、無心に描いていた。彼の癖で中指と薬指に子供っぽく不器用にはさんだペンを動かしながら、ときおり鼻歌を歌っている。一度など、ふいにけらけら笑い出した。あとでわかったのだが、これは映画『レインマン』のコミカルな一場面が彼の頭に浮かびつづけていたからだった。「おまえ、運転する気か！」とスティーヴンは言った（ダスティン・ホフマン演じる自閉症の男に向かって車に同乗した弟があわてて発した台詞）。マーガレットはそばに座って、「そうそう！ うまいわ！」と励ましたり、美術的な助言をしたり、建築について細かいことを教えてやったりした。たとえば、彼女の言葉でスティーヴンは塔の銃眼つき胸壁に注目した。マーガレットはある意味では制作協力者だった。スティーヴンの才能はひとに左右されない天性の個性的なものだが、彼がいつも彼女の褒め言葉や評価を期待しているのが伝わってきた。

それからわたしたちは歴史博物館を見物した。イギリス人建築家の設計による赤レンガの折衷的な建物だ。マーガレットはスティーヴンに、「この建物をようく見ておいてね。よく勉強して、この建物の表現形式を覚えてちょうだい。あとで、思い出して描いてもらうから」と言った。だが、あとでスティーヴンが描いた建物は歴史博物館とはちがっていて、もとの建物にはないネギ坊主型の丸屋根が半ダースほどついていた。

最初、これは記憶ちがいなのかと思い、聖ワシーリー寺院を思い出して描いてくれないかと聞いてみた。彼はうなずき、二分ほどで描いたが、その魅力的なスケッチはきわめて正確だった。そのあと、彼はグムの巨大なショッピングアーケードを描きはじめ、ホテルに戻ってからコークを飲みながら完成させた。彼は自分には読めないキリル文字で書かれた看板のひとつひとつまで覚えていた。彼には記憶ちがいということはないのだ。

マーガレットとわたしは、歴史博物館の件はどういうことなのかと首をひねった。建物を覚えておいてね、と言われたとき、スティーヴンはよそに気を取られていて（赤の広場に警官がいたので神経質になっていた）、建物をどう思うかと聞かれても、「いいんじゃない」としか答えなかった。これは、気に入らなかったことを意味している。それで、ネギ坊主型の丸屋根をつけて、もっと魅力的にしようと考えたのかもしれない。だが、下の部分とそぐわないので、どう考えてもあり得ない奇妙な建物ができてしまった。

翌朝、朝食のためホテルのダイニングで待ち合わせたとき、スティーヴンが「こんにちは、オリヴァー」と叫んだ声は、とても親しげで温かかった。あるいは、わたしにはそう感じられた。あれは、ただの機械的なあいさつだったのだろうか。偉大な神経学者クルト・ゴールドシュタインは、自閉症の少年についてつぎのように書いている。

彼は何人かのひとを好きになった……しかしながら、彼の感情的反応と人間的な愛着は底が浅く、表面的だった。数カ月ぶりに会っても、実のこもらない愛想のよさで迎えられ、あっさりと別れのあいさつをされる。人間的接触は具体的な存在が目の前にあるあいだだけしか続かないというように……その存在にも、感情的な内容はない。

インツーリストの店で、わたしは琥珀《こはく》を買った。スティーヴンは、つまらなさそうにちらりと見ただけだった。視覚的な魅力を感じなかったのだ。わたしが琥珀をこすって静電気を起こし、小さな紙切れに近づけてみせると、紙は数センチ離れたところからひらりと吸い寄せられた。スティーヴンは驚いて目を丸くし、琥珀をわたしの手から取って、自分でやってみた。だが、彼の関心はそこまでだった。彼はどうなっているのかとも、なにがあったのかとも聞かず、わたしが説明しても興味がなさそうだった。最初、驚いたスティーヴンを見て、わたしは興奮した。驚いた彼を見たのはこれが初めてだったからだ。だが、その驚きはじきに消えてしまった。驚きが長続きしないのはあまり幸先のよいことではないように、わたしには思えた。

夕食のとき、スティーヴンは得意そうにテーブルのみんなの漫画を描いたが、そのなかにわたしを扇子であおいでいる彼自身の姿があった（わたしは暑さに弱いので、いつも日本の扇子を持ち歩いている。わたしが扇子を使うのを、彼はよく見ていた）。わたしは、扇子の風を受けて小さく縮こまり、彼自身は大きくて偉そうで、威張っている。わたしが初めて見せられた象徴的な絵だった。

旅行して、スティーヴンと起居をともにしてみると――もう五日がたっていた――彼の心理的な過敏さ、体調や気分の変動がびりびりと伝わってきた。活発で周囲に関心をもっているときは、巧みにこっけいなものまねをしてみせたり、漫画を描いたりした。ところが、自閉が強くなって閉じこもり、たとえ反応しても機械的だったり、反響言語、つまり言われたことをくりかえすだけになることもある。ふつう数時間、稀に数日続くこうした変動は、典型的な自閉症児によく見られるが、理由はわかっていない。スティーヴンが幼かったときは、もっと変動が激しかったということだった。

翌日、わたしたちは列車で一日かけてレニングラードへ向かった。マーガレットは大きな籠に、同じコンパートメントの乗客に分けてもまだあまるほどたくさんの食べ物を詰めてきた。早朝の列車に乗るためにホテルを五時に発ったので、列車が動きはじめたところで朝食をとることになった。マーガレットが籠を開けると、スティーヴンは半ば発作的に顔を近づけて、出てくるものをひとつひとつ嗅いだ。脳炎後遺症の患者やトゥレット症候群の患者にこんな嗅覚行動をとる者があったことを、わたしは思い出した。そして、スティーヴンの匂いの世界は、視覚的世界と同じくらいに鮮烈なのだろうと気づいた。だが、そうした世界を伝える言葉や手段はない。

スティーヴンは堅ゆで卵を不審そうに眺めていた。ゆで卵を割ったことがないなんて、考えられるだろうか。わたしはふざけて、ゆで卵を頭にぶつけて割ってみせた。スティーヴンは大喜びで笑いだした。頭でゆで卵を割るなんて、見たことがなかったのだ。彼はわたしがまた頭で割るかどうか見たいというように、もうひとつ卵をよこした。それから納得したらしく、今度は自分の頭で割った。この卵割りには彼の自発性を感じさせるものがあった。わたしがふざけて愚かなまねをするのを見たスティーヴンは、それ以前よりもうちとけてくれるようになったと思う。

朝食後、スティーヴンとわたしはゲームをした。彼は決まったアルファベットから始まる言葉を言う「わたしには見える《アィ・スパィ》」というゲームが上手で、「わたしの小さな目に、Cで始まるものが見える」と言うと、たちまち「コート、キャット、カフェ、コーヒー、クール、カップ、シガレット」とすらすら並べたてた。また、単語の欠けた文字を埋めるのも得意だった。だが、十六歳になったこのときですら、ちがう容器に液体を入れ替えて高さが変わっても中の量は一定であるということが、何度教えられても理解できなかった。ピアジェが実験しているように、ふつうの子供なら七歳で理解できる概念である。

列車は、何百年も変わらない木造家屋やペンキ塗りの教会がある小さな村々を通り過ぎていく。まるでトルストイの世界を眺めているようだった。窓外を熱心に眺めているスティーヴンを見て、わたしは彼がいま組み立てて脳裏に焼き付けているにちがいない何千ものイメージのことを考えた。そのイメージを彼は生き生きした絵やスケッチで伝えることができる。

しかし、一般的な印象として彼の心に統合されるものは、なにひとつないのだろう。視覚的な世界はすべて、何の意味もなく、解釈もされず、彼のなかに取り入れられもせず、ただ川のようにスティーヴンを通り過ぎていくだけなのではないか。彼は見たものすべてを覚えているが、ばらばらな外部的な事象として残っているだけで、そこからなにかが築かれるとか、関連づけられる、見直される、あるいは影響したりされたりするということはないようだ。彼の知覚、記憶はなかば機械的で、広大な貯蔵庫か図書館、書庫のようなものであり、索引もなければ分類もされず、連想による区分もないが、しかしコンピュータの記憶装置のようにひとつひとつを即座に取り出せる。わたしは、彼自身も列車のようなもの、あるいは知覚力をもったミサイルのようなものではないかと考えていた。眺め、記録しながら人生を通過していくが、いっさいうちに取りこむことなく、流れて行く過去を伝達するだけの媒体のようなものだ。彼自身は経験によって変化することも、なにかを得ることもない。

レニングラードに近づいたころ、スティーヴンは絵を描く気になった。「鉛筆、マーガレット、ダァリン！」彼はそう言った。そのダァリンという言い方がわたしにはおもしろかった。彼はいわばマーガレット信者なのだ。だが、それが形式的なものか、それとももっと意識的なパロディなのかはわからなかった。列車は揺れがひどく、わたしにはメモを取るのが精一杯だったが、スティーヴンはまったく平気で、いつものスピード、いつもの巧みさで描いた。これには、飛行機のなかでも驚かされた（彼は不器用そうだが、ある種の運動能力は抜群だった。自閉症のひとたちによくあるように、何の練習も必要ない。アムステルダムでは、初めてなのに、ハウスボートにかかった狭い渡り板をためらいもなく渡ったという。その話を聞いて、わたしは以前会った自閉症児を思い出した。その子はサーカスで綱渡りを見たあと、恐れることなくいきなり巧みに綱渡りをしたのである)。

十一時間ののんびりした列車の旅のあと――ロシアの田舎がゆっくりと目の前を通り過ぎて――ようやく、革命前の帝政時代の豪華さをしのばせる壮大な色あせたレニングラード駅に着いた。十八世紀の低い美しい建物が並び、ヨーロッパのコスモポリタン文化の精神をたたえる街が北方の白夜に輝いているのが、ホテルの窓から一望のもとに見渡せた。スティーヴンは昼の光のもとで街を見たがり、翌朝はいちばんに描くと決めた。彼が描きはじめたとき、わたしは部屋にいなかったが、あとでマーガレットが、彼の興味深い過ちの話をしてくれた。ネヴァ川に有名な古い巡洋船オーロラ号がつながれていたのだが、スティーヴンは向こう側の建物に比べて不釣り合いな大きさで船を描いてしまった。それに気づくと、彼は「もう一度やり直そう。これはよくない。うまくいかない」とつぶやき、紙を破り捨てて、もう一度描きはじめた。

船と建物をアンバランスに描いてしまった話を聞いて、わたしは彼の作品にはもっと小さな狂いがあるのを思い出した。実際にはあり得ない複数の視点から見た光景が一枚の絵に描きこまれていることがあるのだ。

その日、アレクサンドル・ネフスキー修道院を見に出かけたわたしたちは、はからずもロシア正教会の結婚式にゆきあった。合唱団はうらぶれて雑然とした集まりで、団長は輝くような青い目をした盲人の女性だった。だが、彼らの声は信じられないほどすばらしく、とくにバスの低音域《バッソ・プロフォンド》を歌っていたのは、マーガレットもわたしも収容所からの脱走者ではないかと思ったほどの人物だったが、聞いていて辛くなるほどだった。マーガレットは、スティーヴンは彼らの声に心を動かされていないと考えたが、わたしは逆になにかを強く感じたのではないかと思った。ときに彼がなにを感じているのかをおしはかるのがどんなにむずかしいか、この一件でもよくわかる。

　レニングラード滞在のクライマックスは、エルミタージュ美術館の見学だったが、スティーヴンはそこの信じがたいほどの収集品を前に、子供っぽい反応を示した。首をかしげた女性を描いたピカソの作品を見ながら、マーガレットが「ほら、これはブロックでできあがっているでしょう」と言った。これに対して、スティーヴンは「このひと、どこか痛いの？」と聞いただけだった。

　マーガレットはスティーヴンに、マティスの「ダンス」をよく見ておくようにと言った。彼はたいして興味なさそうに、三十秒ほど見つめていただけだった。しかしロンドンに戻ってから、マーガレットが思い出して描いてごらんと言うと、ためらいもなく、みごとに描いてみせた。奇妙な融合が起こっているのがわかったのは、あとになってからだった（気づいたのは、スティーヴンの絵について書こうとしていたミスター・ウィリアムソンである）。スティーヴンが描いた踊り子のかたちはエルミタージュにあったマティスの絵と同じだったが、そのかたちに、ニューヨークの近代美術館にあるもうひとつの「ダンス」の色を塗っていた。スティーヴンの姉のアネットが何年か前に近代美術館のほうの「ダンス」のポスターを与えていて、彼は「ロシア」の絵に「アメリカ」の色をつけたのだ。これを記憶の欠落か混乱と見るひともいるだろうが、わたしはスティーヴンが歴史博物館にネギ坊主型の丸屋根をつけたのと同じ(わたしのうちに煙突をつけたり、べつの絵ではロックフェラー・センターのプロメテウス像にペニスをつけたのと同じ)遊び心で、エルミタージュの絵に近代美術館の色をつけたのではないかと思う。

一日の見物と絵で疲れたわたしたちは、エルミタージュからホテルに戻り、お茶にした。スティーヴンに気晴らしをさせる必要があると感じたマーガレットが、「今度はあなたが先生よ……そして、オリヴァー、あなたが生徒をしてちょうだい」と言った。

スティーヴンの目が輝いた。「二ひく一はいくつ?」彼が言った。

「一」わたしはすぐに答えた。

「よくできました! それじゃ、二十ひく十は?」

わたしは少し考えるふりをした。「十」

「そうそう、よくできましたよ! それじゃ、六十ひく十は?」

わたしは顔をしかめて一心に考えてみせた。「四十かな?」

「いや」とスティーヴン。「ちがいます。さあ、よく考えてごらん!」

わたしは指を折って数えた。「わかった——五十」

「そのとおり」スティーヴンはにっこり笑った。「そう、とてもよくできました。じゃ、今度は四十ひく二十」

これはむずかしいぞ。わたしは一分たっぷりと考えた。「十かな？」

「いや」スティーヴンは言った。「よく考えなくてはいけません！　でも、よくがんばっていますよ」彼は親切に力づけてくれた。

このエピソードは、知的障害児の算数教室に驚くほどそっくりだった。スティーヴンの声や身振りは、善意だが恩着せがましい教師の完璧な模倣で、とくに（わたしはお尻がむずむずした）ロンドンで検査をしたときのわたしに瓜ふたつだった。彼は忘れていなかったのだ。これはわたしにとっても、誰にとっても、彼を甘くみてはならないという教訓になった。スティーヴンは彼が扇子でわたしをあおいでいる漫画を描いたときと同様、役割の交代にご満悦だった。

ロシア行きはある意味ではわくわくする楽しい旅だったが、べつの意味では残念ながら失望し、幻滅した。わたしはスティーヴンの自閉症の奥、その下に潜む人間性、心が見たかったのだが、この面ではごくわずかしか近づけなかった。たぶん感傷的にも、彼から何らかの深みのある感情が得られることを期待していたのだろう。初めて「こんにちは、オリヴァー！」と言われたときには、胸が高鳴ったが、そのあとにはなにも続かなかった。わたしは、スティーヴンに好かれたかった。少なくとも、多少は特別な意味のある人間として認められたかった。だが、彼の態度にはなにかがあった。冷たいというのではないが、まわりに無頓着で、礼儀正しく機嫌がよくてもそれは機械的なもので、誰も特別な目では見ていないという感じがする。わたしは気持ちの交流を感じたかったが、かわりに、反応しない自閉症の子供をもった両親にいくぶんか似通った気持ちを味わった。たぶん、ある種の才能と問題はあるにしても比較的正常な人間をどこかで期待していたのだろう。だが、わたしがぶつかったのは、まったく異なった心のあり方、存在の仕方、わたしたちの規範では測りようがない独特の行動様式だった。

それでも、たとえば卵を割ったとき、先生と生徒ごっこをしたときといったように、彼とのあいだになにかが流れているのを感じることがあった。そこでわたしは、何らかの関係ができるのではないかと期待し、一年に何度か、ロンドンに行くたびにスティーヴンを訪ねた。一、二度は一緒に散歩をしたこともある。彼がなにかのひょうしに「ほんとうの」自分を見せるかもしれないと、まだ希望をもっていた。彼は会うと必ず「こんにちは、オリヴァー！」と明るくあいさつするのだが、あいかわらず礼儀正しく、まじめで、他人行儀だった。

だが、わたしたちには一緒に興奮できることがひとつあった。自動車を見ることだ。スティーヴンはとくに一九五〇年代から六〇年代の大型のコンヴァーティブルが好きだった。わたしのほうは、若いころのスポーツカーのブリストル、フレイザー・ナッシュ、旧型のジャガー、アストン・マーティンなどをひいきにしていた。わたしたちふたりがいれば、街を走っている車のほとんどは見分けられる。スティーヴンは、車種を見分けるゲームでわたしを仲間、同類と見てくれるようになったと思う。だが、そこまで親しくなるのがせいぜいだった。

『浮かぶ都市』は一九九一年二月に出版され、イギリスではたちまちベストセラーになった。スティーヴンはそれを聞いて、「すごくよかったね！」と言った。興奮するでもなければ、理解しているようすもない、ただそれだけだった。このころ、彼は新しい専門学校に進学して料理を習い、ひとりで公共輸送機関を使って移動し、ひとりだちをする術を少しずつ身につけていた。だが、日曜日が絵を描く大切な日であることは変わらず、彼の作品は依頼されたものも自発的なものも含めて、週末のたびにどんどん増えていった。

一九九一年十月、サンフランシスコでスティーヴンと再会したわたしは、この前会ってからの彼の変貌ぶりに驚かされた。十七歳の彼は背が伸びてハンサムになり、声変わりしていた。サンフランシスコにやってきて興奮した彼は、俳句のように簡潔な言葉で、テレビで見た一九八九年の地震の場面のことばかり話していた。「橋が落ちた。車がつぶれた。ガスが爆発した。消火栓から水があふれた。地割れがした。人間が吹きとんでいた」

一日め、わたしたちはパシフィック・ハイツのいちばん高いところに上った。スティーヴンは、さっそくこの丘のてっぺんまでくねくねと上ってくるブロデリック・ストリートを描きはじめた。描きながら、あたりをぼんやり見回しもしたが、たいていはウォークマンに聞き入っていた。その前に、どうしてブロデリック・ストリートは頂上までまっすぐじゃなくて、蛇行して上っているのだろうと聞いてみた。彼には、丘の斜面が急なためだとわからなかった。マーガレットが「坂が急だから」と言うと、彼は反響言語のようにその言葉をくりかえしただけだった。あいかわらず、発達が遅れているか認知障害があるようだった。

歩いていくと、いきなり目の前が開けて美しい湾が広がった。船が点々と見えて、中央にアルカトラズ島が宝石のように浮かんでいる。だが、一瞬わたしにはそれが「見え」なかった。景色がまったく見えず、ただ、いろいろな色の込み入ったパターンだけ、きわめて抽象的で未分化の知覚の塊だけが感じられた。スティーヴンの目にもこんなふうに映っているのだろうか。

サンフランシスコでスティーヴンが気に入ったのは、トランスアメリカ・ピラミッドの建物だった。どうして、と聞くと、彼は「かたち」と答えて、ちょっと心もとなげに「三角、二等辺三角形だ……ぼくは好きだ！」と言った。稚拙な言葉づかいが多いスティーヴンが「二等辺三角形」と言ったことに、わたしは驚いていた。もっとも、自閉症のひとたちは、人間関係や社会的な概念に比べ、幾何学的概念や用語の把握に優れているのがふつうで、ときにはごく幼くても知っている。

スティーヴンには、自閉症という概念がほとんどわかっていなかった。このことは、ポーク・ストリートでの思いがけない出来事で暴露された。万に一つの偶然だろうが、わたしたちの前を走っていた車のナンバープレートに「ａｕｔｉｓｍ（自閉症）」と綴られていたのだ。わたしはそれを指さして、「あれ、何て書いてあるかな？」と聞いた。彼は苦労して一文字一文字を「A・U・T・I・S・M・2」と発音した。

「そうだね、それでなんと読むのだろう」

「ウ……ウ……ウティズム」彼はどもった。

「うん、だいたいあってる。でもウティズムじゃなくて、オウティズムだな。オウティズムって何のことだろう」

「あのナンバープレートに書いてある」彼はそう返事し、わたしはそれ以上追究できなかった。

　彼は、自分が他人とちがうこと、特殊であることを明らかに知っている。『レインマン』が大好きで、ダスティン・ホフマンが演じて世界的に有名になった自閉症の主人公に自分をなぞらえているらしいと思われるほどだった。映画のサウンドトラックのテープももっていて、ウォークマンでくりかえし聞いていた。また、台詞の多くを暗記していて、どの役も完璧なイントネーションで真似することができた（映画に心を奪われカセットテープをしじゅう聞いていても、絵を描く妨げにはならなかった。彼はよそに気をとられていても、すばらしい絵を描けるのだ。ただ、会話やひととの接触はますますおろそかになった）。

『レインマン』に夢中になるにつれ、スティーヴンはラスヴェガスにも行きたがった。ラスヴェガスに行ったら、いつものように建物を見るのではなく、レインマンのようにカジノで過ごしたいと言う。そこで、一晩ラスヴェガスで過ごし、それから一九九一年型のリンカーン・コンティネンタルでアリゾナの砂漠を横断することにした。「彼は一九七二年型のシヴォレー・インパラのほうが好きなのよ」とマーガレットが言ったが、気の毒なことに、その車は借りられなかった。

わたしたちはグランド・キャニオン近くの駐車場に入った。そこから、峡谷の一部が見えたが、スティーヴンの関心はたちまち駐車場のほかの車に引きつけられた。わたしが峡谷をどう思うかと尋ねると、「すごく、すごくいい、すごくいい景色だ」と言った。

「なにを思い出す？」

「建物、建築のようだ」とスティーヴンは答えた。

わたしたちは、スティーヴンに峡谷のノース・リムを描かせるのにいい場所を見つけた。彼は描きはじめたが、建物を描くときほど自信ありげな鮮やかな筆運びではなかった。だが、岩の基本的な構造はつかんでいるようだった。「あなたは天才よ、スティーヴン」マーガレットが言った。

スティーヴンはにこにこしてうなずいた。「うん、うん」

スティーヴンが空中から眺めるのが好きなのを知っていたので、わたしたちは、ヘリコプターでグランド・キャニオンの上を飛ぶことにした。スティーヴンは興奮し、あらゆる方向に首をつきだして眺めていた。ヘリはノース・リムをかすめて低く峡谷の上を飛んでからどんどん上昇してゆき、全景が目のまえにひらけた。パイロットは峡谷の地質や歴史についてひっきりなしにしゃべっていたが、スティーヴンは聞き流していた。たぶん、彼はかたちだけを、線や境界、影、陰翳、色、遠近などだけを見つめていたのだろう。隣に座って彼の視線を追っていたわたしは、彼の目を通して景色を見たらどうなるか想像してみた。眼下の岩の層に関する知識をすべて忘れ、純粋に視覚だけを働かせてみたらどうなるか。スティーヴンには科学的な知識も興味もないし、地質学の概念もたぶんまったくないだろう。しかし知覚力、この場合、彼の視覚的共感能力によって、峡谷の地質学的特徴を正確に、しかもカメラとちがって選択的にとらえ、あとになって作品に表現できる。彼はマティスの本質をとらえたように、峡谷の本質、雰囲気をとらえるのだ。

わたしたちはふたたび砂漠へ向かい、フラッグスタッフへと上っていった。キタハシラサボテンの数がだんだん減ってゆき、最後に一本ぽつんと生えていたのは、標高八〇〇メートルのところだった。十九世紀後半に銀と金が発見され、いまはさびれたブラッドショー・レンジが左手にそびえていた。やがてオプンチアというサボテンにおおわれ、ときどき家畜がうろついている平原に入った。このあたりの平原では馬や驢馬《ろば》、それにときおりプロングホーンという羚羊《れいよう》がまだ見られる。サンフランシスコ・ピークスが巨大な船のように地平線に浮かんでいた。

「車を置くには、とてもいい景色だ」とスティーヴンが言った（彼は前に、モニュメント・ヴァレーを背景に、大きな緑色のビュイックを描いている）。わたしはおもしろがると同時に、あきれた。地球上でもっともすばらしい景色を前にして、スティーヴンは車の背景にいいとしか考えないのか！

わたしがいたずら書きをしているあいだに、スティーヴンはサボテンを描いた。彼はヴェネチアのゴンドラやニューヨークの摩天楼のように、サボテンを西部の印《エンブレム》だと感じていた。道路を兎のような動物が横ぎった。とっさにわたしは「コイプー！」と叫んでいた。スティーヴンはこの言葉の響きがおもしろかったらしく、嬉しそうに何度もくりかえした。

アリゾナ旅行で、スティーヴンが砂漠や峡谷、サボテン、自然の景色も、建物や都市と同じように彼独特の不思議な方法で把握できることがわかった。いちばん驚かされたのは、ナヴァホの画家が絵を描くのに絶好の場所を教えようと、スティーヴンを連れてキャニオン・デ・チェリーに下りていき、ナヴァホ・インディアンの神話や歴史を語った午後だったかもしれない。スティーヴンはナヴァホの話をろくに聞いていないようだった。ナヴァホの画家がほとんどその場を動かず神妙に絵を描いているあいだ、いつもの気楽な調子であたりを見まわしたり、ぶつぶつ言ったり、鼻歌を歌ったりしながら描いていた。ふたりが描く態度はこうもちがっていたが、にもかかわらず、スティーヴンの絵のほうがすばらしく、（ナヴァホの画家にさえ）その場所の神秘的で神聖な雰囲気が巧みに表わされていると思われた。スティーヴン自身は神秘的なものを感じていなかったようだが、それでも、彼のあやまりない目と手は、わたしたちが「聖地」と呼ぶものをかたちに表現していた。

スティーヴンが神聖さを感じとって、それを絵に投影させたのか、それとも彼の絵を見るわたしたちが自己の感情をそこに投影していたのか。スティーヴンがなにを感じているのかについては、レニングラードの修道院で聞いた結婚式の音楽の場合のように、わたしとマーガレットの考えはよく対立した。キャニオン・デ・チェリーでは、わたしたちの役割は入れ替わっていた。マーガレットはスティーヴンが聖地のきよらかさにうたれたのだと感じたが、わたしのほうは懐疑的だった。スティーヴンを知っている者はみな、彼がほんとうはなにを考え、なにを感じているのかという根深い疑問を、しじゅう意識させられた。

スティーヴンの場合には、「感情」とか「感情的反応」というものが、まったくちがっているのではないかと思うことがときどきあった。ふつうより鈍いというのではないが、きわめて局在的で、ものに縛られ、場面に縛られ、出来事に縛られていて、普遍的ななにかが生まれるとか広がりをもつということがなく、彼の人格を形成することもないのではないか。ときおり彼が場所や人間、ある場面の雰囲気を、感性というよりも共振か模倣といったものを通して即座につかむのを感じた。したがって、彼の絵には世界の美しさがこだまし、表現され、写しだされているのだが、彼自身には「美意識」はないのかもしれない。キャニオン・デ・チェリーの、あるいは修道院の「神聖さ」に自動的に反応しながら、彼のなかには「宗教的な」感情はいっさいなかったのかもしれない。

フェニックスのホテルに帰ったあと、隣のスティーヴンの部屋から管楽器の音が響いてきた。ドアをノックして入ると、スティーヴンがひとりで、両手をラッパのように口にあてていた。「それは何なの？」わたしは尋ねた。

「クラリネット」それから彼はチューバ、サキソフォン、トランペット、鼻笛の音をたてたが、どれも不思議なほどよく似ていた。

部屋に戻ったわたしは、じつにさまざまなレベルでのスティーヴンの再現力について考え、それが彼の人生をいかに支配しているかを思った。子供のころ言葉を話しはじめたとき、ひとが言った最後の言葉のひとつふたつをくりかえすという反響言語の現象が見られたという。いまでも、とくに疲れたり、気持ちが落ちこむとそうなる。反響言語は感情も意志もいかなる「ニュアンス」もともなわない純粋に自動的なもので、熟睡しているときでも起こる。前日、スティーヴンがくりかえした「コイプー」はもう少し複雑だった。彼はその言葉の響き、わたしのびっくりした言い方が気に入ったのだ。だが、あれもまた彼なりの模倣、ヴァリエーションだったのだろうか。さらに、もっと高レベルでは『レインマン』のまねがある。彼は登場人物のおのおの、互いのやりとり、会話、声の調子まで再現してみせる。このものまねを楽しみ、刺激を受けているようだが、ときには逆に彼自身が取り憑かれているように見えることもある。

こうした「憑依」はさまざまなレベルで起こるようで、脳炎後遺症症候群やトゥレット症候群の患者にも見られる。そのような場合、模倣は機械的で、低レベルでの物理的反射が（通常の）精神や人格を圧倒しているにすぎない。自閉症の模倣の機械的な側面にも、こうした力が働いているのだろう。だが、同時にもっと高次のレベルで、一種のアイデンティティの飢餓感のようなものがあり、他の人格を借りたり取りこむ必要があるのかもしれない。ミラ・ローテンバーグは、自閉症のひとびとはある意味でざるのようなものだと言う。つねに他人のアイデンティティをすくいあげているが、それを維持し、同化させることができない。だが、彼女は三十五年の経験から、自閉症のひとたちにも真の自己があるのだが、触れあうことができないと感じるとも指摘している。

　フェニックスでの最後の朝、わたしは七時半に起きて、ホテルの部屋のバルコニーから日の出を眺めていた。「こんにちは、オリヴァー！」という明るい声がしたので見ると、隣のバルコニーにスティーヴンがいた。

「すてきな日だ」彼はそう言って、微笑み返しているわたしを黄色いカメラで撮った。それがとても親しげで温かな感じだったので、アリゾナでの最後の日にふさわしい出来事として心に焼きついた。ホテルから出たとき、彼はサボテンに呼びかけた。「さよなら、キタハシラサボテン！　さよなら、タマサボテン！　さよなら、オプンチア！　また会おうね！」

　スティーヴンの芸術のパラドックスがますます気になったが、この旅行では結論は出なかった。マーガレットは作品を見るといつも嬉しそうに彼を抱きしめて言う。「スティーヴン！　あなたはすばらしいわ！　みんながどんなに喜ぶか、わからないでしょうね！」スティーヴンは得意そうに、間の抜けた微笑を浮かべる。だが、マーガレットの言うとおりなのだ。彼は絵を通じてひとびとに大きな喜びを与える。だが、それが自分の能力を発揮する喜び以外の何らかの感情と結びついているのかどうかはわからない。

　アリゾナ旅行の途中で〈デイリー・クイーン〉に立ち寄ったとき、スティーヴンは店に来ていたふたり連れの女の子に惹かれてすっかり夢中になり、トイレに行くのも忘れてしまったことがあった。ある意味では彼も、自閉症やサヴァン症候群など関係のないふつうの少年だった。少しすると、彼は女の子たちに近づいた。第一印象は悪くないのだ。だが、話し方があまりに的はずれで子供っぽかったので、女の子たちは顔を見合わせてくすくす笑うばかりで、相手にしてくれなかった。

少しばかり遅れていたかもしれないが、肉体的、精神的な思春期が急激に訪れたようだった。スティーヴンはとつぜん自分の容姿や服装をひどく気にしはじめ、ロックと女の子に強い関心をもちだした。小さいときは鏡など見たこともなかったとマーガレットは言うが、しじゅう鏡を見ては、身だしなみを整えるようになった。服装の好みもとてもうるさかった。

「ウエスタン・スタイルのジーンズが好きだ。ライト・ブルーのウォッシュ・ジーンズ、それにシャツ……黒いウエスタン・ブーツ」

「オリヴァーの靴をどう思う？」マーガレットがいたずらっぽく尋ねた。

「つまらない」ちらりと目をやっただけで、彼は言い捨てた。

だが、スティーヴンには社交はまだまだ無理だった。表面的にはひとと会えるのだが、どう話をするのかわからず、友達もないし、家族やヒューソン家のひとたちのほかは、ほんとうにつきあう相手もいなかった。仲良しの姉のアネットには愛情を感じていたかもしれない。また、一家の男として、母親の保護者のつもりでもいた。それに、マーガレットが彼の保護者であることも感じていただろう。だが、たいていは絵に閉じこもり、ますます夢想にふけるようになった。

このころのスティーヴンにとって実感のある世界は、大好きなテレビ番組『ビバリーヒルズ高校白書』だった。去年、彼にこの番組のことを聞いてみた。「ジェニー・ガースが好きだ」と彼は言った。「彼女はロサンゼルスで最高にかっこいい女の子だよ。赤い口紅をつけてる……二十一歳なんだ。イリノイから来た。一九九一年に始まったんだと思う。ぼくはジェニー・ガースに恋してしまった。『ビバリーヒルズ高校白書』に出てる。ケリー・テイラーって役なんだ。いつもジーンズに、ウエスタン・スタイルのシャツやボディスーツを着てるよ」スティーヴンが恋したのはジェニー・ガースだけでなく、キャスト全員で、出演者たちは彼の念の入った幻想にますます組みこまれていった。「写真を集めている」と彼は言った。「ぼくの絵を何枚か、あのひとたちに送ったよ」彼は出演者たちのために、パーク・アヴェニューのペントハウスを設計したがっていた。みんなで一緒に住む家で、そこに彼も「住みこみ芸術家」として同居する。訪ねてきていいひと、いけないひとも彼が決める。夕方になると、仕事から帰ってきたみんなと一緒に食事に出かけたり、ペントハウスの庭でパーティをしたりする。彼はそれをみんなな絵に描いていた。

彼はまた、セクシーな女の子の絵の幻想も抱いていた。これは旅行中のある日、ホテルの部屋に入ったマーガレットが偶然にベッドのそばにあった絵を見つけてわかったことだった。彼は、何日もかけて描いたすばらしい作品でも、自分の絵にはほとんど無関心だった。紛失したり、汚れたりしても、気にかけなかった。だが、セクシーな絵だけはちがっていた。それは自分のものだと感じたらしく、部屋にしまっておいて、誰にも見せようとはしなかった。それは頼まれて描くほかの絵とはぜんぜんべつで、彼の内面生活と夢と欲求の、感情的、人間的アイデンティティの表現だった。建物の絵はどれほどみごとに描けていても、モデルに似せて再現するという以上のものではなかった。

女の子たちに対するスティーヴンの関心は、ある意味ではしごく正常で若々しかったが、同時にきわめて子供っぽくナイーブで、彼の人間的、社会的知識の欠落を強く反映していた。深みのある交際やセクシャルな関係を楽しむことはおろか、デイトをする姿も想像しにくかった。彼はそのことを感じているのか、そしてときには悲しい思いをしているのだろうか、とわたしは思った。

一九九三年七月、興奮しきったマーガレットから電話があった。「スティーヴンの音楽の才能が爆発したの」彼女は宣言した。「すごい才能よ！　ぜひ来て、自分の目でごらんになって」この電話にわたしはびっくりした。こんなに興奮している彼女は初めてだった。

スティーヴンの音楽的才能は、絵画的才能と同様、明らかに子供時代までさかのぼる。ろくに言葉を話せなかったころからスティーヴンは天性の役者でものまねの名人だった、とロレーン・コールは書いている。「レストランの怒った客のまねがあんまりうまくて、生き生きしていて、おかしかったので、ビデオを再生するまで、彼がただどなり声をまねているだけで、意味のある言葉をまったく使っていないのに気づかなかったほどです」短期間の日本訪問のあとは、とくにすごかった。日本語の音に魅せられた彼は、アンドリューがヒースロー空港に彼とマーガレットを迎えに行ったとき、「日本的」な身振りとともに、完璧なインチキ日本語をしゃべってみせ、運転していたアンドリューが笑いころげて、危うく車をぶつけるところだった。

スティーヴンには楽器の音色やひとの声、アクセント、抑揚、メロディ、リズム、アリア、歌などを、必要なら言葉や歌詞をつけてまねするすばらしい能力があり、しかも厖大で正確な音の記憶をもっていることは、何年も前からみんなが知っていた。それに彼は音楽がとても好きだった。音楽に肉体的な喜びを感じていたようだ。たぶん、絵を描く喜びよりも大きかったのではないか。

だが、マーガレットはそんなことはとっくに知っていたのだから、彼女が言っているのは、もっとべつの予想外な才能が発揮されたということにちがいない。決定的だったのは、スティーヴンにぴったりの音楽教師が見つかったことで（「先生はすばらしいんだ、ダーリン」）、ふたりの気持ちはすぐに通いあったと彼女は言った。わたしは彼の音楽のレッスンの日にあわせてロンドンに出かけ、音楽教師でピアニストでもあり、非常に優れた耳の持ち主で即興演奏や分析、音楽理論に優れているわたしの姪リズ・チェースとレッスンを見学した。

リズとわたしがスティーヴンの音楽教師イーヴィ・プレストンと数分話しているところへ、十二時の時計の音とともに、スティーヴンが元気よく入ってきた。「こんにちは、イーヴィ、お元気ですか、ぼくは元気です」彼はそう言ってから、「こんにちは、オリヴァー・サック性に備わっているようだった。「わたしは一度も教えたことがありません」とイーヴィは言った。

スティーヴンはそれだけでは物足りないようだった。「七度もやりましょう」とイーヴィが言うと、彼はうなずいて、チョコレートをあげましょうと言われたように嬉しそうだった。

つぎにイーヴィが言った。「さあ、今度はブルース。あなたが高音、わたしは低音よ」スティーヴンは三本指で（不器用そうに見えるが、じつに巧みに動いた）複雑な、ほれぼれするほどきれいな即興演奏を聞かせた。最初は一オクターブの低いほうの半分だけで弾いていたが、だんだん大胆になり、音域が広がって、複雑さも増していった。即興演奏は全部で六曲、最後の曲がクライマックスに達して終わった。だが、リズは「即興演奏は易しいのよ。べつに準備はいらないわ」と言った。変奏曲の構造を理解する音楽的な知性をもっていれば、編曲はほとんど自動的にできてしまう。音楽的知性とはそういうものだと彼女は付けたした。それよりもスティーヴンが即興演奏に情感をこめていたこと、彼自身が表現されていたことのほうが感動的だと言う。彼の曲が「創造的で愛らしく、ドラマティックなおもしろさ」があることのほうに、リズは驚いていた。

イーヴィは、スティーヴンに「この素晴らしき世界」を歌いなさいと言った。彼は情感をこめて歌った。歌っているときの動きには、いつものぎこちなさやチックのような痙攣はなかった。その歌が終わると、イーヴィはこの歌の和声を分析して、全部の和音を歌ってごらんと言った。彼はためらいもなく、すぐに歌いだした。「彼には和音を理解し、分析して、再現するすばらしい才能があるわ」とはリズの言葉である。つぎにイーヴィは、毎週しているとおり「解釈」のレッスンをした。スティーヴンにはじめて「トロイメライ」を聞かせたのだ。彼は真剣に聞きながら、「連想」を語った。「これは、ええと……原っぱの空気、春の水仙……小川……日光……（これ、好きだ）……バラ園……そよ風、さわやかな……子供たちが友達と遊びに来る」

たいていは感情がほとんどないか、あるいはとだえているスティーヴンが、ほんとうに音楽からこんな気分を連想したのだろうか。それとも、音楽を「解読」して、これこれの形式は「田園風」だとか「春」のイメージなのだと教えられたのだろうか。本物の感情をともなわない、一種のみせかけなのか。あとでイーヴィに聞いてみると、はじめのうちスティーヴンの連想は支離滅裂か自分勝手で、曲想とはまるで関係がなかったと言った。そこで彼女は、ある音楽の形式にはどんな情感やイメージが「付随して」いるかを説明してやり、いまでは彼もそれを覚えたのだという。だが、同時に感じてもいると思うということだった。

最後に、スティーヴンが好きな歌を歌うことになった。彼は大好きな「不思議じゃないさ」という自分を発散できる歌を選んだ。そして、腰を振ったり、踊ったり、身振り手振りを加え、ものまねをし、あるつもりのマイクを口にあてて、じつに想像力豊かにジェスチャーたっぷりに歌いあげた。「不思議じゃないさ」は『トム・ジョーンズの華麗な冒険』のテーマ曲で、スティーヴンは華やかなトム・ジョーンズになったつもりになり、それにスティービー・ワンダー風を少しプラスして歌った。彼は完全に音楽と溶けあっていた。このときは首を奇妙に曲げる癖やぎこちなさもチックも、視線を避ける癖もまったくなかった。自閉症である彼は完全に消え、かわりに自由で優雅で情感豊かな動きをする彼がそこにいた。この変身にびっくりしたわたしは、ノートに大文字で大きく「自閉症が消える」と書いた。だが、音楽がやんだとたん、スティーヴンはまた自閉症に戻っていた。

それまでは、「自己」をかたちづくる感情や心の状態が欠けているのがスティーヴンの性質であり、自閉症であるということのように思っていた。だが、音楽のなかで彼は欠けているものを「与え」られ、アイデンティティを「借りて」きたように見えた。ただ、それは音楽が消えるとともに消えてしまったが。

彼はごく短い時間のあいだだけ、ほんとうに生きているという感じだった。

スティーヴンの音楽のレッスンはわたしにとって一種の啓示だった。もうひとつ才能が発見されたというのは、サヴァン症候群の場合、そう意外ではない。それよりも彼に可能だとは思われなかった「存在の様式」を見せられたのだ。それまで見てきた彼や作品からは予想もつかない姿だった。彼は自己の全体、身体全体を使い、動きと表現のありったけを使って生き生きと歌った。ただし、これが見事なパントマイムなのか、それともほんとうに歌詞や歌の気持ち、内容に感情移入しているのかはわからなかった。そこで、彼は絵にしても歌にしても、オリジナルを内面的な他者の心の表現として見ているのか、それとも、ものとして見ているのかという疑問が（マティスの絵の場合よりも）いっそう強くなった。彼はいわば、べつの画家や音楽家の頭のなかに入りこんで、その主観的な思いを分けあっているのか、それともただ、その作品を（建物のように）純粋に物理的なものとして扱っているだけなのか（その点で言えば、『レインマン』の再現は文字どおりの再生、ものまね、あるいは反響言語なのか、それとも映画の意味に刺激されていたのだろうか）。彼の才能はゴールドシュタインの言う、感情をともなわない「知的障害者の才能」なのか、それとも心とアイデンティティの真の成果なのか。

ゴールドシュタインは、「心」を抽象的概念の理解をともなう観念的なものと考え、それ以外は病的で不毛だと見る。だが、神経学者や心理学者はあまり認めようとしないが、観念的なあり方以外にも健康な心のかたちがある。模倣もまた心の作用で、身体と感性を使って現実を表現することにかけては、象徴《シンボル》や言葉を使った表現に劣らない人間的能力だ。マーリン・ドナルドは『現代の心の起源』のなかで、模型製作はまったく非言語的、非観念的な内面表現であり、こうした模倣という力は、ホモ・サピエンスが抽象的思考や言語を獲得する以前、数百万年あるいはそれ以上前の、わたしたちの直系の祖先であるホモ・エレクトゥスのころには支配的な認知形式であったかもしれない、と述べている。歌い、ものまねをするスティーヴンを見ていると、自閉症やサヴァン症候群の少なくとも一面は、通常の発達理論で、つまりこの古代の認知方法である模倣に基づく脳システムの肥大化と、より現代的な象《シン》徴《ボル》に基づく認知方法の相対的な欠陥を結びつけることで理解できるのではないかという思いにかられる。とはいえ、誤解してはならないのだが、それは一部でしかない。スティーヴンは知性がないわけでもなければ、コンピュータでもなく、またホモ・エレクトゥスでもない。わたしたちのモデル、言葉はすべて、彼の前では意味をなさなくなる。

スティーヴンの発達は最初から独特で、質的にちがっていた。彼は異なる方法で彼自身の認知力、アイデンティティ、芸術的才能を動員して世界をつくりあげている。スティーヴンがなにを考え、世界をどう構築し、どうして描き、歌えるのか、結局わたしたちにはわからない。だが、象徴的、観念的な能力に欠陥があっても、寺院や峡谷、花を描いたり、ある場面やドラマ、歌を再現するという模倣や具体的表現にかけては天才であり、伝えるものの形式的な特徴、構造的論理、スタイル、「らしさ」（かならずしも「意味」とはいえなくても）を把握する優れた才能をもっていることはわかっている。

ふつういわれる創造性では、「どんな」才能かだけでなく、「誰」のものかが大きな意味をもつ。創造性にはきわめて個人的なものという特徴があり、強固なアイデンティティ、個人的スタイルがあって、それが才能に反映され、溶けあって、個人的な身体とかたちになる。この意味で、創造性とは創りだすこと、既存のものの見方を打ち破り、想像の領域で自由に羽ばたき、心のなかで完全な世界を何度も創りかえ、しかもそれをつねに批判的な内なる目で監視することをさす。創造性は内面生活にかかわるものだ。

この意味での創造性は、たぶんスティーヴンには不可能だろう。だが、「らしさ」の把力と天才的知覚は決して小さな天分ではない。もっと知的な天分と同じく、めったにない貴重なものである。わたしはかつて、わたしの患者だったホセについて、彼は単一《ユニバース》の世界に住んでいるのではなく、ウィリアム・ジェイムズのいう複合世界《マルチバース》、関連のない無数の、だがそれぞれに強烈な個が集まった世界に住んでいて、プルーストの言う「瞬間の集積」として世界を経験していると書いた。その強烈で孤立した世界では、「以前」もなければ「以後」もない。わたしは、動物や植物を描くのが好きだったホセが、植物や薬草の挿し絵画家になれないかと考えた（その後、自閉症の画家がキュー王立植物園に雇われたと聞いた）。

自閉症は本人の芸術と必然的に結びつき、その構成要素となっているのだろうか。自閉症の大多数は芸術家ではないし、芸術家の大半は自閉症ではない。だがスティーヴンやホセのように両者が結びついているとき、相互に作用しあっているにちがいなく、したがって、芸術には自閉症に起因する長所と短所があり、細部まで再現し表現するという驚くべき能力の影響とともに、反復性とステレオタイプの影響を受けているだろう。だが、「自閉症の芸術」というものがあるのかどうか、わたしには確信がない。

スティーヴンと彼の自閉症は、芸術によって変わるだろうか。そうは思えない。どんな意味にせよ、芸術が彼の性格にまで拡大するとか融合する、あるいは彼の心の一般的なありようを変化させるという感じはまったくなかった。だが、それはべつに意外ではないだろう。芸術家としては立派で偉大であっても、個人的な生活は平凡であったり、むちゃくちゃであったり、不道徳だったりした例は多い（もちろん、芸術と人生が一致するひとたちもいる）。典型的な自閉症のうち五十パーセントは唖者で、一度も言葉を発しない。九十五パーセントは非常に限られた人生しか送れない。この点でスティーヴンは、ひとつには芸術のおかげ、またひとつには熱心に彼を支援するひとたちのおかげで、好運な例外になった。認められず支援もされなければ、才能と技術があっても充分ではない。ホセはスティーヴンに並ぶほど才能があったが、一度も認められず、支援者もなく、病院の奥に埋もれている。いっぽうスティーヴンは変化と刺激のある生活を送っている。旅行し、絵を描きに出かけ、いまは美術学校に通う。マーガレット・ヒューソン、クリス・マリス、その他のひとたちが彼を支え、才能を育むため、そしていまのような創造的な暮らしを可能にするため、不可欠の役割を果たした。だが、彼の極端な受動性はあいかわらずで、将来も個人的な支えが必要だろう。スティーヴンの絵は決して発展しないだろうし、深い感情や理論、あるいは世界観を表現する傑作に数えあげられることもないだろう。そして、彼もまた決して発達せず、人間として、男として十全の存在となって偉大さや惨めさを味わうこともないだろう。

こう言ったからといって、彼を矮小化したり、その才能を過小評価しているわけではない。彼の限界は、逆説的ながら彼の力でもある。彼のヴィジョンは、直接的で非観念的なすばらしい世界観を伝えているがゆえに貴重なのである。スティーヴンには限界があり、変わった特異な人間で、自閉症かもしれない。だが、そのおかげで、彼は世界の重要な表現と探索というめったに成し得ないことができるのだ。

火星の人類学者

　七月にスティーヴン・ウィルトシャーと数日過ごして帰ってきたわたしは、マサチューセッツに車で出かけ、もうひとりの自閉症の芸術家ジェシー・パークに会いにいった。そこで、スティーヴンの絵とはまったく異なる、星をちりばめた鮮やかな色彩の絵と、数字と色と寓意と気象とが相互に絡みあう迷路のような魔法の世界を見せてもらってきた（彼女については、母親が『自閉症児エリーの記録』という本のなかで美しく知的な文章で語っている）。また、各地を飛びまわって自閉症児のための学校をいくつか見学させてもらった。カナダのオンタリオ州にある自閉症児のためのキャンプ・ウィンストンでは、不思議な一週間を過ごした。ここでは、今年の夏、友人でトゥレット症候群患者であるシェーンがカウンセラーをしていた。飛び跳ねたり、触ったり、手を伸ばしたり、叩いたりしながら、彼がその猛烈なヴァイタリティと瞬発力で、われわれにはまねできないほど自閉症児と深く交流しているように思え、とくに興味深かった。つぎに西に向かい、カリフォルニア州で自閉症の一家を訪問した。非常に才能のある両親とふたりの子供が、みんなで（まじめな暮らしの営みのあいまに）トランポリンの上で飛び跳ねたり、両手をひらひらさせたり、叫び声をあげたりしていた。そして最後に、コロラド州フォート・コリンズに、自閉症患者のなかでももっともすばらしい人物のひとりであるテンプル・グランディンに会いにいくことになった。彼女は、自閉症にもかかわらず、動物学で博士号を取り、コロラド州立大学で教え、事業を経営している。

一九四〇年代にレオ・カナーとハンス・アスペルガーがほとんど同時に自閉症について発表したとき、カナーのほうは改善の見込みのない悲惨な状態だと考えていたらしいが、アスペルガーのほうは、どこかに優れた面あるいは補償的な面があるのではないかと見ていた。「きわめて独特な思考や経験は、いつか例外的な業績につながるかもしれない」と彼は述べている。

自閉症にともなう現象や症状は非常に範囲が広く、カナーやアスペルガーが列挙したほかにも多数あることは、こうして簡単に見てまわっただけでも明らかだった。カナー型の自閉症児には重度の知的障害者が多く、反復運動や自動運動などの発作や「軽度の」神経異常を示す者の率が非常に高い。痙攣やチック、身体を揺らす、くるくると回る、指いじり、両手をひらひらさせるなどの行動、共調や平衡感覚の問題、それに、パーキンソン病に似た運動障害が見られることもある。さらに、非常に広い範囲にわたる異常な（ときとして「逆説的な」）知覚反応が目立つ。ある知覚は非常に鋭敏になって耐えがたいほどなのに、ほかの知覚は、痛覚も含め鈍感になったり、無感覚に見えたりする。また、言葉が発達した場合には、奇妙で複雑な言語障害が起こることがある。饒舌や無内容なおしゃべり、決まり文句や型にはまった言葉の羅列などで、心理学者のドリス・アレンは、自閉症のこうした側面を「意味－現実性障害」と呼んでいる。これとは対照的に、アスペルガー型の自閉症児は正常な（ときには非常に優れた）知能をもち、一般的に神経学的異常が少ない。

カナーとアスペルガーの自閉症に関する臨床的な研究は内容も豊富で正確であり、五十年後のいまでもこれをしのぐものはあまりない。だが、新しい認知心理学を勉強したロンドンのビート・ハームリンやニール・オコーナーらが、系統的な方法で自閉症の精神構造に目を向けたのは、一九七〇年代になってからだった。彼らの、とくにローナ・ウィングの研究によれば、自閉症のひとたちにはすべて、三重の障害という核心的な問題がつねにつきまとうという。他者との社会的交流の障害、言語および非言語的コミュニケーションの障害、遊びと想像的活動の障害である。この三つの障害が現われるのは偶然ではなく、すべて単一の基本的な発達障害に起因していると彼らは考えた。自閉症のひとたちには、他者の心という概念もなければ、他者の心を感じとることもない、いや、当人の心という概念すらないのではないか、と彼らは言う。認知心理学の用語で言えば、「（ひとの心の状態を推定し、それに基づいて行動を解釈、予測する）心の理論」がないのだ。しかし、これもまた多くの仮説のひとつにすぎず、いまのところ、自閉症に見られるさまざまな現象のすべてを説明できる仮説は見つかっていない。一九七〇年代、カナーとアスペルガーも三十年前に報告した自閉症について研究を続けていたし、現代の研究者もみなそれぞれに二十年以上もこの問題と取りくんでいる。脳と心の発達が通常のそれから大きく逸脱している自閉症は、存在論の根幹にかかわる奥深い問題だ。研究は進んでいるものの、歩みはきわめて遅い。自閉症を最終的に理解するには、いまの段階では予想もつかないほどの技術的進歩と概念的解明が進まなければ不可能なのかもしれない。

「古典的な小児自閉症」の印象は悲惨だ。たいていのひとは（ほとんどの医者も）自閉症というと、頭を打ちつけるといった常同運動や言葉の未発達などの重度の障害があって、ほとんど心が通わない子供を思い浮かべ、未来はまず期待できないと思う。

不思議なことに、自閉症児については話題になるが、自閉症のおとなはまず登場しない。まるで、自閉症の子供たちが成長するにつれて地球上から消えてしまうかのようだ。たしかに自閉症の三歳児は悲惨に見えるかもしれないが、自閉症の子供たちのなかには予想に反して言葉もかなり発達し、社会的な技能もわずかながら身につけていく者がいるし、高度に知的な業績をあげるものさえいる。彼らは自立した人間として育ち、少なくとも表面的には完全に正常な暮らしができるようになる。ただ、その奥ではあいかわらず、強い自閉症の特徴を残しているかもしれない。カナーよりもアスペルガーのほうが、そうした可能性について明確な考えをもっていた。そこで、「高機能」自閉症はアスペルガー症候群と呼ばれている。決定的なちがいはつぎのようなものだと思われる。アスペルガー症候群のひとたちは、彼らの経験、内面的な感情とその状態を話すことができるが、古典的な自閉症の場合にはできない。古典的な自閉症に関しては知る術がなく、推測するしかない。アスペルガー症候群のひとたちは自意識をもっており、少なくともある程度までは内省し、伝える力がある。

アスペルガー症候群が古典的な小児自閉症と明らかにちがうのかどうか（三歳児の段階では、どの自閉症も同じように見える）、あるいは、知的障害その他さまざまな神経学的問題をともなう重症の小児自閉症から、才能をもつ高機能自閉症まで連続性があるかどうかは、議論が分かれている（自閉症専門の神経学者イサベル・ラピンは、ふたつは行動のレベルでは似ていても、生物学的レベルでは別物かもしれないと言う）。また、この連続性の延長上に——先入観や固定観念が強く、同時にひとづきあいが悪くてよそよそしいといった、一般には「正常」の範囲内だが、ちょっと変人だとか奇人、杓子定規で想像力が乏しい、人嫌いだと言われるようなおおぜいのひとたちの——個々の「自閉的特徴」までが含まれるかどうかもわからない。

自閉症の原因もまだ明らかになっていない。発現率は千人に一人程度で、世界共通であり、極端に異なる文化圏でも同じように生じている。生後一年目ではわからないことが多いが、二歳、三歳になるとはっきりしてくる。アスペルガーはこれを情緒的交流の障害という生物学的欠陥で、生理的、知的欠陥と同じく先天性障害だと見ていたが、カナーは心因性の障害で、親に原因があるのではないか、とくに冷たくてよそよそしく、専門職にあるような「冷蔵庫マザー」の育児を反映しているのではないかと考えた。このころには、自閉症は自然な

「防衛機制」であると見なされたり、小児統合失調症と混同されることが多かった。一世代にわたって両親、とくに母親が自閉症児の原因をつくったという罪悪感を抱かされたのだ。一九六〇年代になってから、自閉症には器質的原因があることがわかって、ようやくこうした見方に歯止めがかかりだした。これには一九六四年に発表されたバーナード・リムランドの『小児自閉症』が重要な役割を果たしている。

　自閉症に生物学的素因があることはもはや疑う余地がなく、場合によっては遺伝するらしいという研究も増えてきている。遺伝的には自閉症は優性である場合も、劣性である場合もあるようだ。とくに男子に多く、遺伝的な場合には、当人や家族に失読症や注意欠陥障害、強迫神経症、トゥレット症候群といった他の遺伝的障害がみられることもある。だが、後天性の自閉症もあるらしい。このことが初めてわかったのは、一九六〇年代の風疹流行時に風《ふう》疹《しん》にかかった母親から生まれた子供たちのなかに、自閉症になったものが多数いたためだった。比較的順調に発達していた子供が二歳から四歳でとつぜんに言葉や社会的行動を喪失するという、いわゆる退行型の自閉症だった。その原因が遺伝的なものか、環境によるものかはまだ不明である。自閉症は、フェニルケトン尿症のような代謝異常によるのかもしれないし、水頭症のようなメカニズムの異常によるのかもしれない。また稀にではあるが、自閉症あるいは自閉性症候群が成人に起こることも考えられ、とくに脳炎後遺症に可能性が高い（『レナードの朝』の患者の一部も自閉症の要素をもっていたのかもしれない）。

　しかしながら自閉症児の親は、我が子がだんだん閉じこもって自分から遠ざかり、気持ちが通わず、反応しなくなるのを見て、自分を責めたくなるらしい。親たちはなんとか子供と交流しよう、愛情を返してくれない子供に愛情を注ごうと必死に努める。想像もつかない異質な世界に住む子供を手元に引き戻そうと涙ぐましい努力をする。だが、彼らの努力はすべて空しく終わるようだ。

実際、自閉症の歴史には、さまざまな「突破口」を見出し、広げようという絶望的な努力の積み重ねという側面がある。自閉症の息子をもつある父親は、苦さをこめてこんなふうに語ってくれた。「四年おきぐらいに新たな『奇跡』が伝えられます——最初は食餌除去法、つぎがマグネシウムとビタミンB６療法、それから抱きしめ法、つぎがオペラント条件づけと行動修正療法——そして今度は聴覚的脱感作療法とコミュニケーション促進法というわけですよ」彼の息子は十二歳だが、いまもまったく言葉がなくて交流ができず、どんな療法も効果がなかった。父親が悲観的になり、すべてを否定したくなるのも無理はない。それぞれの療法に対する反応はじつにさまざまなようだ。どれかの療法がめざましい効果をあげる患者もいるが、まったく効果のない場合もある。

自閉症は誰ひとりとして同じではない。病態や現われ方はすべてちがう。しかも、自閉的特性とその他の個人的資質には、創造的可能性をうかがわせる不思議な相互作用があるらしい。したがって、臨床的所見のためなら一瞥すれば充分であるにしても、ほんとうに自閉症の個人を理解しようとすれば、全生涯を見つめなければ足りないだろう。

わたしと自閉症との最初の出会いは、一九六〇年代半ば、州立病院の奥深い病棟でのことだった。自閉症患者の大半は知的障害者で、発作を起こしていたし、頭を壁や床に打ち付けるなどの自傷行為がみられ、多くはほかの神経学的異常も抱えていた。これらの重症患者は自閉症のほかにも複数の障害を負っている率が高く、そのうえ、虐待されて心的外傷を負っている者もいた。だが、こんな患者たちのなかにも「能力の孤島」があって、カナーとアスペルガーが述べたとおり、荒廃のなかでめざましい才能が輝いていた。たとえば数字や絵画の才能である。患者の精神や人格のほかの部分から孤立し、非常に狭い固着や動機によって情熱的に支えられているかに見える特殊な才能――サヴァン症候群――に、当時のわたしはいちばん興味をもち、熱心に調べてみた。すると一見、希望のなさそうな患者たちのなかにも、特別の興味に反応する者がいたのである。ある若い患者は、言葉はなかったが、音楽に反応して踊った。べつの患者は何週間かたってから一緒に玉突きをして遊ぶようになり、さらにそのあと、植物園で「タンポポ」と初めて言葉を発した。患者のほとんどは一九四〇年代から五〇年代はじめの生まれで、幼いころには自閉症という診断さえなく、知的障害者や精神疾患患者とひとまとめにされ、子供のころからずっと大きな施設に収容されてきたひとたちだった。たぶん重度の自閉症患者はみな、何世紀ものあいだ、こういう扱いを受けてきたのだろう。自閉症児の特殊な能力と問題に医学的、教育的関心が向けられ、自閉症児のための特殊な学校やキャンプが増え、それとともに子供たちにも決定的な変化が起こるようになったのは、この二十年あまりのことにすぎない。

八月にいくつかの施設を訪れたわたしは、さまざまな子供たちに会った。知的な子供、軽度の知的障害がある子供、積極的な子供、臆病な子供、それぞれみんな個性的だった。そうした学校のひとつを訪問したとき、校庭で子供たちがブランコに乗ったり、ボール遊びをしたりしていた。ごくふつうの光景ではないか、とわたしは思った。ところが、近づいてみると、ブランコに乗っている子供のひとりは、空中で地面と水平になるほど高く強迫的にこぎつづけていた。小さなボールを右手から左手、左手から右手とただやりとりしているだけの子供。身体を回転させながらあたりをぐるぐるぐるぐる回っている子供。積み木を積みあげるのではなく、一直線にただ並べている子供。みんながひとりで反復行動をしていて、だれひとりほんとうに遊んでいる子供も、ほかの子と一緒に遊んでいる子供もいなかった。休み時間も教室にいる子供たちは身体を前後に揺らしたり、両手をひらひらさせたり、意味のわからない言葉をぶつぶつとつぶやいたりしている。教師のひとりが語ったところによると、ときどき何人もがパニックや癇癪を起こし、悲鳴を上げたり叩いたりして収拾がつかなくなるという。また、言われた言葉をただおうむ返しにしているだけの子供も何人かいた。ある少年はどうやらテレビの番組をまるごと記憶しているらしく、台詞と身振りに拍手までつけて一日中、番組を「再生」していた。キャンプ・ウィンストンでは、かわいらしい六歳の少年が、ハサミで紙切れから二・五センチほどの完璧な形をした「H」をいくつもいくつも切り抜いていた。ほとんどの子供たちは肉体的には正常に見えた。ただ奇妙なのは、そのよそよそしさ、感情の交流のなさだった。

一部の子供は思春期になると流暢にしゃべるようになったり、社会的な能力を身につけたりして（こうした子供にとっては学問的な学習よりもこのほうがずっとむずかしい）、表面的には社会性を発揮するようになる。

特別な――多くは幼稚園や家庭から始まる――教育がなければ、自閉症児は高い知的能力や素質があるにもかかわらず、まったく孤立した障害者で終わるかもしれない。多くの自閉症児は、一定の様式に従って「行動する」ことを覚え、社会的しきたりに対して形式的、あるいは外形的な認識を示す。しかし、その行動の極端に形式的、外形的なところが見る者に不安の念を起こさせる。とくにそれを感じたのは、ある学校を訪問し、ぎこちなく手を差し伸べた子供が調子っぱずれな声で、切れ目もなければ抑揚もなく、無感動にまるで祈禱《きとう》でも唱えるように「おはようございますぼくはピーターです……元気ですありがとうお元気ですか」と言うのを聞いたときだった。この子たちのなかに、ほんとうに自立できる者がいるのだろうか、とわたしは考えた。社会で生活するための方法として自動行動を実際に利用するだけでなく、自ら真の内面性を獲得する者はいるのか。たぶん、自閉的な内面生活は非常に異質で、ごくわずかなひとしか理解することも感じることもできないだろう。だが、それにしても内面性の確立は可能なのだろうか。

ウタ・フリスは『自閉症の謎を解き明かす』のなかにこう書いている。「自閉症は……消えない……しかし、自閉症のひとたちは、そのハンディキャップをそうとうな程度まで補うことが可能だし、補っている者も多い。だが、欠陥はいつまでも残る……修正したり置き換えたりできないなにかがそこにはある」彼女は、その「なにか」には逆の側面もあるのではないかと推測する。それは一種の倫理的、知的な強さ、あるいは純粋さといったもので、通常とはあまりにかけ離れているがゆえに、常人の目には高貴であるとか、馬鹿げているとか、恐ろしいと見えるかもしれない。フリスはこのことから、昔のロシアの聖なる愚者、フランシスコ修道会の最初の信徒だったジネプロ修道士、それにおもしろいことに、変人で奇妙なこだわりが強かったシャーロック・ホームズとその「百四十種類のパイプや葉巻、紙巻きタバコの灰に関する小論文」、「ふつうの人間の日常的な感情に曇らされない明晰な観察力と推理力」、そして通念にとらわれた警察が解決することのできない事件の解決を可能にする非因襲性について考える。アスペルガー自身も「自閉的知性」について、伝統や文化にほとんどとらわれない知性の一種で、非因襲的かつ非正統的で、奇妙に「純粋」で独創的な、真の創造的知性に似たものであると記している。

ロンドンで会ったとき、フリス博士はこのテーマについて語り、彼女が知っている自閉症のひとたちのなかでも、もっともすばらしい人物のひとりをぜひ訪ねてみるべきだと言った。その女性を仕事場や家庭で観察し、いっしょに過ごしてみるといい。「テンプルにお会いなさいな」とフリス博士は辞去《じきょ》するわたしに勧めた。

もちろん、わたしはテンプル・グランディンの話を聞いたことがある。自閉症に関心をもっている者なら誰でも知っているはずだし、一九八六年に出版された彼女の自伝、『我、自閉症に生まれて』を読んでいるだろう。最初にこの本を読んだとき、わたしは疑念を抱かずにはいられなかった。当時は自閉症のひとは自己や他人を理解することができず、したがって真の内省や追想もありえないと考えられていたからだ。本は、こうした考え方と矛盾していた。その本がジャーナリストの協力で書かれたと知ったとき、予想外のすばらしさや質、統一性、深み、それに随所に見られる「正常な」感じは、ほんとうはそのジャーナリストのものではないかと考えた。テンプル・グランディンの本や自閉症患者の自伝全般に対するこの種の疑いの声はその後も聞かれた。だが、テンプルの論文やたくさんの自伝的な文章を読んで、その細かさ、一貫性、直接性に触れたわたしは、考えを変えた。

自伝や論文など彼女が書いたものを読むと、子供時代の彼女がいかに奇妙で扱いにくかったか、どれほどふつうの子供とちがっていたかをまざまざと感じる。生後六カ月のころ、彼女は母親の腕のなかで身体を硬直させ、十カ月になるころには「罠にかかった動物のように」爪をたてたという。こんな状態では、ふつうの接触はほとんど不可能だった。彼女は、自分がいた狂おしいまでに感覚が亢進する（また、ときには抑制され、消える）世界を描いている。二、三歳のころ、耳は調節のきかないマイクロフォンのようで、すべての音が内容とは無関係に圧倒的な大きさで響いたという。同じように、彼女の感覚のすべてが調節を欠いていた。彼女は匂いに強い関心を抱き、嗅覚が非常に優れていた。また、とつぜん激しい衝動にかられ、欲求不満になると暴力的な怒りを感じた。人間関係のふつうのルールや規範はまったく理解できなかった。彼女は想像を絶する無秩序で調子はずれの混沌とした世界で暮らし、怒っていた。三歳のころには破壊的で暴力的になっていた。

ふつうの子供は粘土でものをつくって遊ぶ。わたしは大便をつかって遊び、できたものを部屋中にまき散らした。パズルを噛んでぐちゃぐちゃのボール紙を床一面に吐き散らした。ひどい癇癪もちで、邪魔をされると美術品の花瓶だろうと、大便の残りだろうと、手当たり次第に投げつけた。しじゅう、金切り声でわめきつづけた……

それでも、自閉症児の多くがそうであるように、彼女もとてつもない集中力を示しはじめる。その選択的な関心の激しさゆえに、それだけでひとつの世界が、混沌と喧噪のなかでそこだけは静かで秩序ある世界がつくりだされる。「わたしは浜辺に座って、何時間でも砂を指のあいだから落として、小さな山をつくった」と彼女は書いている。「顕微鏡をのぞく科学者のように、砂粒のひとつひとつがおもしろかった。また、べつのときには、指のしわを、地図の上の道路のようにじっと観察していた」あるいは、自分の身体やコインを激しく回転させていると、なにも見えず、なにも聞こえなくなった。「まわりのひとは透明人間だった……ふいに大きな物音がしても、自分の世界に没頭しているわたしは驚かなかった」（こうした集中力の亢進——狭い範囲に対する激しい集中力——が、自閉症の主要な現象なのか、それとも抑制のきかない圧倒的な感覚的刺激に対する反応、あるいは適応の形態なのかはわかっていない。似たような集中力の亢進は、トゥレット症候群の患者にもときおり見られる）。

三歳のとき、神経学者のところへ連れていかれたテンプルは、自閉症と診断され、おそらく一生施設暮らしになるだろうと言われた。この年齢でまったく言葉がないというのは、とくに悪い徴候だった。

混沌と固着と暴力と交流不能、このほとんど理解不能な子供時代から、テンプルはどうやって抜けだしたのだろう。わたしはいぶからずにはいられなかった。獰猛で絶望的な、三歳のときに施設に収容されそうになった彼女が、どんなふうにしてこれからわたしが会おうとしている立派な生物学者、技術者になったのだろう。

わたしはデンヴァーの空港から電話して、面会の約束を確認した。彼女には予定に対する柔軟性が多少とも欠けているかもしれないから、時間や場所をできるだけ正確に決めておいたほうがよかろうと思ったのだ。テンプルはフォート・コリンズまでは車で一時間十五分だと言い、動物学部の助教授を務めているコロラド州立大学のオフィスへのくわしい道順を教えてくれた。途中で些細なことを聞き逃したわたしは、もう一度説明してくれと頼んだのだが、彼女が七分ほどかかる道順の説明全体を、さっきとまったく同じ言葉でくりかえしたのに驚嘆した。まるで、道順は彼女の心のなかにあるとおりに伝えられなければならないというようだった。道順の説明全体がひとつの決まった連想、あるいはプログラムとしてできあがっていて、部分に分割することはできないのではないか。だが、一カ所だけ修正があった。

一度目、彼女は右折してカレッジ・ストリートに入る交差点の角には〈タコ・ベル〉のレストランがあると説明した。だが、二度目にはここで、〈タコ・ベル〉は最近コテージ風に改装されたので、ぜんぜん「ベルっぽく」なくなったと付け加えたのだ。わたしはこの「ベルっぽい」という楽しい形容詞に感動した。自閉症のひとたちは、ユーモアに欠けていて想像力がないとよく言われるが、「ベルっぽい」という言葉はまさしく独創的で、明るいイメージを抱かせる思いつきだった。

大学に着いて動物学部を探しあてると、テンプルが出迎えてくれた。四十代半ば、背が高くて頑丈な体つきをした彼女は、ジーンズにニット・シャツ、ウエスタン・ブーツという姿だった。いつもこのかっこうらしい。身なりも外見も態度も、気取らない率直な感じだった。わたしは、きまじめでたくましくて、社会的なしきたりや外見、装飾品などに関心がなく、ひらひらした飾りなどいっさいつけない、素朴で単刀直入な酪農家の女性を連想した。彼女は片手をあげてあいさつしたが、その手はちょっと高すぎ、一瞬痙攣したか、身体が凍りついたのかと思わせた。かつての常同行動の名残りだろう。それから彼女は力強い握手をすると、先に立ってオフィスへ向かった（自閉症の成人によくあるのだが、彼女の歩き方もどことなくぎこちなかった。テンプル自身は、これを前庭系と小脳の一部の発達障害にともなう運動失調症だと考えていた。のちに、小脳の機能と平衡を中心に神経学的検査をしてみたところ、たしかにわずかな運動失調症がみられたが、彼女のぎこちなさを説明するほどのものではないように思われた）。

彼女は前置きもなく、あっさりとわたしを椅子に座らせた。社交辞令もなければ、旅はどうでしたかとかコロラドをどう思いましたかといったやりとりもない。完成した研究ややりかけの研究の書類がたくさん置いてあるオフィスは、どこにでもある研究室という感じだった。壁には彼女のプロジェクトの写真がかかっていて、旅行土産の動物の小物や飾りが置いてある。彼女はいきなり仕事の話をはじめ、最初、心理学と動物行動学に興味をもったこと、それがどんなふうに自己観察と自閉症患者としての自分自身の欲求につながったか、さらに彼女のなかの視覚的、工学的部分に結びついて、専攻分野が決まっていったかを語った。専攻分野とは農場、飼養場、家畜用囲い、食肉プラントの設計など、さまざまな種類の動物管理システムである。

彼女は長年にわたって手がけた設計図をまとめた本を見せてくれた。『肉牛の行動とその世話、施設の設計』というタイトルの本だった。わたしは本におさめられた複雑で美しいデザインや、本の論理的なつくりに感心し、農場の家畜用囲いやさらに複雑な牧畜場、飼養場の施設とそこを移動する肉牛と羊、豚の行動と移動を表わす図面に舌を巻いた。

テンプルの話は流暢《りゅうちょう》でわかりやすかったが、相手に有無を言わせぬ勢いと固着性があった。ひとつのセンテンス、パラグラフが始まったら、何が何でもしまいまでいかなければならないという感じで、あいまいなまま宙ぶらりんに終わるということがない。

朝からはるばる旅をしてきたわたしは疲れていたし、昼食をとりそこねたので空腹で、のどが渇いていた。テンプルが察して、コーヒーでもいかがと言ってくれないかと期待してい

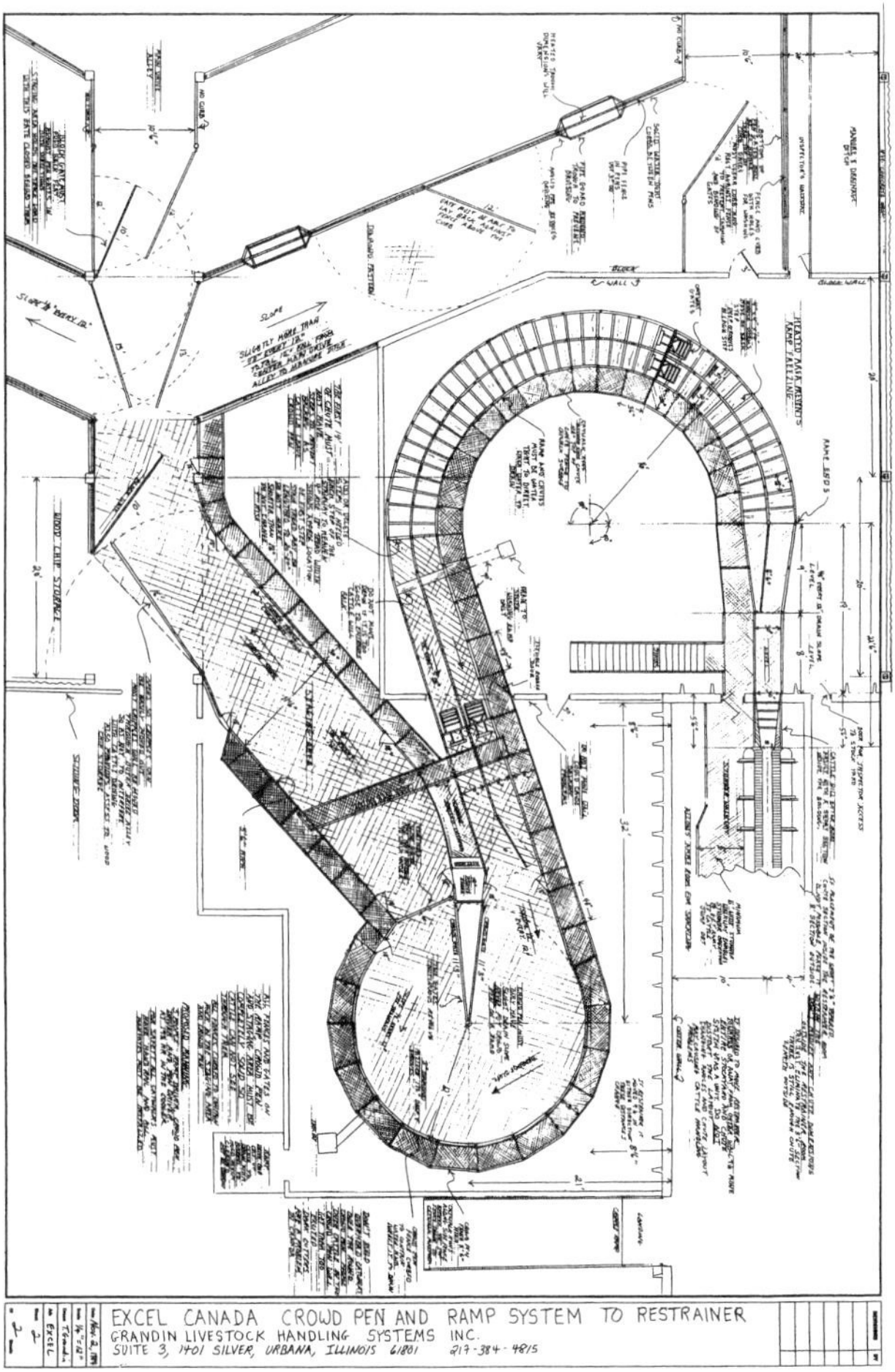
EXCEL CANADA CROWD PEN AND RAMP SYSTEM TO RESTRAINER
GRANDIN LIVESTOCK HANDLING SYSTEMS INC.
SUITE 3, 1401 SILVER, URBANA, ILLINOIS 61801 217-384-4815

たのだが、なにも言ってくれない。それで一時間後、彼女の正確すぎて容赦ないセンテンスの洪水と、複数のことに同時に気を配らなければならない緊張で（彼女の話が知らない分野で複雑だっただけでなく、聞きながら彼女の心理的プロセスや性格も考えなければならなかった）へとへとになったわたしは、ついに、コーヒーを飲ませていただけないか、と頼んだ。それに対して「すみません、気づかなくて」といった言葉もなければ、いたわりも愛想もなかった。彼女はただ、わたしをいつも熱いコーヒーポットが用意してある上階の秘書室に連れていった。そこで、秘書たちにどちらかというとぶっきらぼうに紹介された。わたしはまたも、ある状況で「どう行動するか」をおおざっぱに学びはしたが、ほかのひとの気持ち、ニュアンスや微妙な対人関係を思いやる感覚はあまりない人物を感じた。

「夕食の時刻です」また一時間ほどオフィスで話したあと、ふいにテンプルが宣言した。「西部では夕食が早いのです」わたしたちは、スウィング・ドアで壁には銃や牛の角がかかっている近所の西部風レストランに出かけ、ローストビーフとビールといういかにも西部らしい食事を注文した。たしかにテンプルの言うとおり、午後五時だというのに店内はもう混雑していた。わたしたちは大いに食べながら、テンプルの仕事の技術的な面や、すべての設計図、問題を心のなかで視覚的に把握する方法などについて話をした。レストランを出るとき、散歩に行かないかと誘うと、テンプルは古い鉄道線路に沿った牧場に案内してくれた。大気は急に冷えこみ――そこは標高千五百メートル以上の高地だった――低く斜めに射す夕日のなかでブヨが飛び、あたり一面にコオロギの声が聞こえていた。わたしは道から少し下がった泥んこの水たまりでトクサ（大好きな植物のひとつだ）を見つけて、声をあげた。テンプルはちらりとトクサを眺めて、「トクサ属ですね」と言ったが、わたしのような興奮は感じていないらしかった。

デンヴァーへ来る飛行機のなかで、わたしはすばらしい才能をもった九歳の健常児が書いた作品を読んでいた。その少女が神話的なセンスを駆使して創りだしたおとぎ話には、魔法とアニミズムと宇宙進化の世界が描かれていた。トクサのあいだを歩きながら、わたしはテンプルの宇宙観はどんなものだろうと考えた。彼女は神話やドラマに感動するのだろうか。そこにどれほどの意味を感じるのだろう。わたしはギリシャ神話を知っているかと尋ねてみた。子供のころにたくさん読んだと彼女は答え、イカルスのことをよく考えたと言った。舞いあがって太陽に近づきすぎ、翼が溶け、墜落して死んだイカルス。「復讐《ネメシス》の女神と神々への不遜《ヒュブリス》ということも理解できます」だが、神々の愛には感動するどころか、当惑したという。シェークスピアの芝居も同じだった。『ロミオとジュリエット』には首をひねったし（「いったい彼らはなにをしているのか、さっぱりわかりませんでした」）『ハムレット』となると、話が行ったり来たりするのでわけがわからなかった。それを彼女は、「前後関係のむずかしさ」と言ったが、それよりも登場人物に共感できず、込みいった動機や意図が理解できないせいではないかと思われた。「単純で力強く、普遍的な」感情なら理解できるが、複雑な感情やだましあいとなるとお手上げだという。「そういうとき、わたしは自分が火星の人類学者のような気がします」と彼女は言った。

できるだけ単純に暮らし、すべてを明晰でわかりやすくするように努力している、と彼女は言う。さらに、何年もかけて厖大な経験のライブラリーをつくりあげてきたと、彼女は続けた。それはビデオ・ライブラリーのようなもので、いつでも心のなかで再生して調べることができる。さまざまな状況でひとがどんなふうに行動するかを見るための「ビデオ」だ。そのビデオを何度も何度も再生し、見たものをだんだんに関連づけていくことによって、似たような状況でひとがどう行動するかを予測できるようになる。この経験を業界新聞や《ウォール・ストリート・ジャーナル》などや本を読むことで補う。どれも、ひとという種に関する彼女の知識を広げてくれる。「完全に論理的な作業です」と彼女は説明した。

彼女が設計したあるプラントで機械の故障が頻発したことがあり、それが決まってジョンという男性がいるときだった。彼女はこれらの出来事を「関連づけて」、ようやくジョンの妨害にちがいないと推理した。「わたしは疑うことを学ばなければなりませんでした。それを認識論的に学ばなければならなかったのです。二と二を足すことはできました。けれど、わたしは彼の嫉妬の表情を読みとることはできませんでした」そうした出来事は、彼女の人生では珍しくなかった。「自閉症の変人がやってきてすべての施設を設計する、そのことを不快に思うひとがいます。彼らは施設がほしいが、自分にはつくれない、そのことにいらだつのです。けれども、トム（同僚の技術者）とわたしにはできます。わたしたちは、数十万ドルのサン・ワークステーションを頭のなかにもっています」鈍感で世間ずれしていないテンプルは、最初、ごまかされたり利用されたりした。この種の純真さ、あるいは鈍感さは、ふつうの倫理的な美徳から生まれるのではなく、ごまかしやいんちき（トラハーンの言葉によれば「世の中の汚いトリック」）を理解できないところから生じるもので、自閉症のひとたちにはほとんど例外なくみられる。しかし、テンプルは長年のうちに、「ライブラリー」を参照するという間接的な方法で、世の中の仕組みを多少学んだ。彼女は自分で会社を設立し、また家畜用施設専門のコンサルタント兼設計士として世界を舞台に仕事をしている。専門家という点では彼女は大成功をおさめたが、人間的なつきあい――社会的、性的な関係――のほうは、「獲得」できなかった。「仕事がわたしの人生のすべてです」と彼女は何度か言った。「ほかのことはほとんどありません」

そういう彼女の声には、苦痛とあきらめ、決意、そして容認がないまぜになっているように思われたし、彼女の文章からもそれは感じとれる。彼女はつぎのように書いたことがある。

わたしは町や大学のひとづきあいに加われない。つきあいといえば、ほとんど畜産関係者か自閉症に興味をもつひとたちに限られる。金曜日と土曜日の晩はたいてい書類を書くか、設計をして過ごす。わたしの関心の対象は事実で、娯楽として読むものもほとんどは科学か牧畜関係の書物だ。複雑な人間関係が描かれている小説にはあまり関心がない。事件のつながりを覚えていられないからだ。ＳＦ小説のなかに書かれている新しい技術の詳細な説明や、不思議な場所の描写のほうがおもしろい。挑戦しがいのある仕事がなかったら、わたしの人生はみじめだっただろう。

翌土曜日の朝早く、テンプルが西部各地の農場や牧畜場、家畜用囲い、食肉プラントを走りまわるのに使っている四輪駆動の頑丈な車で迎えにきてくれた。彼女の自宅に向かっているとき、博士号を取った研究について尋ねてみた。研究のテーマは、環境の刺激が子豚の脳の発達に及ぼす影響だったという。彼女は、豊かな刺激を与えられたグループと刺激が乏しいグループとの大きな相違について話してくれた。「豊かな刺激を与えられた」グループの子豚がどんなに気だてがよくて明るいか、それにくらべて「刺激の乏しい」グループの子豚がかっとなりやすく攻撃的かということだ（彼女は、経験の乏しさが人間の自閉症の要因のひとつではないかと考えていた）。「わたしは豊かな刺激を与えられたほうの子豚を好きになりました」と彼女は言った。「とても愛着を感じました。あまりに愛着を感じたので、殺すにしのびなかったくらいです」実験の最後には、脳を調べるために子豚を犠牲にしなければならなかった。子豚たちが最後までどれほど彼女を信頼し、おとなしく死出の旅に立ったか、子豚たちが殺されるまで、どんなふうになでたり話しかけたりしてなだめてやったかを彼女は語った。子豚の死に、彼女はすっかり落ちこんだ。「わたしはおいおい泣きました」

その話が終わったとき、ちょうど彼女の家に着いた。大学からちょっと離れた、小さな二階建てのタウンハウスだった。階下はごくふつうに――ソファ、安楽椅子、テレビ、壁には絵というぐあいに――居心地よさそうにつくられていたが、あまり使われていない感じだった。大きなセピア色に変色した写真があった。一八八〇年ごろノースダコタのグランディンにあった祖父の農場だという。もういっぽうの祖父は飛行機の自動操縦装置の考案者だと彼女は話してくれた。農業と工学の才能はこのふたりから受けついだのだと彼女は感じていた。二階には書斎があり、タイプライターが置いてあって（ワープロはなかった）原稿や本があふれていた。本はいたるところにあり、書斎に入りきらずに家じゅうの部屋に侵入していた。わたしの小さな家は「仕事用のマシン」だと言われたことがあるが、テンプルの家もそんな印象だった。壁にかけた大きな牛の革に、彼女が講演した数百もの会議のバッジや帽子が並んでいた。アメリカ食肉協会の会員バッジとアメリカ精神医学会の会員バッジが並んでいるのを、わたしはおもしろく眺めた。テンプルが発表している百以上の論文は、動物行動学と畜産施設経営に関するものと、自閉症に関するものとのふたつに分けられる。ずらりと並んだバッジは、ふたつの分野の融合の縮図だった。

最後に、恥じらいやとまどいぬきに（どちらも彼女には無縁の感情だった）寝室を見せてくれた。白く塗った壁にシングルベッドという簡素な部屋で、ベッドの横に大きな奇妙なものが置いてあった。「これは何なのですか？」

「わたしの締め上げ機です。抱っこ機と呼ぶひともいますよ」彼女は答えた。

その装置には、分厚い柔らかなパッドにくるまれた幅九十センチ、長さ百二十センチほどの重い木の板が二枚、斜めについていた。二枚はV字型になるように細長い底の部分が蝶番でとめられて、ひとの身体がおさまる樋《とい》になっている。いっぽうのはしに複雑なコントロールボックスがあり、頑丈なチューブで戸棚のなかのべつの機械につながっていた。テンプルはそちらの機械も見せてくれた。「産業用のコンプレッサーです。タイヤに空気を入れるのに使うのと同じなんです」

「それで、これは何に使うのですか?」

「肩から膝まで、しっかりと心地よい圧力を与えてくれるのです」とテンプルは答えた。「圧力を一定にすることも、変化をつけることも、強弱のリズムをつけることも思いのままにできるんです。あとでお見せしますけれど、ここに横になってコンプレッサーのスイッチを入れ、それから前にあるこの部分で調節します」

どうして、そんな圧力をかけたいのかと聞いてみると、彼女はこんな説明をした。小さいころ、彼女は抱きしめてもらいたくてたまらなかったが、同時に、ひととの接触が怖かった。抱きしめられると、とくにそれが大好きだが大柄な伯母であったりすると、相手の感触に圧倒された。そんなとき、平和な喜びを感じるのだが、同時に飲みこまれるような恐怖もあった。それで──当時、まだ五歳になったばかりだったが──力強く、だが優しく抱きしめてくれて、しかも自分が完全にコントロールできる魔法の機械を夢見るようになった。何年かたった思春期のころ、子牛を押さえておく締め上げシュートの図を見て、これだと思った。それを人間に使えるように改良すれば、魔法の機械ができる。空気を入れてふくらまし、身体全体に圧力をかける服といったほかの装置も考えてみたが、締め上げシュートの単純さには抗いがたかった。

実際的な彼女は、まもなく夢を実現した。初期の機械は原始的で、ぐあいが悪かったり、故障したりしたが、やがて心地良くて調節がよくきき、思いのままの「抱っこ」を実現してくれる完全な機械ができあがった。彼女の締め上げ機は期待どおりの効果をあげた。子供のころから夢見ていた平安と喜びを与えてくれたのだ。この締め上げ機がなかったら、波乱に満ちた大学時代を乗りきることはできなかっただろう、と彼女は言った。ひとに慰めや安らぎを求めることはできなかったが、機械はいつも頼りになった。機械を見せびらかしはしなかったが隠すこともせず、大学の寮の部屋でおおっぴらに使った彼女は、嘲笑と疑惑の視線を浴び、精神科医には「退行」か「固着」だと言われた。精神分析をして解決すべき問題だというのだ。だが、彼女は独特の頑固さと粘り強さ、意志、そして勇気で――また抑制もためらいもまったくなしに――まわりの意見や反応をすべて無視し、自分の感覚の科学的「妥当性」をつきとめようとした。

彼女は自閉症患者、大学生、動物に強い圧力をかけた場合の影響を系統的に調査した。博士論文を執筆する前から始めて終了後も続け、その結果が最近の《児童および青年期精神薬理学ジャーナル》に掲載された。さまざまに改良された彼女の締め上げ機を臨床に使えないかと広い範囲で実験が始まっている。現在、さらに彼女は世界でも有数の家畜締め上げシュートの設計者になり、食肉業界や獣医業界の専門誌に、人道的な拘束と優しい捕捉の理論と実際について多くの記事を書いている。

こんな話をしながらひざまずいたテンプルは、「V」の底にうつぶせに身体を横たえると、コンプレッサーのスイッチを入れ（マスターシリンダーがいっぱいになるまで一分かかった）、調節ボタンをひねった。両横の板が彼女の身体をぴったりと挟むと、細かい調節をして少し圧力をゆるめた。それは、見たこともないほど奇妙な光景だったが、同時に素朴で感動的でもあった。効果のほどは疑いようがなかった。大きくてこわばっていることが多かったテンプルの声が、機械のなかに横になっていると、だんだん柔らかく穏やかになっていった。「わたしは、機械の圧力をどこまで優しくできるかに集中します。それには完全に身を任せなければなりません……さあ、ほんとうにリラックスしています」それから静かに付け加えた。「きっと、ふつうはほかのひととの関係でこの気持ちを味わうのでしょうね」

テンプルは、機械から得ているのは喜びと安らぎだけでなく、他者への感覚なのだと思っていた。機械に横たわっていると、母のこと、好きだった伯母さんのこと、そして先生たちのことを考える。このひとたちが注いでくれた愛情と自分が抱く愛情を感じる。いつもは閉じている情緒の世界へのドアを機械が開き、他者への共感を覚えさせてくれる、それどころか共感を教えてくれるような気さえするという。

二十分ほどして起きあがった彼女は、見るからに穏やかになり緊張が解けていて（彼女の猫はすぐに彼女の変化を感じとるという）、わたしにもやってみるかと言った。

わたしは好奇心に動かされて機械に入り、愚かしいまねをしているようなぎこちなさを感じながら、横になった。だが、テンプルのほうにまったく自意識がないので、思ったほど気まずくはなかった。彼女がコンプレッサーのスイッチを入れて、主シリンダーをいっぱいにしたあと、わたしは用心深く圧力を調節した。たしかに、安らかないい気持ちだった。昔、ダイビングをしていたころ、深い水底でダイビングスーツごしに水に抱きしめられるのを感じたのを思い出した。

締め上げ機を試したあと、リラックスしたわたしたちは、テンプルが基礎的な実地調査の大半を行なっている大学の実験農場へ車で出かけた。わたしは、自閉症という個人的な――いわゆるプライベートな――領域と専門家としての公的領域には、垣根《かきね》というか、ギャップがあるのではないかと思っていた。だが、このふたつはほとんど分かれていないことがだんだんわかってきた。彼女の場合、個人的生活と専門家としての生活、内面と外面は完全に融けあっていた。

「家畜は自閉症のひとたちと同じ種類の物音に怯えます。振動数の高い音、しゅうっという音、それに突然の大きな音、そういうものには慣れることができないのです」とテンプルは語った。「でも、振動数の低い音、ごろごろいう音には平気です。それから、視覚的コントラストが強いもの、影、急な動きに怯えます。軽く触れると逃げますが、しっかりと触ってやると落ち着きます。わたしが触られて身を引くのと、野生の雌牛が逃げるのとは同じなのです。わたしが触られるのに慣れることは、野生の雌牛がならされるのと同じです」動物と人間は（基本的な知覚と感覚が）共通であるという認識があるからこそ、彼女は動物にあれほどの思いやりを示し、人道的な扱いを強く主張するのだろう。

こうした知識が身に付いたのは、ひとつには自分自身の自閉症の経験を通してであり、また彼女の一族が代々農民であって、子供のころから農場で過ごすことが多かったためだと、彼女は感じていた。それに彼女独特の考え方のせいで、現実に目をふさいでいることはできなかった。「視覚的な思考をするひとのほうが、動物の気持ちがよくわかるのです」農場への車のなかで、彼女は言った。「すべてを言葉を通して考えるとしたら、動物の考えがどうしてわかりますか？　でも、ビジュアルに考えれば……」

テンプルは昔から視覚的能力が優れていた。自分のような幻覚に近い視覚的想像力をだれもがもっているのではないと知ったとき、つまりほかの考え方をするひともいるらしいと知ったとき、驚いたという。「あなたはどうやって考えるのですか？」彼女は何度もわたしに聞いた。だが自分にはグラフィックな才能があり、製図ができると気づいたのは二十八歳になってからで、製図工に会って、その仕事ぶりを見ていたときだった。「わたしは彼のやり方を見ていました。それから、彼が使っていたのと同じ道具と鉛筆、ペンテルの五ミリのHBを買ってきて、彼になったつもりになりました。製図は自然にできていき、完成したとき、自分が書いたとは信じられませんでした。製図も設計も勉強する必要はなかった。わたしはデヴィッドのつもりになって、製図の方法もなにもかも盗用したのです」

テンプルは頭のなかでつねに、当人の言う「シミュレーション」をしている。「シュートに入っていく家畜が見えるのです。いろいろな角度、距離から見て、アップにしたり、広角にしたり、ヘリコプターからの俯瞰図にしたりします——それに、家畜の身になって、シュートに入っていくのはどんな気分か感じることもできます」

　だが、ビジュアルにだけ考えるとしたら、非視覚的な思考はわからないのではないか、わたしはそう思わずにはいられなかった。言葉のもつ豊かさや両義性、文化的な含意、深みなどは理解できないだろう。テンプルは前に、自閉症のひとたちは誰でも自分のように視覚的思考をする傾向が強いと言った。ほんとうにそうなら、偶然ではないかもしれない。テンプルの視覚能力は彼女の自閉症を解く鍵なのだろうか。

　牧畜農場は規模が大きくてもふつうは静かなものだが、わたしたちが着いたときにはかなり騒がしかった。「きっと、今朝、親から子牛を引き離したんだわ」テンプルの言葉どおりだった。雌牛が子牛を探して囲いの外をうろうろと歩きまわっては、鳴き声をあげている。「あれは幸せな雌牛ではないの」テンプルが言った。「あれは不幸で悲しく、おろおろしている雌牛です。子供を求めているのです。子供を求めて鳴いて、探している。しばらくすればまた忘れて、やり直すでしょう。ちょうど、誰かを亡くして、悲しむようなものです。そういうことはあまり書かれていないけれど。ひとは、家畜にも思考や感情があるとは認めたがらないのです。スキナーは、認めないでしょう」

　ニューハンプシャーで大学に通っていたころ、彼女は、偉大な行動心理学者B・F・スキナーに手紙を書き、ついには会いにいった。「神さまに謁見《えっけん》を賜《たまわ》るようでした。でも、失望しました。彼はただの人間だったわ。こう言いました。『脳がどのように働いているかを知る必要はない――単なる条件反射にすぎない』そう言われても、わたしには、刺激と反応にすぎないとは信じられませんでした」スキナーの時代とは、動物に感情を認めず、自働機械扱いすることを合理化する時代だった、とテンプルは言った。動物実験の面でも、農場や食肉プラントの経営の面でも、きわめて冷酷な時代だった。行動主義とは非情な科学だとどこかで読んだが、そのとおりだと感じたという。牧畜業に動物の感情に対する生き生きした感覚を取り戻すこと、それが彼女の願いだった。

雌牛の悲しみを見、子牛を求める鳴き声を聞いて怒りを感じたテンプルの思いは、家畜の処理方法に向けられた。鶏を逆さにつるして血液が頭にたまってから喉を掻《か》き切るというやり方は、昔からのユダヤ教の掟に従って処理する場合によく見られるという。「ときには足が折れて、苦痛と恐怖で悲鳴をあげているのです」幸い、そんなやり方にもだんだん変化が起こってきた。適切な方法で行なわれれば、「屠畜は自然界よりも人道的」なのだと彼女は言った。「喉を掻き切られて八秒後、エンドルフィンが分泌されます。家畜は苦痛を感じることなく死にます。自然界で、コヨーテに羊が引き裂かれるときも同じです。自然は死んでいく動物の苦痛を和らげるためにそうするのです」

引き裂かれて鳴いている子牛と母牛の悲しみをテンプルはまざまざと感じたようだったが、わたしたちはそこから離れて、家畜がおとなしく草を食《は》んでいる静かな一角を見つけた。テンプルがひざまずいて草を差しだすと、雌牛がやってきてその草を食べ、彼女の手に柔らかな鼻面を押しつけた。テンプルの顔に穏やかな幸せそうな表情が浮かんだ。「いま、とてもくつろいでいます。家畜と一緒にいるときは、理性的に認識する必要がまったくありません。

雌牛がなにを感じているか、わかるのです」

　家畜のほうでも彼女の安らかさ、信頼を察知して、その手から餌をもらうらしかった。彼らはわたしには寄ってこなかった。たぶん、大半を文化的なしきたりと信号の世界で暮らし、言葉のない大きな動物にどう対していいかわからない都会人が不安なのだろう。

「人間が相手だとちがいます」テンプルはそう言って、火星の人類学者のような気がするという言葉をくりかえした。「そこの住民を調査して、理解しようという感じです。でも、動物ならそんな感じはしません」

　テンプルは動物の気分やしぐさなら直観的にわかるのに、人間や世間の規範、合図、行動様式の理解となると非常に苦労している。その大きな相違、ギャップにわたしは衝撃を受けていた。彼女に感情や基本的な共感がないとは誰にも言えない。それどころか、動物の気分や感情に対する直観力は非常に鋭く、ときにはそれに取り憑かれ、圧倒されてさえいる。肉体的あるいは生理的な動物の苦痛や恐怖には共感できるが、ひとの心や見方に対する共感は欠けていると彼女は感じる。若いころは、ごく単純な感情表現でさえ理解できなかったという。そのうちに「解読」する術を学んだが、必ずしもそれを感じてはいない。ロンドンのハームリン博士に同じような話を聞いたことがある。十二歳の頭のいい自閉症の少女がやってきて、べつの生徒のことをこう言った。「ジョーニーが変な音をたてています」行ってみると、ジョーニーが激しく泣いていたという。自閉症の少女には泣くということの意味がまったく通じなかった。彼女はただ、「変な音」をたてているとしか認識しなかったのだ。思い出してみると、自閉症の芸術家ジェシー・パークもそうだった。彼女は、タマネギで涙が出るというのを大変におもしろがったが、ひとが嬉しくても泣くということはまったく理解できなかった。

「ひとが怒っているのはわかります」とテンプルは言った。「にこにこしているのもわかります」外側から見ればわかる具体的で直接的なことがら、それに動物が相手ならテンプルは困難を感じない。それでは子供はどうか、と聞いてみた。子供は動物と成人の中間ではないのか。とんでもない、とテンプルは言った。子供はとてもむずかしい。子供と話をしたり、仲間入りしようとするのは非常に困難だ。赤ん坊相手の「いないないばあ」でさえ、タイミングがはずれてできないという。彼女自身が子供のころもそうだった。三歳か四歳の子供でも、ある意味ではそうとうに発達しているが、自閉症である自分の場合、その部分はほとんど発達していないとテンプルは考えている。幼児はすでに、自分には望むべくもない方法で他者を「理解」していると感じるともいう。

それでは、ふつうのひとどうしにはあって、彼女はのけものにされていると感じるものは、いったい何だろう。わたしはさらに尋ねてみた。たぶん社会的なしきたりや規範、すべての文化的な前提についての暗黙の知識と関係があるのだろうと彼女は答えた。ふつうのひとは生涯にわたって、経験や出会いを基本にその暗黙の知識を獲得し、積み重ねていくが、彼女にはそれがない。それがないから、他者の意図や心の状態を「計測」し、明示的、方法論的に理解しようとするが、ふつうなら、その理解力は二次的な天性として備わっているものだ。

ふつうの社会的知識を構築するもととなる社会的経験が自分にはないのだと思う、と彼女は言った。

そこからまた、動作や言語の面で困難が生じている。ほとんど言葉がない子供だったころ、その困難はすさまじいものだったし、ようやく話しはじめたころも、代名詞をごっちゃにし、「あなた」と「わたし」の意味が文脈によって異なるということがどうしてもわからなかったという。

このころについて、テンプルの話を聞いたり、本を読んだりすると驚くほかはない。三歳のころ、家族はあまり期待していなかったが、たまたま機会があって障害児のための幼稚園に通うことになり、スピーチ・セラピーを勧められた。どういうわけか、幼稚園とスピーチ・セラピストがテンプルの突破口となり、彼女は深淵《しんえん》から救われ（と、彼女は後に感じた）ゆっくりと発達しはじめたのだった。彼女は明らかに自閉症のままだったが、新たに獲得した言語とコミュニケーションの力が支えとなって、それまでの混沌とした状態をいくらかコントロールすることができるようになった。それまでは過敏と鈍感のあいだを激しく揺れ動いていた感覚系も、少しずつ安定しはじめた。後退や退行の時期も多かったが、六歳ごろにはかなりの言語力がついたことがはっきりし、それとともに高い機能をもった彼女のようなひとたちと、言語力も自立性もついに獲得し得ないひとたちとを分ける境界を越えた。言葉が使えるようになると、恐るべき三つの障害——社会的障害、コミュニケーションの障害、想像力の障害——は、いくぶんか緩和された。多少は他者と接触できるようになり、とくに彼女の知性と特殊性を評価し、その病理的な——絶え間なくしゃべりつづけ、質問をしつづけ、奇妙な固着性を示し、ときに怒りだすという——面に耐えられる数人の教師と交流できるようになった。言葉に劣らず重要だったのは、絵やデッサンを描き、ボール紙で模型をつくったり彫刻したりするという真の遊戯性と創造性が現われ、「独特で、創造的な悪戯《いたずら》っ子ぶり」を発揮しはじめたことだった。八歳のとき、テンプルはふつうの子供なら幼児期にみられるはずの「ごっこ遊び」ができるようになった。だが、低機能自閉症児にはこれがまったくできない。

母親や伯母、数人の教師が彼女に対して決定的な役割を果たしたが、長い旅の途上で同じく重要な意味をもったのは、多くの自閉症児に見られる遅々とした発達過程だった。自閉症は発達障害だから、年齢が進んでうまく対処することを覚えるにつれて、症状が緩和されていく傾向がある。

テンプルは学校で友達に強く憧れ（二、三年、彼女は空想のなかで友達をつくっていた）、友達になると徹底的に忠実だったが、彼女の話しぶりや行動には他人を遠ざけるなにかがあり、友達は彼女の知性を尊敬はしても、仲間として完全に受けいれてはくれなかった。「自分がどんな悪いことをしたのかわかりませんでした。不思議なことに、自分がひととちがっているという認識がわたしにはまったく欠けていたのです。わたしは、ほかの子供が変わっているのだと思っていました。どうして自分が仲間に入れないのか、さっぱりわかりませんでした」ほかの子供たちにはなにかが起こっていた。非常な勢いでつねに変化している微妙なにかだ。意志のやりとり、交渉、相互理解のすばやさ、それらがあまりに驚異的なので、ほかの子供たちにはテレパシーがあるのではないかと思ったほどだった。彼女にはそうした社会的な信号の存在が感じとれなかったからだ。いまでは推測できるが、しかし感じとることはできないし、この魔法のようなコミュニケーションに直接参加することもできず、その裏にある重層的で万華鏡のような心の状態を理解することもできない。それを頭で認識した彼女は、ふつうのひとが考えもせずに理解していることをわかろうとして大変な知的努力をし、計測力を動員して補っている。だから、ときおり自分をのけもの、エイリアンだと感じるのだ。

決定的な出来事が起こったのは、十五歳の時だった。彼女は家畜を押さえるのに使う締め上げシュートに魅せられた。科学の教師は彼女のこだわりを馬鹿にせず、まじめに受けとめて、自分でつくってみたらどうかと勧めた。これをきっかけに、その教師は農場の動物や機械に対する関心を生物学から科学一般に広げるように仕向けた。このときテンプルは、日常的な言葉や社会的な言葉に対する理解はあいかわらずおぼつかなかったが——ほのめかしや仮定、皮肉、比喩、冗談がわからなかった——科学および技術の言葉の世界は非常に楽なことに気づいた。そちらは明晰で明示的で、暗黙の前提に左右されることがあまりなかった。彼女にとって社会的な言葉はむずかしかったが、技術的な言葉はずっと容易だった。そこから科学への道が開かれたのだ。

知的、感情的エネルギーの大半を科学に向けることによって、あるレベルの問題は解決したとしても、ほかの部分の緊張や不安、さらには苦悶が残っていた。青春期の入り口で、テンプルは自分が決して「ふつうの」人生は送れず、それにともなう「ふつうの」満足――愛情や友情、娯楽、社交――は味わえないかもしれないことを認識させられはじめた。この年頃の才能ある自閉症の若者には悲惨で、絶望や自殺の原因にすらなりかねないことだ。テンプルはあきらめと科学への献身によって、この事実を乗りこえようとした。生涯独身でいよう、そして科学に人生を捧げようと決意したのだ。

青春期には、彼女の感情ばかりでなく、精神と肉体のすべてがきわめて微妙なバランスのうえに成りたっていて、ちょっとした感覚的な刺激やストレス、疲労、葛藤などによって、簡単に乱れた。青春期につきものの揺れに、彼女は翻弄《ほんろう》された。だが、この混乱の時期には情熱と激しさも付随していた。大学を卒業して仕事を始めたころ、ようやく彼女は激しい揺れを鎮めてもいいと考えるようになった。そうしなければ、身体がもたないのではないかとも思った。そこで、この時期に市販の抗鬱剤イミプラミンを少量服用するようになった。彼女は著書のなかで、抗鬱剤の功罪についてつぎのように記している。

人生の基本的な意味を知りたいという狂おしい思いは消えた。もう駆り立てられるような思いはなくなり、ひとつのことにこだわらなくなった。この四年、ほとんど日記を書かなかったが、それは抗鬱剤のために情熱の大半が失せていたからだ。情熱が鎮まって、仕事も……事業も順調に進んでいる。リラックスしたので、ひとともうまくいくようになり、大腸炎などストレスに起因する身体の不調もなくなった。だが、もし二十代のはじめに薬を処方されていたら、あのような業績をあげられなかっただろう。ストレスに起因する不調のために身体がぼろぼろになりはしたが、それまでは「過敏な神経」と固着は大きな動機、推進力になっていた。

わたしはこれを読んで、躁鬱病だったロバート・ロウエルが抗鬱剤のリチウムについて話してくれた言葉を思い出した。「ある意味ではずっと『良く』なり、気持ちが穏やかに安定しました――でも、わたしの詩はかつての力をだいぶ失いましたよ」テンプルもまた、気持ちを安定させるには代償を支払わねばならないことをよく知っていたが、この時期にはそれもやむを得ないと感じていた。だが、ときにはかつての情熱や熱狂をなつかしく思うことがあるという。

遅ればせの発達のもうひとつの側面は、社会性と認識力が生涯を通じて発達しつづけ得るということだったかもしれない。じっさい、彼女はこの二十年、発達しつづけてきた。十年前に初めて講演を行なったころ、彼女は聴衆に向かって話していないように見えた。視線をあわせず、そっぽを向いてしゃべることさえあったし、講演のあとの質疑応答ができなかった。いまでは自閉症について、あるいは動物行動学について、世界じゅうを講演してまわることで九割の時間が過ぎている。講演は上手になり、以前よりも聴衆と視線をあわせるし、ユーモラスな余談を交じえたり、当意即妙の話題を加えたりすることまである。また、質問も軽く受けられるし、必要なら受け流すことも覚えた。社交生活でも発達を重ねているようで、最近では、二、三人の友人と一緒に時を過ごして楽しむこともできるようになった。だが、真の友情をはぐくみ、他者を他者として、あるいはその心を評価し、尊重することは、自閉症のひとたちにとっては最大の難題であるらしい。ウタ・フリスは、『自閉症とアスペルガー症候群』のなかで、こう書いている。「アスペルガー症候群のひとたちは……型どおりのつきあいは楽にできるのに、双方向の人間的な交流を確立し、維持する術を知らないようだ」フリスの同僚のピーター・ホブスンは、知的だが自閉症のある男性には「友達」という言葉の意味がわからなかったと書いている。だが、テンプルの話を聞いたわたしは、四十代になった彼女は、多少なりとも友情の何たるかを理解しているのではないかと思った。

こんな思いを抱きながら、わたしたちは――二時間近くも歩きながら、話していた――大学農場を後にして、昼食をとりに出かけた。食べているしばらくのあいだは、話すことも考えることも中断できるので、テンプルはほっとしているようにみえた。わたしが強《し》いた自己点検にはほとんど耐えがたい厳しさがあったようだ（とはいえ、自閉症を抱えた彼女が非自閉症の世界で暮らし、まわりを理解しようと苦闘しつつ、毎日自分に課している自己点検とそうちがってはいなかっただろうが）。話せば話すほど、「正常である」ことは彼女にとっては上っ面、見かけでしかなく、その見かけがどれほど立派に見事にできていようと、その奥では以前と同じように隔絶した「外の世界」にいるのだということが伝わってきた。「データなら、わたしにはよくわかります」と農場からの車のなかで、彼女は言った。彼女もわたしと同じ《スター・トレック》のファンで、感情に動かされることはないが、好奇心に満ちていて、人間への憧れを抱いているアンドロイドのデータが好きだという。データは人間の行動を細かく観察し、ときにはまねたりもするが、なによりも人間になりたいという願望が強い。データ、あるいは彼と同じ役割を果たしていたミスター・スポックを自分と同一視している自閉症のひとたちは驚くほど多い。

カリフォルニアで会った自閉症の一家、B家もそうだった。長男は両親と同じアスペルガー症候群で、次男は古典的な自閉症だった。最初、彼らの家に着いたとき、雰囲気がごく「正常」で、家族にも家にも「自閉症らしさ」がぜんぜんなかったので、わたしは話をまちがって聞いたのか、それとも家をまちがえたのかと思ったくらいだった。だいぶ使いこまれたトランポリンに気づいたのは、ひととおりのあいさつがすんで落ち着いてからだった。家族全員がときどきそのトランポリンで跳ねたり、跳ねながら両手を叩いたりするのだという。それに、厖大なSFのコレクションがあって、バスルームの壁にはおかしな漫画が画鋲《がびょう》でとめてあり、キッチンにはばかばかしいほど具体的で細かい料理やテーブルセッティング、皿洗いについての指示が貼ってあった。その貼り紙は、台所仕事が決まった儀式的な方法でなされねばならぬということを伝えていた（あとで知ったのだが、これは身内だけの自閉症のジョークだった）。ミセスBは自分のことを「正常とのボーダーライン」にいると言い、その「ボーダーライン」とはなにを意味するかを明確に説明した。「わたしたちは、『正常な』ルールやしきたりを知っていますが、そちらの世界へ移ったのではありません。正常に行動し、ルールを学び、それに従いますが、でも……」

「人間行動の模倣を学習するのです」と彼女の夫が口を挟んだ。「わたしにはいまでも、社会的なしきたりの奥になにがあるのか、理解できません。表面的には従いますが、しかし……」

B夫妻は正常な見かけを学びとった。仕事をし、郊外で暮らして、車を運転し、息子をふつうの学校に通わせるには、それが必要だった。だが、彼らは自らに幻想を抱いてはいなかった。自分たちが自閉症であることを認識し、だからこそ大学時代に互いに親近感を抱いて嬉しくなり、結婚せずにはいられなかった。「わたしたちは何百万年も前から知りあっていたようです」とミセスBは言った。ふたりは自閉症にからむいろいろな問題をよく知っていたが、互いにひととちがう面を尊重し、誇らしくさえ思っていた。じっさい、自閉症のひとたちの一部は、緩和できない強烈な異質感をもつあまり、なかば冗談に自分たちは別の種なのだと思うと言う（「わたしたちは、転送装置で一緒に地上に下ろされたんです」というのは、B夫妻のお気に入りの台詞だった）。彼らに言わせれば、自閉症は特殊な医学的状態で、症候群として病理現象扱いされるとしても、それと同時にある全的なあり方、まったく異なった存在の様態あるいはアイデンティティとして見るべきであり、そこを意識し、誇りをもつ必要があるという。

テンプルの姿勢もこれに近かった。彼女は（単に知的操作、あるいは推論を通してであっても）自分の人生にはなにが欠けているかをよく知っていたが、同じく（直観的に）自分の強みも知っていた。集中力、密度の高い思考、ひとつの目的へのこだわり、頑固さ、それから偽りを知らない率直さ、誠実さである。彼女はこうした強みが自閉症の短所と表裏一体の長所ではないかと考えていた。わたしも、だんだんその思いが強くなっていた。だが、彼女もときには自分が自閉症であることを忘れ、ひととちがう世界にいるのではない、仲間なのだと感じたくなることがあった。

午前中は牛舎で過ごし、午後には食肉プラントを見学する予定だった。昼食後、空港まで車で行き、そこから小型機に乗り、さらに車でプラントに向かった。テンプルはプラントの設計が自慢で、実地に見せたいと言った。ふつう、プラントは一般人には見学させず、厳重な警備を行なっている。二年ほど前に施設の設計をしたテンプルは、まだプラントのマークのついた作業服と身分証明書をもっていた。だが、わたしのほうが問題だった。どうしたらいいだろう。テンプルは朝、これについて思案したあげく、もっていた派手な黄色の衛生技師用ヘルメットを取りだしてきて、それを渡しながら言った。「これがいいわ。お似合いよ。あなたのカーキ色のズボンとシャツにぴったりだわ。まさに衛生技師に見えます」わたしは赤くなった。こんなことを言われたのは初めてだ。「さあ、今度はそれらしく行動しなければなりません、そのつもりになって考えてください」わたしは、この言葉に驚いた。自閉症のひとたちはごっこ遊びができないと言われているが、テンプルは何のためらいもなくあっさりとごまかしをすることに決め、わたしをプラントに忍びこませようというのだ。

結局、入るのには何の問題もなかった。テンプルは堂々と自信たっぷりにゲイトを車で通過しながら、警備員に明るく手を振り、相手も陽気に手を振り返した。「ヘルメットをかぶっていてください」車を駐《と》めたとき、彼女は言った。「ずっとかぶっているんですよ。あなたはここでは衛生技師なのです」

まず、大きなプラントの外で牛が集められている囲いに立ち寄ってから、最後の旅で牛がたどるとおりに、カーブした坂を本館に向かった。「天国への階段」とテンプルは言った。ここでも、わたしはとまどった。自閉症のひとたちにとって比喩はむずかしく、皮肉はまったく通じないといわれる。だが、テンプルの率直で真剣な表情を見て、彼女にとってはこの言葉は比喩でも皮肉でもないのかもしれないと思った。どこかで聞いたこの言葉が、彼女には言葉どおりの真実に感じられたのだろう。自伝にも、象徴《シンボル》を言葉どおりに受けとったという部分がある。青年期、彼女はある牧師が『ヨハネによる福音書』の十章九節を引用して、「わたしは門である。わたしを通って入る者は救われる」と述べるのを聞いた。牧師は続けて、「みなさんひとりひとりの前には、天国への扉が開かれているのです。その扉を開き、救いを得ましょう」そのことについて、テンプルは次のように書いている。

> 自閉症児の多くがそうであるように、わたしはすべてを文字どおりに受けとった。わたしの心はひとつのことに集中していた。扉である。天国に通じる扉……その扉を見つ

けたかった……戸棚のドア、バスルームのドア、表の玄関のドア、厩《うまや》のドア――あらゆるドアを調べてみたが、天国への扉ではなかった。ある日……寮の増築が始まったのに気づいた……わたしは建物に付属してつくられた小さなテラスに上ってみた。そこにドアがあった！　小さな木製のドアで、開くと屋上に出られるようになっていた……どっと安堵感があふれた……愛と喜び……とうとう見つけた！　わたしの天国への扉だ。

その後、テンプルは死後の存在を（それが宇宙に残る「エネルギーの痕跡」にすぎないとしても）信じていると語った。また動物の感情とその「人間性」を強く感じているテンプルは、動物にも死後の存在があるはずだと考えていた。

両脇に高い塀《へい》がある緩やかにカーブした通路の横をわたしたちはゆっくり上った。なにも知らない牛たちは一頭ずつ、この通路を上っていって、最後のところで一撃をくらって死ぬ。テンプルはこうした坂道を設計したパイオニアで、カーブした通路の導入といえば、業界ではテンプルの名が出てくる。足場を上って塀ごしに眺めながら、彼女はこの通路の利点を教えてくれた。通路がカーブしているので、動物は目的地に到達するまでそこになにがあるかわからない（したがって、不安を抱かない）し、同時に旋回したがる雌牛の性格にもあっている。また、高い塀のおかげでなにかに邪魔されて怯えたりせず、歩くことに専念できる。

通路の終点は建物のなかで、動物たちはいつのまにか腹部の下を通るコンベヤベルトに乗せられている。この「二重ベルト固定装置」もテンプルの考案である。そして数秒後には、空気銃から打ちだされる太矢で頭を打ち抜かれて即死する。これとよく似たシステムが豚にも応用できるのではないかとテンプルは言った。ただ、そちらは太矢ではなく、電気ショックを使うのがふつうだろうという。さらに、これに関連する興味深い話をしてくれた。「電気ショックを与える機械——一部の精神科で使われているのと同じような——と豚を屠畜する機械の変数はほぼ同じなんです。一アンペア、三百ボルトぐらいです」電極を装着する場所がほんの少しずれたら、患者は豚のようにショック死するかもしれない。それに気づいたときには少し衝撃を受けた、と彼女は言った。

テンプルに空気銃装置を見せられたとき、わたしはちょっとぞっとしたが、牛は自分の運命に怯えもしないし、不安も感じないのだと彼女は説明した。動物に恐怖やストレスを与える要因を取り除き、なにも知らないまま安らかに死なせることに、彼女は全力をあげている。

動物心理学や動物行動学についての彼女の知識は、世界じゅうの放牧業や食肉プラントばかりでなく、遠くニュージーランドの羊毛業者や動物保護区、動物園などからも求められている。アフリカの草原で象の群や、羚羊、ヌーのような被食動物についてのコンサルタントとして過ごすのも彼女には楽しいかもしれない、とわたしは思った。だが彼女は、（彼らなりに「心の理論」をもっているという）猿を、家畜と同じように理解できるだろうか。それとも、子供やほかの人間が相手のときと同じくとまどい、わからないと感じるだろうか（「家畜なら、その行動を感じとることができます」と、のちに彼女は言った。「霊長類が相手なら、相互関係を知的に理解します」)。

テンプルがいちばん深い思いを抱いているのは家畜だ。彼女は家畜に優しさ、共感、愛情に似たものを感じている。そのことを、つぎの目的地である飼養場に向かう車のなかで、くわしく話してくれた。食肉プラントの通路を通る家畜が優しく扱われるようどれほど考えたか、動物に安心感を与えようと努力したか、最期の瞬間を安らかに迎えさせようとしたか。命の最後の瞬間の動物を優しく抱きとってやりたいというのは、彼女にとってはなかば本能的、なかば神聖な使命でもあり、その思いを現場のひとたちにも伝えたいと果てしない努力を積み重ねている。彼女は、あるプラントマネジャーの話をしてくれた。彼女の助言を聞いたとき、そのマネジャーは反発したが、荒れた動物を鎮める彼女の力に驚き、仕事をしている彼女を天井に空けた穴からそっとのぞいていたという。南部のプラントでコンサルタントをしていたときの出来事だというが、その情景のすべて、前後関係のすべてがくりかえしよみがえってくるらしかった。この日の午後、彼女はこの話を六回もしたが、そのたびに始めから終わりまで、文字どおり同じ言葉で語った。

彼女が再現するこの思い出の鮮やかさに、わたしは驚いた。体験は異常な細かさで、時がたっても少しの変化もなく彼女の心によみがえるようだった。当時の情景、知覚、それにともなう感情がまったく修正なしに再現、再生されているのだ。こうした記憶は(ある意味ではスティーヴン・ウィルトシャーにもよく似ていた)天才的であると同時に病理的でもある気がした。その細かさにおいて天才的であり、コンピュータの記録そっくりの固着性において病理的ではないか。コンピュータとの類似はテンプル自身がよく口にした。「わたしの心はコンピュータのCD‐ROMに似ています。すぐ再生できるビデオにも似ています。でも、いったん再生しはじめたら、全部を再生しなければならないのです」たとえば、最期のときに動物を抱いてやることだけを考えることはできない。記憶のなかでは通路に動物が入ったところから始まり、しだいに進んで（「追いたてなければ、二分かかります」）最後に喉を掻き切られて息絶えた動物が倒れるまでの全情景を再生しなければならない。「わたしは『ジュラシック・パーク』のなかでコンピュータがしていたようなことは何でもできます」と彼女は続けた。「頭のなかで全部、できるのです……実際、頭のなかにマシンがあるのです。心のなかでその機械を動かします。テープをまわします――遅い思考方法なのです」だが、彼女の仕事には理想的な思考方法である。複雑な施設の設計は彼女の心のなかで始まる。システムのすべての要素を視覚としてとらえ、さまざまに並べ換え、遠近さまざまな距離から眺める。設計が完成すると、心のなかで「シミュレーション」をしてみる。プラントがどう稼働するか、全体を想像するのだ。このシミュレーションで思いがけない問題が見つかるかもしれない。そのときには、その問題をふまえて、設計を修正し、またシミュレーションをする。完璧な設計ができるまで、必要なら何度かのシミュレーションを行なう。それが終わり、すべてが心のなかで明確になったところで、初めて設計図を引きはじめる。この段階になれば、もうなにも考えなくても、あとは自動的に進む。「いったん基本的な事柄が決まれば、あとは紙に写すだけです。テレビをつけっぱなしでもできます。感情はそこにはありません。ただ、サン・ワークステーションのスイッチを入れて、作業をすればいいのです」
だが、この種のシミュレーションや具体的なイメージは、ほかの種類の思考、たとえば象徴的思考、あるいは概念的、抽象的な思考には適さない。「転石苔を生ぜず」ということわざを理解するために、「岩が転がる場面のビデオを再生し、そこから苔をそぎ落とさなければ、意味を考えられないのです」彼女の場合、一般化する前に、具体的に考えなければならないのだ。学生時代、具体的なイメージが「見える」まで、主の祈りを理解できなかったという。「『力と栄光』は、高圧電線と輝く太陽で、『罪《トレスパス》』という言葉は……木にかけてある『立入禁止《ノー・トレスパッシング》』という札でした」

　彼女は自伝のなかで、また一九八四年、自伝に先だって《ビタミン治療の精神医学ジャーナル》に発表した「自閉症児としての体験」という三十ページほどの論文のなかではさらに簡潔に、そのことについて書いている。子供のころ、空間テストや視覚テストでは記録的な成績をおさめたが、抽象的な思考や連続的な作業だとふるわなかったらしい（こうした「プロフィル」は自閉症の特徴である。彼らは、いわゆる知能テストでは極端な「ばらつき」を示す傾向がある）。だが、場合によっては成績は誤解を生むとテンプルは書いている。「ふつうの」方法でやれば彼女にとって非常にむずかしい作業も、特異な視覚的方法なら簡単だったからだ。文章や詩、数の羅列などは、ただちに視覚的なイメージになり、それが記憶されるのであって、言葉や数としてではなかった。複雑な計算はふつうの方法ではできなかったが、視覚的なイメージに変換しさえすれば可能になった。

視覚的思考そのものは異常なことではないし、自閉症ではないが技術者やデザイナーで、彼女のように必要なことを「見られる」ひとたち、心のなかで設計し、シミュレーションをするひとたちを、テンプル自身知っているという。実際、こうしたひとたちと彼女はとてもうまくつきあっているし、とくに友人のトムとは仲がいい。彼は彼女と同じく優れた創造的な視覚能力の持ち主で、これも彼女と同じように変わり者で悪戯っぽく、悪ふざけが好きだという。「トムとは波長が同じなのです」とテンプルは言った。「子供っぽい」が、「子供っぽい波長ですけれど」なによりもトムと一緒の仕事は楽しい。それもまた「子供っぽい」が、本質的に創造的な子供っぽさだ。「トムとわたしは、小さい子供です。コンクリートは泥が育ったもの、鋼鉄はボール紙が育ったもの、建築は遊びが育ったものなのです」

わたしは創造性を子供の遊びになぞらえたテンプルの言葉に感動し、このことは彼女にとって、なんと健《すこ》やかな成長だろうと思った。同時に、トムとの関係にも感動した。彼を愛しているのだろうか、性的な関係、あるいは結婚を考えたことがあるのだろうか。それについても、尋ねてみた。性的関係をもったことがあるか、デイトをしたことがあるか、恋をしたことがあるだろうか。

いいえ、と彼女は答えた。自分は独身で、一度もデイトをしたことがない。そうしたつきあいは複雑すぎて手に負えないし、当惑するばかりだ。彼女は聞いた言葉がなにを意味するのか、どんな含意があるのか、なにを求められ、期待されているのか、どうしても理解できない。そんなとき、ひとがどういうつもりなのか、なにを仮定し、あるいは前提としているのか、どんな意図をもっているのか、わからなくなる。これは自閉症に共通したことで、そのために性的な感情をもってはいても、デイトや性的関係があまりうまくいかないのだと彼女は言った。

だが、実際にはデイトや人間関係だけの問題ではなかった。「わたしは恋に落ちたことがありません」と彼女は言った。「恋に落ちて、有頂天になるということがどんなことか、わからないのです」

「『恋に落ちる』とはどんなものだと思いますか」わたしは聞いてみた。

「たぶん、夢中になって熱をあげるといったことでしょう。そうでないとしたら、わかりません」

「恋に落ちる」という言葉はひとを圧倒するような感情や昂《たか》ぶりを意味するから、適切でなかったかもしれない。それで、わたしは聞きなおした。「『愛する』ということはどんなものだと思いますか？」

「誰かを大切に思うこと……優しさと関係があると思います」

「誰かを大切に思ったことがありますか？」

彼女は一瞬ためらってから答えた。「わたしの人生には欠けていることがあると、よく思います」

「辛いですか？」

「そう……そうでしょうね」だが、彼女は続けた。「家畜を抱いたとき、自分はどうかしたのかしらと思いました。これが愛情なのかしらって……あれはもう知的なものではありませんでした」

彼女はある意味では愛情に憧れているが、他人に情熱を感じるというのがどういうものか想像できない。「ルームメイトが科学の教師に夢中になって熱をあげたとき、それが理解できませんでした」と彼女は思い出して言った。「彼女はその感情に圧倒されていました。彼はいいひとだから、好きになるのはわかる、とわたしは思いました。でも、それ以上のことはないわ、と」

「熱をあげる」能力、激しい感情的反応の体験、それは人間関係だけではなく、ほかの領域でも劣っているようだった。ルームメイトの話をした直後に、テンプルは言った。「音楽も同じです――夢中にならないのです」自分は絶対音感をもっていると、彼女は付け加えた。ふつうは非常にめずらしいことだが、自閉症のひとたちには比較的多い。それに音楽的な記憶力もいいし正確だが、音楽に感動することはない。「きれい」だとは思うが、深い感情を呼びおこすことはなく、具体的な連想だけだ。『ファンタジア』の音楽を聞くと、必ず、あのばかげたカバのダンスが目に浮かびます」音楽は彼女に「訴え」ないらしい。音楽が「わからない」、それが「何なのか」が見えないと彼女は言う。絶対音感があっても、テンプルは「音楽的」ではない、それだけだとひとは思うかもしれない。だが、深いところで感情的、主観的な反応が起こらないというのは、音楽だけのことではなく、視覚的場面の大半でも同じように感情的、あるいは美的な反応が乏しい。正確に叙述することはできるが、強い感情がともなったり、呼びおこされたりすることはないらしい。

　テンプル自身は、機械的で単純な説明をした。「感情の回路が開いていないのです。それが欠陥です」同じ理由で、無意識というものもないと彼女は言った。思い出や思考を抑圧することがない。「わたしの記憶には抑圧されたファイルはありません」と彼女は断言した。「あなたには閉じたファイルがある。わたしには閉じてしまうほど苦痛を感じるファイルがないのです。秘密もない、閉じた扉もない――なにも隠されてはいません。ほかのひとには隠れた部分があり、話す気になれないことがあるのだろうと推測はできます。扁桃核が海馬のファイルを閉ざしますが、わたしの場合、扁桃核は海馬のファイルを閉ざすほど激しい感情を呼びおこさないのです」

　わたしは驚いた。「あなたが誤解しているか、信じられないような心理構造の違いがあるということになりますね。抑圧というのは人間にとっては普遍的なことなのですから」しかし、そう言いながら、わたしには自信がなかった。抑圧が生じない、あるいは破壊されるか圧倒されてしまう器質的条件も想像できたからだ。ルリアの研究した記憶術者がそうだったらしい。彼は自閉症ではなかったが、記憶は消すことができないほど鮮明で、なかには生理的に可能なら抑圧したにちがいないほど苦痛を感じさせる記憶もあった。わたし自身も、脳の前頭葉に障害を負ったために、強く抑圧されていた記憶が「解放」され――それは彼が犯した殺人の記憶だった――恐怖に苛まれることになった患者を知っている。

　また、技師だったが出血によって前頭葉がひどく損なわれたある患者は、よく《サイエンティフィック・アメリカン》を読んでいた。彼は記事の大半は理解できるが、もう驚異に打たれることはないと言っていた。以前は、その驚異こそが彼の科学への情熱を喚起し、その中核をなしていたのだった。

もうひとり、ある神経学の論文に紹介されている元判事は、頭に砲弾の破片があたって前頭葉が傷ついた結果、感情というものがまったく喪失したことに気づいた。感情がなければ偏見も生じないから、判事としてより公正な判断ができそうな気がする。実際、判事としては特別な資質ではないか。だが、彼自身はよくよく思案したあげく、辞職した。自分はもう関係者の動機に共感することができないが、正義とは単なる思考ではなく感情にもかかわるものであるから、障害を負った自分は適性がないと考えたのだという。

こうした症例からみて、人生の情緒的基盤全体が神経学的障害によって損なわれる可能性が考えられる。だが、自閉症の情緒的問題にはもっとばらつきがある。テンプルは「感情の回路」あるいは扁桃核の不全を言うが、自閉症のひとたちは情緒すべてが平板で波がないというのではない。彼らは暴力的な情熱をもつこともあり、強烈な固着や執着を示すこともある。またテンプルのように、ある領域ではほとんど圧倒的な優しさや気遣いを見せる。自閉症の場合、障害は全体的なものではなく、複雑な人間経験、とくに社会的な体験とこれに関連する領域、つまり美意識、詩心、象徴《シンボル》に対する感情などが影響を受けている。このことを誰よりもはっきり知っているのはテンプル自身である。

自分を理解しようと苦しむ個人として、また動物の行動を理解しようとする科学者として、テンプルは自分の自閉症に悩みつづけ、これを理解するためのモデルあるいは比較対象をつねに探し求めている。自分の心になにか機械的なところがあると感じている彼女は、多くの要素が並列しているということで（技術用語を使えば並列分散処理）よくコンピュータに比較し、自分の思考は「演算処理」で、記憶はコンピュータのファイルのようなものだという。また、自分の心には他のひとがもっているらしい「主観」、内面性といったものが欠けているのではないかと推測している。彼女の思考の要素は具体的な視覚的イメージで、ひととは別の方法で置き換えられたり、連結されたりしている。彼女の脳の視覚野と大量のデータを同時に処理する部分は高度に発達しているが、これは自閉症のひとたちに共通するのではないか。また、彼女の脳の言語野と連続的な処理を行なう部分は相対的に未発達で、これも自閉症のひとたちには多い。彼女は、自分の関心が「固着」的であることを意識しており、そのためにいっぽうでは粘り強いが、他方、軽さや敏捷性に欠けるとも思っている。これは、MRI（磁気共鳴映像法）で判明した、小脳が通常より小さいことからくる欠陥に起因すると彼女は考えている。このような小脳の欠陥は自閉症には大きな意味をもつと彼女は信じているが、専門家の意見はまちまちである。

自閉症にはふつう遺伝的な決定要因がかかわっているらしいと彼女は感じている。よそよそしくて衒学《げんがく》的でひとづきあいが下手だった父親もアスペルガー症候群か、少なくとも自閉的性格だったのではないかと彼女は考えていて、自閉症児の両親や祖父母には自閉的性格がみられることが多いという。豚であれ人間であれ、幼い時の環境が心理的発達に決定的な役割を果たすと彼女は思っているが、（ブルーノ・ベッテルハイムがいうように）両親の行動が自閉症をつくるのではなく、逆に自閉症が接触とコミュニケーションを拒む障壁をつくりあげ、両親がその障壁を突き崩せないため、感覚的、社会的経験（とくに抱擁や強い圧力）がきわめて乏しくなるのではないかとみている。

自閉症に対するテンプルの見方や説明は、現在までの専門家のそれにほぼ一致しているが、幼いときに強く抱きしめる必要があると強調するのは彼女独自の持論で、もちろん、五歳のころからの彼女自身の思考や行動のバネになってきたものである。彼女は同時に、自閉症の否定的な側面ばかりが強調されすぎて、優れた面に充分な関心が払われず、尊重されていないと思っている。自閉症のひとたちの脳の一部に欠陥や障害があるとしても、高度に発達した部分もある。このことはとくにサヴァン症候群のひとたちに目覚ましいが、程度や方向は異なってもすべての自閉症にあてはまると彼女は考えている。彼女もほかの自閉症のひとたちも、ある部分で大きな問題を抱えていることはたしかだが、ほかの部分では並外れた、社会的にも価値のある力をもっていて、それによって自閉症である自分らしく生きることができるはずだという。

自分自身の豊かな能力と明らかな欠陥を意識しているテンプルは、脳をモジュラーとして、それぞれ独立した多数の演算能力あるいは「知性」の集合として考えるという。この見方は、心理学者のハワード・ガードナーが『心の枠組み』で提示した見方と一致している。ガードナーは、自閉症のひとたちはたとえば視覚的知性、音楽的知性、論理的知性といったものが非常に発達しているかもしれないが、彼の言う「人格的知性」――自分や他人の心の状態を感知する能力――が非常に遅れているのではないかとみている。

テンプルを駆りたてているものがふたつあるようだ。ひとつは彼女の論理的部分で、自閉症一般を説明する理論を見出したい、すべての症例すべての現象にあてはまる理論を見出したいという思いである。もうひとつは、自分の障害の多様な面、修正不可能な、複雑で自分でも予測のつかない部分や、ほかの自閉症のひとたちのさまざまな現象を見つめている彼女の現実的、経験的な部分である。彼女は自閉症とその想像される生物学的基盤の認知心理学的、実存的側面に魅力を感じているが、それは自閉症という症候群の一部でしかないという。彼女自身、知覚システムに過敏から無反応までの極端な揺れを毎日感じていて、これは「心の理論」では説明がつかないと思っている。彼女は生後六ヵ月でひととのかかわりを拒否し、母親の腕のなかで身体を硬直させたが、自閉症に共通するこの特徴も心の理論では説明ができない（正常な子供であっても、三ヵ月や四ヵ月で、他者の行動からその心を推測するための心の理論を身につけているとは考えられない）。しかし、多くの留保条件はつけながらも、フリスやその他の認知心理学者の理論や、自閉症とはなによりも情緒、共感の障害だというホブソン他の理論、そしてガードナーの多重知性の理論には強い魅力を感じるという。こうした理論はすべて、焦点の置き方はちがっても、同じところに目を付けているのかもしれない。

テンプルは自閉症の化学的、生理学的研究や脳造影法による調査をいろいろと調べた結果、いまの段階ではすべてが断片的であって、結論が出るまでにはなっていないと感じている。だが、脳の「感情の回路」が損なわれているという思いは強く、この回路が脳の感情を司る系統発生的に古い部分――扁桃核と辺縁系――と、もっとも新しく発達した部分、人間にだけ発達した大脳の前頭葉皮質とを結びつける役割をしているのではないかと考えている。この回路があるからこそ、新しい「高度な」意識、自己や自分の心、他者の心に対する明示的な意識が可能になるのではないか。そして自閉症はまさにこの部分の障害なのであると受けとめている。

最近の講演で、テンプルは最後をこんな言葉でしめくくっている。「もし、ぱちりと指をならしたら自閉症が消えるとしても、わたしはそうはしないでしょう――なぜなら、そうしたら、わたしがわたしでなくなってしまうからです。自閉症はわたしの一部なのです」自閉症には価値のあるさまざまな面があると信じているから、彼女は自閉症を「根治する」という考え方に不安を抱いている。一九九〇年には、彼女はつぎのように書いた。

自閉症のおとなや両親はよく自閉症に腹を立てます。自然か神かわからないが、どうして自閉症、躁鬱病、分裂病などという恐ろしい状態をつくりだしたのか、と考えるのでしょう。しかし、もしこのような状態をつくりだす遺伝子が絶滅されたら、恐ろしい代償を支払わされるでしょう。少しばかりこうした素質をもっているひとたちは創造性が豊かであるかもしれない、あるいは天才であるかもしれません……科学がこうした遺伝子を絶滅させたら、世界は会計士に支配されるかもしれないのです。

日曜日の朝八時ちょうどにホテルに迎えにきてくれたとき、テンプルはほかにも自分が書いた記事をもってきていた。彼女は絶え間なく働き、すべての時間を活用し、どんなわずかな時間も「浪費」していないらしい。目覚めている時間は文字どおりつねに働いているのではないか。彼女には娯楽も余暇もないようだった。わたしのために「予定」した週末でさえ、社交ではなく、彼女自身の自閉症者としての生活の集中的な調査のためにあてられる四十八時間だった。ときとして自分を「火星の人類学者」だと感じる彼女は、わたしを自閉症、つまり彼女を調査する人類学者だとみていたのかもしれない。それなら、あらゆる場所や状況で彼女を観察させ、解釈と普遍的な結論を引きだすために充分なデータを収集させなければならないと考えたのだろう。わたしが人類学者であると同時に、同情的な、あるいは好意的な目で彼女を見ているかもしれないということは、最初、思いつかなかったようだ。したがって、わたしの訪問は仕事であり、仕事であるからには良心的に徹底的に行なわれなければならない。ふつうなら、ひとを自宅に招待しても、寝室を見せたり、ましてやベッドの横の締め上げ機を見せて説明したりはしないだろう。だが、これも仕事の一部だと彼女は考えたのだ。

また、いつもならフォート・コリンズから車で二時間ほど南西に走ったところにあるロッキー国立公園の美しい山々を訪ねることはないという。そんな時間も余暇や娯楽を求める衝動もないからだが、わたしは行きたがるかもしれないし、まったくちがった状況、予定のない自由な状況で彼女を観察する機会になるだろうと考えてくれたのだ。

わたしたちは、テンプルの車――山のなかの道なき道を走るには最適の四輪駆動――に荷物を積みこんで、九時ごろに国立公園を目指して出発した。すばらしいドライブだった。恐ろしいほど急角度のヘアピンカーブをくねくねと曲がりながら上っていくと、地層がはっきり現われた崖や、はるか下に流れが白く泡立つ峡谷、目を見張るような常緑樹、苔、シダなどが目に入ってくる。わたしは双眼鏡を目にあてっぱなしで、角を曲がるごとに賛嘆《さんたん》の叫びをあげた。

公園に乗りいれると、見晴らしのすばらしい台地があり、どちらを向いてもはるか地平線まで一望できた。わたしたちは道路脇に車を駐めて、ロッキーを眺めた。三百数十キロも向こうの雪をかぶった山々が、地平線を背景にくっきりと輝いている。わたしは、荘厳《そうごん》な感じがしないかとテンプルに尋ねた。「ええ、きれいですね。でも、荘厳かどうか、わたしにはわかりません」さらにつっこんで聞くと、彼女は、そういう言葉がわからなくてさんざん辞書で調べたことがあると答えた。「荘厳」「神秘的」「崇高《すうこう》」「畏敬」といった言葉を探したのだが、どうどうめぐりだったという。

「山はきれいですけれど、だからといって、あなたがたが感じているらしい特別の感情は湧きません」フォート・コリンズに住むようになって三年半になるが、国立公園に来たのは二度目だという。

この話をしたとき、テンプルの言葉には悲しみか憧れ、あるいは苦々しささえにじんでいるような気がした。同じようなことを、公園に来る途中でも彼女は言っていた。「小川や花を見て、あなたは大きな喜びを感じている。でも、わたしにはそれは与えられていないのです」この週末、ずっとそんな具合だった。前日はすばらしい夕焼けだったが（ピナツボ火山の爆発以来、夕日が美しかった）それもまた彼女には「きれい」なだけで、それ以上ではなかった。「あなたは夕日に感動している。わたしもそうできたらと思います。美しいのはわかりますが、心に『触れ』ないのです」父親もよく似たようなことを言っていたという。

わたしは、金曜日の夜に星空を眺めていたときの彼女の言葉を思い出した。「夜空の星を見上げるとき、『荘厳』な気持ちになるはずだというのは知っていますが、でもそうはならないのです。そんな気持ちになりたいと思います。頭では理解できます。ビッグバンや宇宙の始まり、わたしたちはなぜここにいるのだろうといったことを考えます。宇宙は有限なのだろうか、それとも無限なのだろうかと」

「でも、そういうとき、宇宙の偉大さを感じませんか？」

「頭ではわかります」彼女は答え、続けて言った。「わたしたちは何者なのか？　死は終わりなのでしょうか？　宇宙には秩序を取り戻そうとする力があるにちがいありません。それともただ、ブラック・ホールなのでしょうか」

壮大な言葉、壮大な考えだった。わたしは彼女の精神的広がり、勇気を見直す思いだった。それとも彼女にとってはそれも単に言葉、概念にすぎないのだろうか。純粋に頭脳的な認知あるいは知的な作業にすぎないのか、それとも何らかの実感、情熱や感情とつながっているのだろうか。

さらに山を登って頂上に近づくにつれて、空気がだんだん薄くなり、樹木は低くなった。頂上近くにグランド・レイクという湖があり、わたしは泳ぎたくてたまらなかった（昔から変わった神秘的な場所で泳ぐと思うとわくわくする。バイカル湖やチチカカ湖で泳ぐのが夢なのだ）。だが残念なことに帰りの飛行機が決まっているので、立ち寄る時間がなかった。

帰路、車を駐めて、植物と小鳥、地質学のウォッチングをした。テンプルはそうしたものに「なにも特別の感情を」抱かないと言ったが、あらゆる植物、小鳥、地質学的現象を知っていた。それから、また山を下りはじめた。公園を出たところで、誘いかけるような広い水面が見えた。わたしは車を停めてくれと頼み、衝動的にそちらへ向かった。湖では泳げなかったが、ここで泳いでやろう。

テンプルが「やめて！」と叫んで指さしたとき、ようやくわたしは闇雲に下りるのをやめて見渡した。目の前には静かな水面、わたしの「湖」が広がっていたが、数メートル左手でいきなり流れが速くなり、四、五百メートル先の水力発電所のダムに向かって恐ろしい勢いで流れていた。こんなところで泳いだら、わたしは流されてダムに墜落していたかもしれない。引き返していくわたしを見て、テンプルの顔に安堵の表情が浮かんだ。彼女はあとで友人のロザリーに電話をして、わたしの命を救ったと言ったという。

フォート・コリンズまでの帰り道、いろいろな話をした。テンプルは知り合いの自閉症の作曲家のことを（「彼はいままで聞いたいろいろな音楽を組みあわせるのです」）、わたしは自閉症の画家スティーヴン・ウィルトシャーのことを話した。それから自閉症の小説家、詩人、科学者、哲学者などについて考えた。（低機能）自閉症のサヴァンを長年研究してきたハームリンは、彼らには大きな才能があるが、主観性と内面性が欠けているので大きな芸術的創造性には手が届かないとみている。これに対して、優れた臨床的研究者のひとりクリストファー・ギルバーグは、アスペルガー型の自閉症のひとたちは立派な創造性を発揮する可能性があると考え、バルトークやウィトゲンシュタインも自閉症ではなかったかと言う（自閉症のひとたちの多くは、アインシュタインも仲間だと考えている）。

いたずらや悪さをして楽しむことがあると言ったテンプルは、わたしをプラントに忍びこませたのをおもしろがっていた。ときどき、ちょっとした規則違反もする――「空港でラインの数十センチ外側を歩いたりします。ちょっとした反抗です」――というが、しかしこれは「本当の悪」とはまったくちがう。本当の悪は、たちまち恐ろしい致命的な結果につながるかもしれない。「わたしが本当に悪いことをしたら、神の罰がくだり、空港へ行く途中で車の操縦系統が故障してしまうかもしれません」帰り道に、彼女はそう言った。わたしは、神罰で車が故障するという連想に驚いた。因果律的あるいは科学的な宇宙観をもち、超越的なものの手や意図といった感覚があまりない自閉症者が、神の罰とか神の意志といった事柄をどこから考えだしたのか見当もつかなかった。

テンプルは非常に倫理的なひとだった。たとえば動物の扱いについて、彼女は強烈な善悪の観念をもっている。法律は彼女にとって単なる国法ではなく、はるかに深い意味のある神聖な、あるいは宇宙的なもので、違反すれば破滅的な結果をもたらし、自然の流れそのものすら崩れかねないのだ。「遠く離れた空間の運動、量子論などについてお読みでしょう。わたしは食肉プラントに出かけるときはいつも、とても慎重でなければならないと感じます。神が見ているからです。量子論に触れるかもしれないからです」

テンプルは興奮していた。「空港に着く前に話しておきたいのです」と彼女はせきこんだようすで言った。

彼女は監督教会派信徒として育てられたが、若いころに「正統派の信仰」――人格的な神や神意への信仰――を捨て、神をもっと「科学的」に考えるようになった。「わたしは宇宙には善に向かう究極的な秩序の力があると信じています――ブッダやイエスといった人格的な神ではなくて、無秩序から生まれる秩序といったものです。人格的な来世の存在はないとしても、エネルギーの痕跡が宇宙に残ると考えたいのです……たいていのひとは、遺伝子を残しますけれど――わたしは、思想や書いたものを残せます」

「わたしがとても不安なのは、こういうことなんです……」ハンドルを握りながら、ふいに口ごもったテンプルの目に涙があふれた。「図書館には不死が存在すると読んだことがあります……わたしが死んだらわたしの考えも消えてしまうと思いたくない……なにかを成し遂げたい……権力や大金には興味はありません。なにかを残したいのです。貢献をしたい――自分の人生に意味があったと納得したい。いま、わたしは自分の存在の根本的なことをお話ししているのです」

わたしは驚嘆していた。車を下りて別れを告げるとき、わたしは言った。「あなたを抱きしめさせてください。おいやでないといいのですが」そして、彼女を抱きしめた——そして、彼女もわたしを抱きしめてくれた（と思う）。

訳者あとがき

本書はオリヴァー・サックスの最新作である。サックスについては、ご存知の方も多いだろう。ロンドン生まれの脳神経科医で、その後アメリカにわたった。映画にもなった『レナードの朝』をはじめ、『妻を帽子とまちがえた男』『手話の世界へ』など数々の著作がある。彼が紹介してきたさまざまな症例は驚異に満ちており、未知の世界を開いてみせてくれた。彼は単なる臨床的事実だけではそれぞれの症例の、そして患者の「真の姿」はとらえられないと考えている。「症例を生き生きと伝えるには、ある種の小説家的な才能、ドラマティックなセンスが必要だと思う、そうでないと、人物が生きてこない」からだ。この独特の語り方によって、彼は全世界でおおぜいの読者を獲得し、感動させてきた。

本書にも、じつに不思議な体験をした人々が登場する。ひとりは、とつぜんに全色盲になり、まったく色がわからなくなってしまった画家だ。自分がそれまで描いてきた絵も、愛してきた名画の数々も、それどころかペットの犬、食べ物、妻の肉体までが不気味な鉛色に変じてしまったのである。二人めは、脳腫瘍のために視覚と記憶能力を失って、六〇年代に閉じこめられてしまった「最後のヒッピー」だ。この青年グレッグがグレイトフル・デッドの大ファンであることを知ったサックスは、マディソン・スクウェア・ガーデンで行なわれたグレイトフル・デッドのコンサートに連れていく。コンサート会場のグレッグは生き返ったように元気で、一緒になって歌い、拍手する。感動に頬を紅潮させ、「すごかったね、今日のことは決して忘れないよ。人生で最高の日だった」と著者に言う。ところが翌朝、ぽつねんと壁のほうを向いて座っているグレッグに、著者がコンサートのことを訊ねてみると、「マディソン・スクウェア・ガーデンには行ったことがないよ」と答える。三人めは、とつぜんに飛び跳ねたり、衝動的にあちこちに触れたり、奇妙な言葉を口走ったりせずにはいられないトゥレット症候群という障害をもった外科医のベネット博士である。手術中はトゥレット症候群は姿を消してしまう。だが、博士がトゥレット症候群であることに変わりはない。パニックや怒りの激しい発作と闘っている博士は、それでもなお患者に愛される外科医であり、仲間に褒められる優秀な小型機のパイロットなのだ。そして四人めは、中年になってから新妻の勧めで手術を受けて視力を取り戻した「ヴァージル」である。だが彼は、「見える世界」に戸惑い続け、ふたたび視力を失うことで安定を取り戻す。見えない世界で生きてきたひとが、見えるという「異常な世界」に放り込まれたときの悲劇が惻々として伝わってくる。つぎが、写真以上の驚異的な記憶力で、遠い昔に後にした故郷イタリアの小さな村を描き続ける「記憶の画家」だ。記憶の画家フランコは、夜も昼も故郷のポンティトの村の幻を見続ける。幼いころのポンティトの幻、それがフランコの存在意義そのものになっている。ところが何十年ぶりかで故郷の村を訪れたフランコは、アイデンティティを失いすっかり混乱してしまう。もうひとりは、一目見ただけで風景や建物の細部まで記憶に焼き付け、それを見事な絵に再現する自閉症の少年スティーヴンだ。サックスはスティーヴンのロシア旅行や、アリゾナ旅行に同行する。一緒に旅行しているうちに、なんとか少年との気持ちの交流を感じたいと思う。なにかのひょうしに「ほんとうの」スティーヴンが見えるのではないかと期待するのだが……。そして最後は、自閉症でありながら動物行動学を学んで博士号を取り、コロラド州立大学で教え、酪農施設の設計を手がけて事業を経営している女性、テンプル・グランディンである。自閉症のなかでも能力の高い彼女は、人間よりも動物のほうが理解できるという。動物の肉体的、生理的な苦痛や恐怖には共感できるが、ひとの心や見方に対する共感は欠けている。彼女にとって人間の行動は、データの積み重ねを元に類推によって把握するしかないものなのだ。

『火星の人類学者』という本書の題名は、この自閉症の女性助教授テンプル・グランディンの言葉から取られている。彼女は人間どうしの言葉にならない直感的な交流や触れあい、複雑な感情やだましあいが理解できない。そこで、何年もかけて「厖大な経験のライブラリー」をつくりあげ、それをデータベースとして、ある状況ではひとがどんなふうに行動するかを予測している。まるで火星で異種の生物を研究している学者のようなものだ。「自分は火星の人類学者のような気がする」と彼女は言うのである。

おおざっぱに本書の登場人物を紹介したが、サックスはじつに丹念に「人間として」彼らとつきあっている。ここにあるのは患者を見る医師の目ではない。人間という不思議な存在をなんとか理解しよう、同じ人間として重い経験を担っているひとりひとりと触れあおうという切実な思いが伝わってくる。

本書の発売後、アメリカで出たある書評にこんな文章があった。「これまでの（サックスの）作品には、どこか落ち着きの悪いものがあった。科学という口実によって正当化された医学的のぞき趣味に傾く危険があったことや……患者に対して知的な面でも健康面でも優位だという著者の立場のゆえもあるだろう。だが、読者に隔靴《かっか》掻痒《そうよう》の感を抱かせる原因となったほんとうの問題は、サックス博士が、不思議きわまりない奇妙な患者を通して人間が置かれた普遍的な条件に迫ろうとしているのに、そのことを博士自身がはっきりと意識していない、それを読者がおぼろげながら感じとるというところにあった。ところが、最新の著作（本書）では、彼はそのことを明確に意識することで、部分的にせよ問題を解決した。……本書は、サックス博士の著作のなかでも最高傑作である」たしかに、これまでのサックスの著書以上に本書は感動的である。紹介した患者たちひとりひとりに注ぐサックスのまなざしの温かさもさることながら、彼らが置かれた一見異常な状況が、じつは「人間が置かれた普遍的な条件」を拡大して見せている、ということが、読者にもはっきりと読みとれるからだろう。

すべてが鉛でできているようなモノクロームの世界にとつぜん放り込まれた画家は、何もかもが異常に見える恐ろしさに自殺まで考える。だが、真っ黒な核爆発のような日の出を見て感動したのをきっかけに、新しい世界で生きる新しい自分を発見する。画家としての活動も再開した。そして、治療すれば色覚を取り戻すことができるかもしれない、と言われたとき、いまは世界をべつの見方で見ていて、それが調和のとれた完全なものと感じているから、色覚を回復したいとは思わないと答える。

また、自閉症の女性助教授テンプル・グランディンも言う。「もし、ぱちりと指をならしたら自閉症が消えるとしても、わたしはそうはしないでしょう。なぜなら、そうしたら、わたしがわたしでなくなってしまうからです。自閉症はわたしの一部なのです」彼女はきれいな草花や夕日を見て感動することはない。そういう喜びは「与えられていない」のだ。また、ひとを愛したり、抱き合って安らぎを感じることもない。代わりに彼女は、自分が考案した「締め上げ機」で自分の身体に圧力をかける。機械に「抱っこ」されて心の安定を得るだけだ。

それでも、彼女は自閉症を治したいとは思わない。自閉症は彼女の一部、自閉症であるテンプル・グランディンこそが自分だという自覚をもっているからだ。

わたしたちは五感を通して、自分が住んでいる世界をとらえる。知覚によって、自分が住んでいる世界をつくりあげ、そのなかで暮らしている。そのとき、知覚を通じて環境を構築することによって、逆に自分自身をもつくりあげている。だから、五感が変化し、知覚が変化すれば、自分という危うい存在も変わらずにはいない。わたしたちは自分という確固たる存在があるように感じているが、それは脳のほんの小さな傷、何らかの欠損、障害によって崩壊してしまうものでしかない。本書に登場する人たちは、ふつうの人たちから見れば、非常に違った世界に生きているが、自己の危うさという点ではわたしたちもまた五十歩百歩だ。だが、たとえふつうは障害者と言われるような条件でも、欠損と言われるものがあっても、それがその個人にとっては全世界であり、自分である。それどころか、全色盲の画家がまったく新しい芸術を生み出したように、自閉症の女性学者が自閉症であるがゆえに自分にはふつうの人間以上の集中力があり、動物の恐怖や不安がありありと感じられると言っているように、病気や欠損が特殊な才能を開花させることもある。ある条件をもって生まれてきた自分を十全に生きること、自分らしく生きることは大変難しいが、同時に素晴らしい可能性をも秘めている。そのことを本書は教えてくれる。

抽象的な花はなく、それぞれがバラでありチューリップでありタンポポであるように、抽象的な健康人、健常者などという人間はいない。さまざまな偏りのある能力と性格をもったあなたであり、わたしである。その意味で人間は誰もが奇妙な存在だ。健康とか健常という言葉は、実はむなしいのではないか。それよりも、ひとりひとりが自分の偏りを自覚し、それを大切な自分だといとおしむこと、そして他人の偏りも含めてそのひとだと受け入れることのほうがよほど重要なのではないか。

著書のオリヴァー・サックスはグリニッチ・ヴィレッジで大好きなツタを相手に独り暮らしを続けているという。彼もまた人間という不可思議なものを探求している「火星の人類学者」なのだろう。

終わりに、この場をお借りして、本書の翻訳の機会を与えてくださった早川書房の鎌田真衣子さん、ていねいに訳稿を見てくださった岩井博子さん、校閲課の関佳彦さんに心からお礼を申し上げたいと思います。ほんとうにありがとうございました。

一九九七年二月

文庫版のための訳者あとがき

本書は一九九七年に単行本として発行されたが、このたび文庫となって、より多くの方の手にとっていただけることになった。訳者としては、嬉しいかぎりである。なお、サックスの著書としてはこのあと、やはり早川書房から『色のない島へ——脳神経科医のミクロネシア探訪記』が刊行されている。お読みになった読者も多いだろう。

日本でも近年「脳」そして「脳から見た人間」への関心はますます高まっているように思う。このテーマについては研究が進めば進むほど、知れば知るほど、さらに深く知りたくなる。それも無理はない。人間とは、わたしたち自身とは何者なのか、ということが少しずつ明らかになろうとしているのだから。

訳者はさきごろ、『失語の国のオペラ指揮者——神経科医が明かす脳の不思議な働き』という本を訳す機会をいただいた。著者はハロルド・クローアンズという神経科医で、サックスとも面識がある人物だ。そのクローアンズが著書のなかで、サックスと自分はどちらも神経学者であり、実体験をもとにして、専門家というよりももっと広い読者に向けて本を書いているが、しかし自分たちはまったく似ていないと言っている。サックスは脳に障害のある患者を診たとき、残された脳の機能に関心をもち、それが患者とその人生にどんな意味をもつかを探る。クローアンズは脳の障害の研究をもとに、はるかな昔から進化してきた人間とは何かを考える。この対比はなかなかおもしろい。興味をおもちの読者は、クローアンズの著書もぜひお読みいただきたいと思う。

なお、文庫化に際しては不適切な訳文は気のつく限り訂正し、文章にも多少、手を加えた。少しでも読みやすくなっていればと願っている。この作業にあたって、早川書房の小都一郎さん、玉居子精宏さんにたいへんお世話になった。丹念な仕事をしていただいたことに篤くお礼を申し上げる。

二〇〇一年三月

by Temple Grandin (*Focus on Autistic Behavior*, vol.5, no.1, April 1990, pp.1 - 16), copyright ©1990 by PRO - ED, Inc. Reprinted by permission of PRO - ED Journals.

PHOTOGRAPHIC CREDITS

Lowell Handler : Mr. I.'s grey fruit Mr. I.'s grey boat
Daniel G. Hill : Mr. I.'s sunset postcard, Stephen Wiltshire's Matisse heads, second drawing of house
Susan Schwartzenberg : Franco Magnani's paintings, Pontito.
Mark Sheinkman : Mr. I.'s paintings

Grateful acknowledgment is made to the artists for permission to reproduce works by Jonathan I. and Franco Magnani ; and to J. M. Dent & Sons Ltd., John Johnson Ltd., and Michael Joseph for permission to reproduce works by Stephen Wiltshire.

Photo inserts designed by Allen Furbeck.

PERMISSIONS ACKNOWLEDGMENTS

Grateful acknowledgment is made to the following for permission to reprint previously published material :

Cambridge University Press and Knut Nordby : Excerpts from article by Knut Nordby from *Night Vision : Basic, Clinical and Applied Aspects,* edited by R. F. Hess, L. T. Sharpe, and K. Nordby, copyright © 1990 by Cambridge University Press. Reprinted by permission of Cambridge University Press and Knut Nordby.

Farrar, Straus & Giroux, Inc. : Excerpt from "Memories of West Street and Lepke" from *Life Studies* by Robert Lowell, copyright © 1958, 1959 by Robert Lowell, copyright renewed 1981, 1986, 1987 by Harriet W. Lowell, Caroline Lowell, and Sheridan Lowell. Reprinted by permission of Farrar, Straus & Giroux, Inc.

Richard Gregory : Excerpt from sight restoration case history by Richard Gregory with Jean G. Wallace (*The Quarterly Journal of Psychology,* 1963, and reprinted in *Concepts and Mechanisms of Perception* by Richard Gregory). Reprinted by permission of the author.

Grove/Atlantic Publishing : Excerpt from "Funes the Memorious" from *A Personal Anthology* by Jorge Luis Borges (Grove Press, 1967). Reprinted by permission of Grove/Atlantic Publishing.

Ice Nine Publishing Co., Inc. : Excerpt from "Box of Rain," words by Robert Hunter, music by Phil Lesh, performed by Grateful Dead copyright © 1980 by Ice Nine Publishing Co., Inc. (ASCAP). Reprinted by permission of Ice Nine Publishing Co., Inc.

Oxford University Press : Excerpt from "Selective Disturbance of Movement Vision After Bilateral Brain Damage" by J. Zihl, D. Von Cramon, and N. Mai (*Brain*, 106 : 313 - 340, 1983). Reprinted by permission of Oxford University Press, Oxford, England.

PRO - ED Journals : Excerpts from "Needs of High Functioning Teenagers and Adults with Autism (Tips from a Recovering Autistic)"

本書は、一九九七年三月に早川書房より単行本として
刊行された作品を文庫化したものです。

訳者略歴　翻訳家　東京教育大学文学部卒　訳書『不安を希望に変える』ピレイ，『リスク・リテラシーが身につく統計的思考法』ギーゲレンツァー，『見る』イングス（以上早川書房刊）他多数

HM=Hayakawa Mystery
SF=Science Fiction
JA=Japanese Author
NV=Novel
NF=Nonfiction
FT=Fantasy

火星《かせい》の人類学者《じんるいがくしや》
脳神経科医と７人の奇妙な患者

〈NF251〉

二〇〇一年四月十五日　発行
二〇二三年一月十五日　八刷

（定価はカバーに表示してあります）

著者　オリヴァー・サックス
訳者　吉《よし》田《だ》利《とし》子《こ》
発行者　早川浩
発行所　株式会社　早川書房

郵便番号　一〇一 - 〇〇四六
東京都千代田区神田多町二ノ二
電話　〇三 - 三二五二 - 三一一一
振替　〇〇一六〇 - 三 - 四七七九九
https://www.hayakawa-online.co.jp

乱丁・落丁本は小社制作部宛お送り下さい。
送料小社負担にてお取りかえいたします。

印刷・株式会社亨有堂印刷所　製本・株式会社明光社
Printed and bound in Japan
ISBN978-4-15-050251-5 C0111

本書は活字が大きく読みやすい〈トールサイズ〉です。